てらいんくの評論

石井桃子論ほか

現代日本児童文学への視点

竹長 吉正

③

①

②

＊口絵の解説は本文の巻末420～423ページにあります。

⑤

ふしぎなたいこ
岩波の子どもの本

④

First Whisper of 'The Wind in the Willows'
KENNETH GRAHAME

⑦

小說公園
2

⑥

文福茶釜
ふしぎな
たいこ

⑧

⑨

⑩

⑪

⑬

⑫

⑮

⑭

チッチゼミ鳴く木の下で
皿海達哉
絵 長尾みのる

⑰

先生のおとおりだい！
中野みち子―作・長谷川知子―文

⑯

カツオドリ飛ぶ海
日比茂樹
絵 西村保史郎

⑲

海のメダカ
皿海達哉・著
長 新太・絵

⑱

⑳

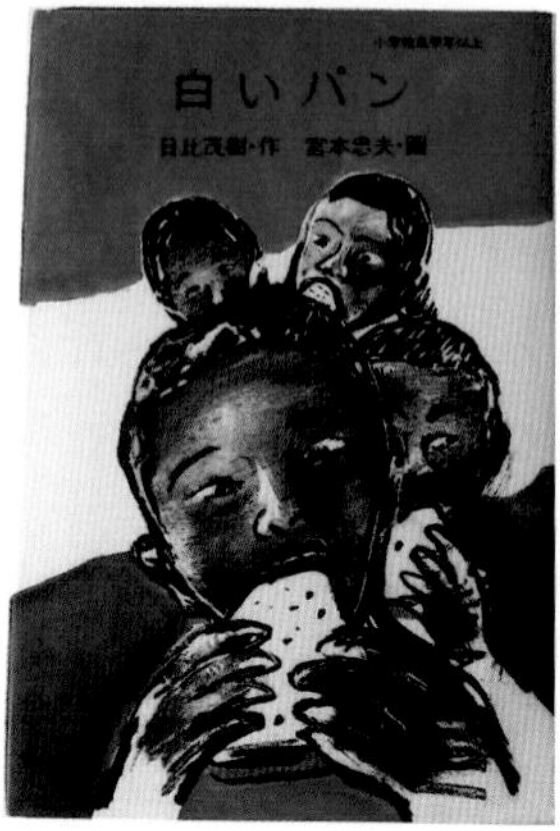
白いパン
日比茂樹・作　宮本忠夫・画

㉑

ぼくのヒメマス記念日

㉒

永沢君
さくらももこ
小学館

㉓

ちびまる子ちゃん
まる子《こ》 子《こ》ねこをひろうの巻
原作／さくらももこ
金の星社

RIBON MASCOT COMICS
ちびまる子ちゃん
キミを忘れないよ
さくらももこ

㉔

ちびまる子ちゃん
イタリアから来《き》た少年《しょうねん》
原作／さくらももこ
金の星社

㉕

星とトランペット
竹下文子
ブッキング

㉖

土曜日の
シモン
竹下文子 作

㉗

〈A〉

迷子の天使
石井桃子
脇田和画

迷子の天使
石井桃子
脇田和画

迷子の天使
石井桃子
脇田和画

〈B〉

迷子の天使
石井桃子
脇田和画

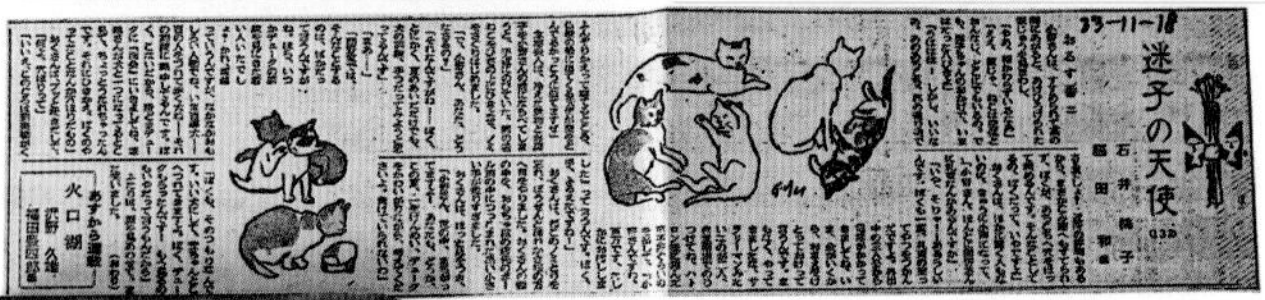
迷子の天使
石井桃子
脇田和画

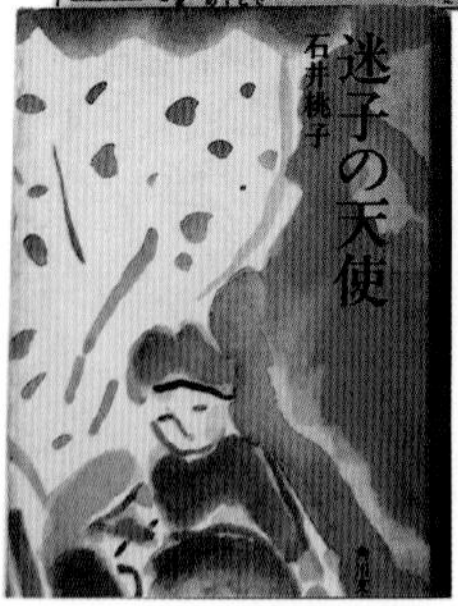
迷子の天使
石井桃子

石井桃子論ほか

——現代日本児童文学への視点——

はじめに

この本は、現代日本児童文学へのわたくしの見方を示したものです。石井桃子への敬愛の念を込めているのはもちろんですが、北川千代や野上弥生子、それにあまり詳しくは述べられませんでしたが、佐藤春夫、中勘助、早船ちよなどについても敬愛の念は変わらず、存在します。また、瀬田貞二は石井桃子にとって、イスミ会以来の仲間であり、石井よりも早く亡くなったので、大変残念な思いがいたします。ここには瀬田貞二についてずいぶん昔、姫路市のお寺で講演したものの一部を収録しました。

石井桃子の作品でわたくしが注目したのは、『迷子の天使』『ふしぎなたいこ』、それに翻訳の『たのしい川べ』の三作品です。なぜ、これら三作品に注目したのかと聞かれても、明確に答えられません。不思議な出合いであり、また、わたくしの琴線に触れた作品であったからです。それに石井はわたくしが勤務した埼玉大学のある旧浦和市（現、さいたま市）の出身であり、彼女とは何度か手紙のやり取りをしたことがあります。石井が生まれた旧浦和市の町の様子は、ずいぶん変わりました。昔の面影をそのまま残している場所は、きわめてわずかです。しかし、それでも時々、懐かしい場所に行って、その周囲を歩いてみると、現在の建築物の陰翳の背後に昔の風景が立ち昇ってくるような幻覚に襲われます。わたくしも年輪を重ねたのだなあと思うのです。

第二部は「石井桃子の周縁」と名付けていますが、石井桃子とほぼ同時代を生きた作家についての論を集めました。

第三部は「現代日本児童文学への窓」と称して、太田博也から竹下文子、そしてマンガ家のさくらももこを取り上げて、論じました。特にさくらももこはテレビで孫たちと一緒に見た「ちびまる子」がなつかしいのですが、今回、マンガやテレビアニメの本を読んで、テレビで見ていた時と違う新鮮な感動を得ました。作者のさくらももこは早く冥界に旅立ちましたが、作品は不滅だと強く感じた次第です。わたくしの考えでは、マンガを現代日本児童文学の中へ入れるということですから、さくらももこ論を本書に収録した次第であります。

現代日本児童文学はこれからも、どんどん間口を広げて発展していくと思います。

本書を手に取っていただき、現代日本の「子どもの文学」について、こんな見方ができるんだとか、こんな作家がこんな作品を書いていたんだと開眼していただけたら、著者として大変うれしく思います。

目次

はじめに　2

第一部　石井桃子論

第一章　『迷子の天使』論　8
第二章　『ふしぎなたいこ』論　22
第三章　『たのしい川べ』論――中野好夫と石井桃子の翻訳――　39
第四章　北川千代と霜田史光、そして石井桃子　84
第五章　随筆「のんびりしたような世界」　129
第六章　随筆「子どもにうったえる文章」　137
第七章　石井桃子からの手紙――書簡三通を巡って――　148
第八章　二つの石井桃子論　161

第二部　石井桃子の周縁

第一章　十九世紀のイタリアと佐藤春夫「いたづら人形の冒険」　178
第二章　中勘助と、ある詩人　185
第三章　野上弥生子の児童文学　202
第四章　早船ちよの人生と作品　216
第五章　瀬田貞二についての講演　246

第三部　現代日本児童文学への窓

第一章　太田博也　270
第二章　西沢正太郎　281
第三章　安藤美紀夫　287
第四章　中野みち子　322
第五章　皿海達哉　338
第六章　日比茂樹　355
第七章　高橋秀雄　370
第八章　さくらももこと竹下文子　391

あとがき　416
主要文献　418
写真解説　420

第一部　石井桃子論

第一章　『迷子の天使』論

一

この作品は『朝日新聞』昭和三十三年（一九五八）七月九日から同年十一月十八日まで全百三十二回にわたって連載された。

あらすじは、おおよそ次のとおりである。念海禎子《ねんかいていこ》という婦人が自分の子ども宏一（小学六年生）の行動範囲を通して、自分の社会的視野を広げていく。禎子の夫は念海満寿三《ますぞう》という物理学者で、彼女に非協力的のようでありながら、肝心のところでよく協力してくれる。彼は彼女の良き批評者であり、彼女の行動の是非を照らし出す鏡的な存在である。

また、禎子は無類の猫好きで、あちこちで棄てられた猫を拾ってきては、家計の許す限り、世話をしている。そんな彼女が、自分の息子宏一の行動範囲の拡大に伴って、自身の狭い視野を拡大していく。

まず、拡大する第一の輪は、隣家の団野家で飼っているデュークというコリー犬の世話をすることで、団野家の家庭の内情に立ち入っていく。

団野家の主人は政治家でお金持ちである。しかし、子どもとの接触はほとんどない。妻の水江は、主人と出歩くことが多く、子どもの面倒を見ようとしない。子どもたち（長女の洋子、長男の明彦）は、心の空虚さを抱えている。そして、洋子は念海家の養女になりたいといって、家出を考える。洋子から相談を受けた禎子は、外面は豊かで申し分のないように見える団野家の様子が実は、その内面では不幸の蛇がとぐろを巻いていることを知る。というのは、洋子の母は水江ではなく、和子という人で、今はどこかの施設で働いている。その和子に洋子は会いたい。そこで、禎子は和子の働いている施設を探し出し訪ねていく。そこは精神薄弱児の施設「さわらび園」で、そこに和子の子（＊団野との間にできた二女で、名は道子）も入っている。禎子は和子から、自分は道子と暮らすために団野と離婚したと聞く。そして、和子は道子がもう少し大きくなるまでここにいるから、それまで洋子をよろしくと禎子に頼む。禎子は重い心で帰途につく。

もう一つの輪は、宏一が団野家の長男明彦とつき合うことによって、もう一つの問題家庭である岩本家の内情に関与していくことである。

岩本家の父は放浪癖があり、しかも酒飲みで、収入が少ない。時々、子どもと相撲を取ったりして遊ぶが、教育などその他はすべて母親任せである。母はビルマの生まれで、日本には身寄りや知り合いがほとんどない。母は今川焼を売ったり内職をしたりして生計を立てている。こうした家の状況を見かねた和美（＊岩本家の長男。中学三年生であるが、殆んど不登校状態）が、知り合った念海宏一や団野明彦らと氷屋（＊かき氷を売る店）を開こうとして東奔西走している。また、和美の弟の義美（＊小学五年生）は他人のものを盗んだりして、児童相談所の世話になっている。

念海禎子は宏一のそうした行動の詳細を知らずにいたのだが、団野明彦が氷屋を開くための資金を自家から持ち出し、それを宏一に託したことを、後で知ることになる。それは、明彦から預かった資金を宏一が岩本和美に届けるため自転車で出かけるが、その途中でタクシーにはねられ、けがをしたからである。

幸い、宏一のけがは大したことにならなかった。しかし、普段は子どもの教育にあまり関心を持たなかった念海満寿三は、びっくりする。そして、禎子もびっくりする。

禎子は児童相談所を訪ね、担当の茂木先生と話し合う。そして、茂木先生を介して、岩本君のお母さんと会う。お母さんは自分自身のことや、息子たち（＊和美や義美）のことを詳しく話してくれた。

それから、禎子は、年齢オーバーで児童相談所ではあずかれないと言われた和美を、自分の家であずかろうと決心する。

帰宅して禎子は夫の満寿三に、そのことを告げる。すると、満寿三は「ねこの子じゃあるまいし、……」と言って、はぐらかす。禎子は、むっとする。

満寿三は「千葉のおじいちゃん（＊千葉に住む、禎子の父、和田勇雄《わだいさお》）はあずかってくれないか」と提案する。「あら、ほんと！　忘れてたわ」と禎子はひざをうつ。

和田は、千葉の田舎に住む「老船長」（＊元、郵船会社に勤務）で、「一人前に育てた子に、何もしてやる必要はない、あとは社会へのサービスが自分の仕事だ」と思っている人である。

翌朝、満寿三は和美と、それに宏一や団野洋子らを連れて、千葉の和田勇雄の家に向かった。彼らを送り出して禎子は、ほっと一息つく。そこへ、もと団野家で働いていた小野さん（＊団野家の書生で、犬のデュークの訓練士）がやって来る。小野さんは、八匹もいる子猫に驚いて、「じつにいいなあ」と声をあげる。猫たちの踊りを踊っているような格好を見ると、天使たちが空を飛んでいる絵を思い出すと、彼は言う。それに応えて禎子が言う、「あたしね、このねこどもから教えられてるつもりよ。どのすてねこだって、こうなれるのよ。どれだって、天使になれるんじゃない？」

二

作者の石井桃子は主として、禎子の視点に立って、次々に生起する出来事を描いている。しかし時々、宏一や洋子の内面に入って彼らの視点から出来事を描いている。したがって、読者は宏一の気持ち、洋子の気持ちになって、この物語を読み進めていくことができる。また、子どもの立場から大人への注文を出している箇所もある。

ブルジョア作家と言われたりする石井であるが、この作品では社会問題を扱っている。例えば、戦争の中で空襲を受けたことや、防空壕に避難したこと、さらに、戦後の闇市や、戦後の成金の登場など、この作品では日本の社会問題が色濃く取り上げられている。

具体的には、念海禎子の生い立ちや結婚、それに戦争体験であるが、特に昭和十九年の終わり頃から戦後にかけての様子が振り返られていて迫力がある。

禎子が捨て猫を次々に拾ってきて育てるのは、それを彼女が自分の使命と感じているからである。もともとは猫が好きでなかった彼女が、防空壕の中で猫と出合い、親身な接近がなされたのである。それは彼女が防空壕の中で、生きている者同士（*人間と猫）の「あたためあい」の価値に目覚めたからである。棄てられた猫を、困っている人と同じように見てしまう感性、それが禎子の感性である。

念海禎子は、単なる猫好きというのではない。困っている人と同じように、捨てられて行き場のない猫を引き取って世話していこうと思うのである。それは不良少年や、親から見放された子どもたちとダブってしまう。お金持ちの子どもであれ、貧困家庭の子どもであれ、彼らはいわゆる「迷子」の状態にある。彼らを何とかして救いたい、それが念海禎子の願いである。

三

この作品のメインテーマは、既にみたように念海禎子の「広い愛情」（いわゆる、博愛の思想）である。しかし、そのほかに次の問題を含んでいる。

・子どもの立場から大人への注文を出している箇所
・満寿三の目から見た禎子

前者の問題は、禎子の息子宏一が反逆する箇所である。禎子は、さわらび園で働く和子から、「平等の子育て」を学ぶ。自分の子宏一を特別扱いすることなく、洋子や和美らと同等に対しようとする。また、禎子は猫たちに対して公平にふるまう。そのように子どもたちに対しても公平にと考える。これは禎子が抱く、理念としての「愛の公平」である。それは宏一に対しても可能なのだろうか。自分の子と他人の子とを区別するのは可能であるが、どこで、どのように差異がつけられるかは、意外にむずかしい。

後者の問題は、こうである。満寿三は禎子に一見、冷たくて非協力的である。しかし、それは彼が冷静に状況を見ているということでもある。彼は肝心のところで、彼女に協力する。満寿三は禎子にとって、時には小憎らしい存在である。しかし、彼は彼女の良き批評者である。彼女の思考や行動を照らし出す鏡的存在である。したがって、彼女は彼を媒介にして自己相対化をはたすことができる。

この作品で主人公は明らかに禎子である。しかし、禎子は完全、完璧な人間ではない。もちろん、優れた面は多々あるが、欠けている面もある。それを補うのが満寿三である。

作者石井が、自分のキャラクターの大半を投影した禎子という人物を設定したうえで、さらに、禎子の自己相対化を可能にする満寿三を造形した。それは多大な効果があったといえる。

四

この作品『迷子の天使』は、先に述べたように初出は新聞連載である。単行本及び文庫本では、作品各章の見出しは新聞連載のものを踏襲している。しかし、細分化した数字（＊章の後につく数字）は省いている。それ故、新聞連載時の作品構成を次に示す。

おるす番	一～六	1～6回
ねこめいめい伝	一～二〇	7～26回
ひとりおおかみ	一～一六	27～42回
子どもたち	一～一五	43～57回
少女の部屋	一～一八	58～75回
さわらび園	一～一五	76～90回
小さな反ぎゃく	一～一五	91～105回
あらし	一～一三	106～118回
ある補導記録	一～一二	119～130回
おるす番	一～二	131～132回

画は脇田和《わきた》。新聞連載では毎回、脇田の画が載っているが、単行本や文庫本では画の数が減っている。また、画の入る位置も単行本や文庫本では変化している。例えば角川文庫（昭和三十八年初版、昭和四十九年三版）の『迷子の天使』では、最初の「おるす番」の所に入っている挿絵は、新聞連載の第一三二回、つまり、最終回で使われている絵（＊五匹の猫がそれぞれ、寝転がっていたり、じゃれ合っていたりする絵）である。ちなみに新聞連載の第一回は、「ああ、くたびれた。ちょっとひと息」と言って茶の間に戻り、夫の読み棄てていった新聞に目を通そうとする念海禎子の姿を描いている。

単行本や文庫本では、新聞連載のものより、絵の数が少なくなっているのは、ある程度やむを得ない事情があるのであろう。

ところで、文庫本（＊角川文庫の本）と新聞連載とで、同じ位置に同じ挿絵の入っている場合もある。新聞連載では第七回（ねこめいめい伝　一）である。そこには、手提げ袋を床において、「私にも抱かせて！」と父に近づく少女と、犬を抱いている船長の絵が載っている。少女は和田禎子（＊後の念海夫人）で、船長は禎子の父和田勇雄である。和田船長は航海を終えて戻ってくると、何かお土産を持ってきてくれる。禎子が小学一年の時、和田船長は「顔より耳のほうが長いような、茶色のきぬのような毛をした、コッカー・スパニエル」の子犬を抱いて帰ってきた。こうして禎子は犬好き、猫嫌いのまま、大人になった。

この部分の挿絵は、文庫本（＊角川文庫の本）「ねこめいめい伝」の最初の所に載っている。

それから、和田禎子は大人になり、父の友人の息子、念海満寿三と結婚する。それは日本が「不幸な大戦争にとびこんでまもなくのころ」である。食糧不足と空襲警報で悩まされる日々が続く。和田家では禎子の弟は戦地に、父は輸送船に、夫は研究所に、そして、自分は防空壕の穴の中に飛び込む。禎子は一人、防空壕に坐って、ズシン、ズシンと投下される爆弾の数を数えながら、呆然と青い空を眺める。

そんなある日、禎子は自分の家の縁の下に赤犬が住みついたのを知る。禎子はその犬にサンチョという名をつけ、かわいがる。

また、ある日、防空壕の中で、子猫を二匹、見つける。また、ある日、禎子が庭でカボチャの穴を掘っていると、その親らしい猫を見つける。犬のサンチョは親猫たちを見つけると、唸り声をあげる。それで、禎子はサンチョの首に縄をかけ、縁の下の柱につないだ。

こうして念海家は、犬や猫の世話をするようになる。

この作品『迷子の天使』は、このように犬や猫の生きざまと、彼らと人間との関わりを丁寧に描き、記録している。猫好き、犬好きの読者が読むと、たまらなく楽しくなるだろう。そして、その犬や猫を介して、子どもや大人の物語が展開していく。このような筋立てになっている。

五

この作品『迷子の天使』について、清水真砂子は著書『子どもの本の現在』（大和書房　一九八四年九月）で、次のように述べている。

（前略）石井は、ここでは、子どもの本を意識しなくてもよかったせいか、念海夫人をとおして、のびやかに自己を語り、その生理を語っている。もちろん、「児童文学者」石井桃子がすっかり消えていなくなっているわけではないけれど、石井は、たてまえなんぞはくそくらえ、ねこずき、世話ずきのふつうの「おばさん」にもどり、念海夫人を前面におしたてて、ひとりの女の生理を語り、うっぷんばらしさえしているのである。（同書四五ページ）

清水はまた、石井の著書『幼《おさな》ものがたり』（福音館書店　一九八一年初版）についても言及し、次のように述べる。

まさに本然の石井は、いたずら好きで、人間が好きで、人の間にくらすのが好きで、おかしいことが大好きで、時に頑固で、意地悪で、そんなふうに生理がゆたかな分だけ人間をみる目も鋭く、他人の喜びや悲しみを深いところで受けとめることができる人なのではないか。（同前『子どもの本の現在』一八ページ）

これは石井の作品のみならず、石井の人となりをよく知っている清水の印象・感想記であると思う。

清水によれば、「本然の石井」「生理のゆたかな石井」の最もよくあらわれている著作が『幼《おさな》ものがたり』だというのだが、『幼《おさな》ものがたり』はノンフィクションのいわゆる、自伝である。したがって、フィクションの『迷子の天使』とは質が異なる。しかし、清水はあえて、この二つの作品『迷子の天使』と『幼《おさな》ものがたり』とを合せて論じている。それはそれぞれを独立した作品として論じようとするのではなく、二つの作品を合せてこれら二つに共通する作者の姿勢や特徴を見ようとしたからである。それは、清水の使う用語「ひとりの女の生理」や「うっぷんばらし」などに顕著である。

ところで、清水の印象・感想記から想起されるのは、石井が「子どものための文学」として翻訳したり創作したりした作品もさることながら、それらの作品よりも、いわゆる「マイナーなもの」とみなされる『迷子の天使』や『幼《おさな》ものがたり』のほうが「石井を知る上で」かえって興味深いのではなかろうかという問題提起である。

このように考えてくると、清水の印象・感想記は極めて有意義であったと思う。その昔（一九八六年）、わたくしは清水の『子どもの本の現在』で石井桃子論を読んだのだが、その時は、この事に気づかなかった。今回、『迷子の天使』や『幼《おさな》ものがたり』を再読して思うのは、この作品が、通常の「子どものための文学」に収まらず、大人読者の文学でありつつ、その根っこには「子どもの文学」の要素をたっぷりと含んでいるということである。そのことに今回、気づいた。

そして、これからの児童文学の作家は、この二つを車の両輪のようにして作品を書き続けていくのかなと思うようになった。

作家石井桃子の中に潜む感受性や想像力というものを考えると、それは子ども読者のみならず、大人読者に向けても活発に動き出す。『迷子の天使』は、大人読者に向けて書くという制約を抵抗体として、作者石井が自己内部の「子ども」に向かって書いた作品である。そのような作家姿勢は、『幼《おさな》ものがたり』でも踏襲された。しかし、『幼《おさな》ものがたり』はフィクションでなく自伝であるので、自己内部の「子ども」を掘り起こしつつ、執筆された。

読者に生き生きとした印象を与える児童文学作品は、どのようにして生れるのだろうか？

その秘訣は、いろいろであろう。

『迷子の天使』を通して言えることは、第一に猫や犬といった動物に対し、人と同じように接する感性や情緒である。第二に、幼児や少年少女の心に近づく姿勢である。そして、何といっても、「子どもが聞く」「子どもが読む」ということを過剰に意識せず、のびやかに自己の幼児期や少年少女期の体験や感情・思考を語り、綴ることである。たてまえは打ち壊し、うっぷんばらしをするくらいの気持ちで「過去の自分」「今の自分」にぶつかっていくことである。創作家でないわたくしには、これくらいのことしか言えない。

第二章　『ふしぎなたいこ』論

石井桃子『ふしぎなたいこ』の波紋

一

石井桃子に『ふしぎなたいこ』と題する作品がある。岩波書店のシリーズ〈岩波の子どもの本〉第二であり、一九五三年十二月二十五日に第一刷が出ている（注1）。一九七五年九月に第二十一刷改版が出て、一九七八年十月には第二十四刷が発行されている。その後のことは調べていないが、おそらく、更に増刷されていることであろう。

この本をわたくしは数冊所蔵しているが、その何冊目か（たぶん第二十四刷だったか）に小さな紙切れが入っていた。何気なく開いてみたら、そこに石井の文章が載っていた。

それは以下のとおり。

〈岩波の子どもの本〉第一集が世に出たのは、一九五三年、今から、かれこれ三十年近く前のことだと考えると、驚かされる。

まだ敗戦の傷の癒えない頃で、新しい行き方の、ほんとうによい絵本のシリーズを、しかも、廉価で出そうという計画は、やさしいものではなかった。幸運にも、外国の子どもの本なら、文字通り家いっぱい収集していらしった光吉夏弥氏がこの企画に加わって、惜しみなく材料を提供してくださったから、外国の絵本の選択はかなりの贅沢が許された。意外にむずかしかったのは、日本のお話の本である。

昼夜兼行、編集部あげての材料探しの後、日本の昔話で私が一冊つくることになった。やっと、どうやらまとめたとき、岩波書店の首脳部の人たちのいった、その意気込みを示す言葉を私は忘れることができない。

「これはと思ったら、画壇のどんなえらい人の名でも挙げてみなさい、交渉するから。」

私は、画壇のえらい人の代りに、清水崑さんの名を挙げた。あの線の太さで、日本の昔話の新しい絵本をつくっていただこうと思ったからである。

新聞社の仕事でお忙しい清水さんのお家に通い、何日か、つきっきりのようにして、私は清水さんと、絵と文との結びつきなどについて話し合ったり、議論したりした。そして、『ふしぎなたいこ』はできた。

その頃としては珍しく、清水さんはその挿絵に、印税という方法で支払いを受けた。本ができて十何年かしたころ、清水さんにお会いしたら、「あの本、ふしぎな本ですね。まだ売れてるんですね。」と言われた。

その後、思いがけず早く清水さんは亡くなられたが、「ふしぎな本」は、初版後三十年近い今、まだ日本の子どもたちの前に生き続けている。

この文章を読んでわたくしはさすがに石井さんらしい文章だと思った。だいいち、短い文章でありながら、ユーモアのスパイスがきいている。どこかのホールで、石井さんのショートスピーチを聞いているかのようである。そして、何といっても、故人となられた清水崑さんについてのエピソードが面白い。「本ができて十何年かしたころ、清水さんにお会いしたら、『あの本、ふしぎな本ですね。まだ売れてるんですね。』と言われた。」

何気なく清水さんの口から出た「あの本、ふしぎな本ですね。まだ売れてるんですね。」、この言葉が出た時、向かい合っていた石井は思わず笑いが吹き出したに相違ない。

それは言わずとも知れる、本のタイトル『ふしぎなたいこ』との縁語であったから。清水は石井を笑わせようとして、そう言ったのではあるまい。自然にその言葉が出たのである。そして、言った本人の清水は気が付いていないが、石井にはすぐに分かった。そして、石井はにっこりと笑う。すると、その石井の笑いが、向かい合っている清水に伝染して、清水も笑う。そんな愉快なひと時があった。何とも微笑ましい風景である。

二

昔、あるところに、げんごろうさんという、人が住んでいました。げんごろうさんは、ふしぎなたいこを持っていました。

そのたいこの片方をたたいて、

「鼻高くなれ、鼻高くなれ」と言いますと、鼻が高くなります。

また、反対側をたたいて、

「鼻低くなれ、鼻低くなれ」と言いますと、鼻が低くなります。

けれども、そのたいこは、人を喜ばせるためでなければ、使ってはいけないことになっていました。（※引用の表記は適宜、平仮名を漢字に改めた。以下同様）

これが石井桃子『ふしぎなたいこ』の書き出しである。順調な滑り出しである。

続きを読んでみよう。


げんごろうさんは、そのたいこをたたいて、よその人の鼻を高くしたり、低くしたりして、大変喜ばれていました。

ところが、そのうちげんごろうさんは、人間の鼻がどのくらい伸びるものか、試してみたくなりました。

そこで、あるお天気のいい日に、たいこを持って、野原に出かけました。そして、

「おれの鼻高くなれ、おれの鼻高くなれ」

と言って、どんどこどんどこ　たいこをたたきました。

すると、げんごろうさんの鼻は、にょきにょきと　伸び始めて、手の長さくらいになりました。


それから、げんごろうさんは面白くなって、たいこを、どんどこどんどこと、たたき続ける。

鼻は、どんどん伸び続け、木よりも、山よりも高くなっていく（注2）。

そして、ついに雲の中に入っていく。

ここら辺は、子ども読者にはたまらなく面白い。

ところで、鼻ばかり伸びていくが、げんごろうさんは、いったいどうなるのだろう。

さて、今度は場面が変わって、雲の上の天国の様子。そこでは、天使のような羽をつけた大工さんが、天の川の橋を作っていた。そこへ、げんごろうさんの鼻がにょきにょきと伸びてきた。大工さんは、その鼻を棒と間違えて、橋の欄干にしっかりとしばりつけた。

野原に寝そべってたいこをたたいていたげんごろうさんは、びっくりした。いくらたいこをたたいても、鼻が動かない。これは困った。「鼻をちぢめて、調べてみよう」とげんごろうさんは、今度はたいこの反対側をたたきはじめた。反対側をたたくと鼻がちぢまって、低くなるのであった。

たいこの反対側をたたきはじめると、げんごろうさんの体が地面から少しずつ持ち上がっていく。これは困った！「誰かが、おれの鼻をとろうとしている。早く行って、取り返さなければならない」そう言って、げんごろうさんは、どんどこどんどこと、たいこをたたいて、ついに雲の上まで行った。

天国に着いたげんごろうさんは、あたりを見まわした。天の川の橋のあたりには、誰もいない。さっきまでいた大工さんたちは、お昼ごはんを食べにうちへ帰って行ったのである。

鼻を橋の欄干からはずし、元の形に戻し、げんごろうさんは、ほっとした。だが、心配なことが一つあった。それは、どうやってうちへ帰るかである。

その先は次のとおり。

　こうして、げんごろうさんが天国の橋の上で考え込んでいるうちに、足元の白い雲がちょっと切れました。そして、ずっとずっと下の方に、まっさおな湖が見えました。「あっ！」と言って、げんごろうさんは目を回しました。そして、すってんころりん！

　天国の橋の上から真っ逆さまに転がり落ちました。

天国の橋の上で考え込んでいるげんごろうさんの姿は、「雲に乗った」ノンちゃんの姿とダブっている（＊石井の著書『ノンちゃん雲に乗る』参照）。作者石井は、ここでも自分の思いを潜入していたのではなかろうか。

それから、この先、天国から地上に落ちたげんごろうさんは、いったいどうなるのだろうか。

げんごろうさんの落ちたところは、近江の国の琵琶湖である。

　げんごろうさんは、ぶるるんぶるるんと水を吐き出して、いっしょうけんめい泳ぎました。けれども、何だか自分の体が、今までと変わっていることに気が付きました。手や足は無くなって、そのかわりに小さな尾とひれがついています。そして、鼻と口はとんがっていました。げんごろうさんは、小さなお魚になっていたのでした。

そして、物語の最後はこう締めくくられる。

今でも琵琶湖には、げんごろうぶなというお魚がたくさんいます。
きっと、皆さんもごぞんじでしょう。

清水崑の挿絵をいちいち紹介できないのは残念であるが、この『ふしぎなたいこ』は石井の文章はもとより、清水の挿絵がとても効果的であり、場面ごとに迫力がある。

三

『ふしぎなたいこ』と題する作品は、石井桃子の他にもある。飯島敏子の文章によるものが、その一つである。それは（株）ひかりのくに発行の『日本昔話えほん全集第十　文福茶釜・ふしぎなたいこ』（一九六七年二月）所収の「ふしぎなたいこ」である。この話のストーリーは、石井のものと似ている箇所もあるが、基本的にはだいぶ異なっている。そして、石井のものよりもストーリーが長い。

まず、最初の場面を見てみよう。

ある日のこと、げんごろうは川べりで太鼓をひろいました。たたこうとすると川の中から、魚がひょいと顔を出して、

「その太鼓は、鼻たこうなれと言ってたたくと鼻が高くなるし、ひくうなれと言ってたたくと低くなるふしぎな太鼓です。」と教えてくれました。

この後、げんごろうは「この太鼓を使ってお金儲けをしようではないか。」と友だちと相談する。そこへ、きれいな娘さんが通りかかる。

「娘さんの鼻たこうなれ。」ぽんぽんぽん。すると、娘さんの鼻がぴくぴくぴく、高くなっていきました。

「まあ、ど、どうしましょう。恥ずかしい。」

娘さんは、びっくり、泣きながら家へ走って帰りました。

娘さんのお父さんは、お金持ちでしたから、お医者さんを何人も呼びましたが、誰も鼻をもとどおりにはできませんでした。

そこへげんごろうの友だちがのりこんで、

「鼻をもとどおりにしたものには、うんとお金を払うと、立札を出してはどうですか。」

お父さんは、言われた通り立札を出しました。


げんごろうもげんごろうだが、彼の友だちがいたずら好きで、ふざけている。

ある日、二人が野原で遊んでいるとき、友だちが「鼻たこうなれ。」と太鼓をたたいた。すると、げんごろうの鼻がどんどん伸びていった。

山より高く、ついに、雲を突き抜けて伸びていった。


雲の上では大工さんが天の川に橋をかけていました。そこへ鼻がにょきにょき。大工さんは橋の杭と間違えて、ぎゅうぎゅうと結《ゆ》わえ付けてしまいました。

野原では、げんごろう、おおあわて。

友だちが、「鼻ひくうなれ。」ぽんぽんぽん。ところが、大変だ、太鼓をたたくたび、げんごろうは空へ空へと舞い上がる。

太鼓をたたくたび、げんごろうの鼻は低くなりますが、鼻の先が結わえ付けられているから、げんごろうが、上に上がります。

とうとう、見えなくなりました。


雲の上に上がったげんごろうは、その後、どうなったか。大工さんはいなくなり、代わって鬼が出てくる。


「ここはどこだろう。」

げんごろうが、鼻をはずそうとしていると、鬼が来て
「おお、人間、ちょっと来て、おれの仕事を手伝ってくれや。」

「おれが、ごろごろ臼《うす》をひく、おまえはその水をぶちまけろ。」

「へえ、おもしろい。」

ごろごろ　ざーっ、ごろ　ざーっ、ざーっ。

「うまい。ひとりでは、こうはいかん。」

ごろごろ、ざあざあ。

おもしろがって、やっているうちに、

「あっ、し、しまったあ。」
げんごろうは、足を踏みはずして、雲の上からまっさかさま。

こうして、げんごろうは大きな湖に落ちていく。その湖の名は琵琶湖という。げんごろうは湖の中で鮒《ふな》になる。そして、「今でも琵琶湖には、げんごろうがなったというゲンゴロウブナがいます」で、お話は締めくくられる。

この話（飯島敏子の「ふしぎなたいこ」）は、前掲の話（石井桃子の「ふしぎなたいこ」）と、微妙な点で違いがある。その第一は、登場人物に関してである。石井の話では、出てくるのはげんごろうの他には、天国に住む大工さんのみである。それが飯島の話では、大工さんの他に、げんごろうの友だち、娘さんとその父親、それに雲の上に住む鬼などがいる。これは、石井の話には含まれていない「娘さんとその父親」の話が含まれているからである。

飯島敏子の「ふしぎなたいこ」は、大きく言うと二つの話から成り立っている。その前半は、鼻が高くなった娘の鼻をもとどおりにするというものである。しかし、これは親切心の話ではなく、実はあくどい話なのである。というのは、げんごろうは友だちと相談して、ある金儲けの策を考えついたのである。それが金持ちの娘の鼻を高くして、恥ずかしい思いをさせることであった。貧しい庶民の「悪知恵」と言えば、それまでであるが、こうしたたくらみをして、庶民が喝采するという話が昔話にもある。それを使ったのかもしれない。こうしてげんごろうと友だちは娘の鼻の高さをなおして、褒美の賞金を得る。

この前半の話と後半の鮒になった話とを照応させると、げんごろうが鮒になった話は、前半の「悪行」が罰を受けたことになる。いわゆる、天罰が下って、げんごろうが湖の鮒にさせられたのだということになる。

このようにみてくると、石井の「ふしぎなたいこ」は必ずしも悪因悪果という教訓を説いてはいない。このことがわかる。げんごろうが「小さいお魚」（鮒）になったということを「たいこをおもちゃにしたので、ばちがあたってしまったのですね。」と述べている。この言葉は、いかようにも解釈可能であるが、わたくしはこれを次のように解釈する。

すなわち、太鼓という道具をおもちゃのように、自分の思い通りに使ったために、今度はその道具から復讐されたのだということである。ここには他者をだましたり、陥れたりするという人《ひと》対人《ひと》という、悪だくみの話は存在しない。あくまでも自分と道具とのかかわりである。そのかかわりにおいて、たとえ対象が人でなくて道具であったにせよ、余りにも無茶に道具を使ったりすると、道具から復讐されることがあるということを述べたかったのである。

「罰が当たった」という言葉は、普段、よく使われるが、必ずしも悪因悪果という教訓の文脈で使われるとは限らない。わたくしはそのことを述べておきたい。

四

石井は作品「ふしぎなたいこ」の典拠について、わたくしの質問に答えて次のように述べている。

（前略）あの本を造りましたのは、一九五三年のことで、もう五〇年も昔のことですから、私は細かいことは忘れてしまいました。

けれども、確か関敬吾先生著の『日本昔話集成』（角川書店）（この本は六、七冊あり、昔話の種類によって分かれていたと思います）のどの巻もシラミつぶしに読んで、多くのお話の中から選んだとおぼえていますが、はっきり、どの巻からということは、おぼえていません（注3）。

平成十二年（二〇〇〇年）十月二十九日、荻窪局の消印がある。青色ボールペンの文字が懐かしい。関敬吾著『日本昔話集成』所収の「ふしぎなたいこ」を調べてみなければならないが、それはまた次の課題である。

五

その後、機会を得て「ふしぎなたいこ」の典拠について調べた。石井から関敬吾著『日本昔話集成』のことを教えてもらったので図書館で探した。

いろいろ探した結果、関敬吾著『日本昔話集成　第三部笑話1』（角川書店　一九七三年四月第六版＊一九五七年八月初版）及び『日本昔話集成　第三部笑話2』（角川書店　一九七三年四月第五版＊一九五八年六月初版）に、その典拠となる作品が載っていた（注4）。

それは「源五郎の天昇り」と称される昔話であり、類話がたくさんある。その中の一つを取り出すと、だいたい次のようなストーリーとなる。

1. ある男（源五郎）が豆の種子をまいて、実をとりに天にのぼる。
2. 男は天上で雷が雨を降らすのを手伝うが、その後、雲が破れて下界に向って落ちる。
3. 男は琵琶湖に落ちて、鮒になる。

関敬吾によると、この昔話「源五郎の天昇り」は「誇張譚」に分類される。それは天に昇るなどの誇張したストーリーであるからだ。

なお、この「源五郎の天昇り」は前掲の『日本昔話集成　第三部笑話1』に収録されている。そして、『日本昔話集成　第三部笑話2』所収の「昔話の型」に、「源五郎の天昇り」についての類話比較が載っている。

石井はこの昔話「源五郎の天昇り」を幼年向きに、ずいぶん単純化し、作品「ふしぎなたいこ」を作った。例えば「ふしぎなたいこ」では、最初から「げんごろうさんは、ふしぎなたいこをもっていました。」とある。

源五郎が天から落ちて琵琶湖の鮒になる話は、大分県立石村に伝わる話である。関敬吾の『日本昔話集成　第三部笑話1』から、要点を抜き出すと、次のとおり。

　源五郎が天に昇り、雷様の後から笹に水をつけて、まいて歩く。自分の田の上に来て、甕から水をこぼしてしまう。水はどんどん落ちていき、ついに田は流され、湖ができる。今度は源五郎が足を踏みはずし、真っ逆さまに落ちていく。湖に落ちた源五郎は鮒になる。これが琵琶湖の源五郎鮒である。

このような話を参考にして、石井の「ふしぎなたいこ」は成立したと判断する。

注

（1）岩波書店版『ふしぎなたいこ』は、「ふしぎなたいこ」の他に「かえるのえんそく」「にげたにおうさん」の三作品を所収。本稿では「ふしぎなたいこ」のみに言及。

（2）鼻が伸びていく話は古今東西、たくさん存在する。例えば『ピノッキオの冒険』など参照。

（3）この手紙はわたくしが石井の作品「ふしぎなたいこ」について質問したことの返事である。宛先は当時、わたくしが勤務していた浦和市下大久保の埼玉大学教育学部国語教育講座の竹長あて。

（4）私が参照した関敬吾『日本昔話集成』はここに記したとおり一九五七年及び一九五八年初版のものであるが、石井が参照した本はこれと別種のものだろう。なぜなら『ふしぎなたいこ』の第一刷は一九五三年であるから。私が参照した本とは別のものが一九五三年以前に出ていて、石井はそれを参考にしたのだと判断する。

第三章　『たのしい川べ』論――中野好夫と石井桃子の翻訳――

ケネス・グレーアム作『たのしい川べ』の読解
――「ヒキガエル的生き方」と「アナグマ的生き方」の葛藤から何が生れたか――

一

一九九一年（平成三）十月、群馬県で全国大学国語教育学会があった折、前橋市の県庁通り（日銀前）の古本屋「大閑堂」で求めたのがこの本である。

ケネス・グレアム（注1）作、中野好夫訳『たのしい川辺』（注2）。一九四〇年（昭和十五）十一月二十一日、白林《はくりん》少年館出版部（東京市四谷区南町）の発行である。

『たのしい川辺』は、ふつう、石井桃子訳の岩波書店版『たのしい川べ』（一九六三年初版）がよく知られている。中野好夫訳は珍しいと思ったのが購求の理由であった。

以下、この二冊の本（『たのしい川辺』と『たのしい川べ』）の比較を通して気づいたことをもとに、この作品の読解を試みることにする。

二

さて、『たのしい川べ』については、これまで多くの紹介がなされている。以下、その二点を取り上げてみる。

まず、東京子ども図書館編・発行の『新版　私たちの選んだ子どもの本』（一九八〇年四月第二刷）には、次のように述べられている。

四季おりおりの静かな田園を舞台に、そこに住む小動物たちのくりひろげるドラマを通して、自然界を象徴的に描いたファンタジー。作者が息子に即興的に語って聞かせた物語が下地になっているといわれている。

内気で気のいいモグラ、実際家でしかも詩人の川ネズミを中心に、社交ぎらいだが信頼のおける紳士のアナグマ、お人よしで無責任ではた迷惑なヒキガエルなど、巧みな性格描写によって描き出された登場人物たちと、これまたこまやかに描写された物語の舞台としての川、森、畑。朗読に適しているが、おそらく読むおとなの方が、聞く子どもより魅了されそう。作者も満足したというシェパードの挿絵つき（注3）。

もう一つ、日本文学協会編『読書案内――小学校編』（大修館書店　一九八二年五月）には次のように述べられている。

『たのしい川べ』は一九〇八年に初版が出版された。イギリスの児童文学史上で先駆的な物語である。春になってモグラは急に外に出たくなり、草原を越えて川岸の働きものの川ネズミと知り合う。川下りや野原の散歩をして、アナグマと友達にもなり、外の世界の美しさや友情のありがたさを満喫する、ある朝、金持でほらふきで珍しがりやで飽きっぽくて高慢で冒険好きのヒキガエルの屋敷を訪問し、箱馬車で旅に出る。途中で自動車と衝突するが、その後自動車に熱中したヒキガエルは、へたな運転で事故を起こしたり警察とけんかしたりで悪評が絶えないので、悔い改めさせようと、温厚で思慮深いアナグマを連れてネズミとモグラが屋敷に行くが、彼は監禁から逃走し、人間の自動車を盗み、監獄に入れられる。獄吏の娘の親切で変装して脱獄する。ひとに助けられたりだましたりして偶然川ネズミの家にたどり着く。留守の間にイタチやテンが屋敷を占拠したのを奪回するために、四匹は武装をして秘密トンネルを抜けて奇襲をかけ、成功してヒキガエルは心をいれかえる。四匹の仲間が互いに助け合う友情の機微や美しい自然の描写に優れた物語である（注4）。

前者（『新版　私たちの選んだ子どもの本』）の解説は、要領よく簡潔にまとめられているのが良い。ただし、傍線を付した箇所については、もう少し説明がほしい。「朗読に適している」とあるが、なぜ、そのように言えるのか。この物語は、絵本のような短い話ではない。また、翻訳の文体が、はたして、朗読的になっているであろうか。さらに、朗読を聞かせるとすれば、いったい、いくつぐらいの年齢の子どもに聞かせるのが適しているのであろうか。そんなことを考えさせられる。

わたくしの考えでは、「読み聞かせ」するならば、毎日少しずつ、適度の区切りを設けて行ったらよい、と思う。この本を一人で黙読するには八歳以上だと思う。そこで、それ以下の子どもたちに、毎日少しずつ、次の話の展開に期待を抱かせながら、「読み聞かせ」ていったらよい。作品の文体については、文句はない。冒頭部分に関して、中野訳と石井訳を次に掲げる。

《中野訳》モグラは、朝から一所懸命に、小さな家の大掃除をしてゐました。まづ箒で掃《は》いて、はたきをかけました、次には梯子だの、踏台だの、椅子だのに乗つて、はけと白い粉を入れた桶《をけ》を持つて壁のお化粧をしました。咽喉《のど》や眼はすつかり埃まみれになり、黒い毛皮も真白に粉だらけになり、背中や腕が痛くなるほど一所懸命に働きました。土の上も土の中も、あたりはもう一面の春でした。とうとう暗い、土の底のモグラのお家まで、春がやつて来ると、もうこんなつまらないお掃除などより、何かもつともつと面白いことがしたくてたまらなくなりました（注5）。

《石井訳》モグラは、その朝じゅう、いっしょうけんめい、じぶんの小さな家の大そうじにかかっていたのでした。まず、ほうきではいて、つぎには、はたきでちりをぬぐう、それから、はけと、しっくいのはいったおけを持って、はしごだの、ふみ台だの、いすだのの上にのる、というぐあいでした。そこで、しまいには、のどや目も、ほこりでいっぱい、黒い毛皮は、しっくいだらけ、背中はいたくなる、うではだるくなるというありさまになりました。春は、地上の空気中にも、またモグラのまわりの土のなかにも動きだしていました。そして、いまでは、暗くてみすぼらしいモグラの家のなかまではいりこんで、なんともいえないそわそわした、じっとしていられない気もちで、そこらじゅうをいっぱいにしてしまったのです（注6）。

比べてみるとわかるのだが、石井訳のほうが、幼年向に言葉が平易になっている。しかし、そのぶん、訳文が少し長くなる傾向にある。旧仮名表記である上に、やや古風な言葉遣いや語彙の見られる中野訳であるが、きりりとしまったところのある中野訳のほうを、私などは読み聞かせたいと考える。なお、参考として、英語原文を次に示す（注7）。

The Mole had been working very hard all the morning, spring-cleaning his little home. First with brooms, then with dusters; then on ladders and steps and chairs, with a brush and a pail of whitewash; till he had dust in his throat and eyes, and splashes of whitewash all over his black fur, and an aching back and weary arms. Spring was moving in the air above and in the earth below and around him, penetrating even his dark and lowly little house with its spirit of divine discontent and longing.

もう一つ、アーネスト・H・シェパードの挿絵（注8）の魅力についてだが、これは確かにすばらしい。この挿絵を見ながら物語を読み進めていく楽しみは大きい。おとなも子どもも、この点に関しては同じであろう。なお、白林少年館版と岩波書店版は、ほぼ同じ位置に、ほぼ同数のシェパードの挿絵（岩波書店版のほうが、若干、多い）が収められている。

さて、さらに、後者（日本文学協会編『読書案内——小学校編』）の解説だが、これは、あら筋をていねいに、しかも、正確に押さえている。しかし、傍線を付した部分（作品の末尾箇所に関するあら筋）は、若干、補いが必要である。

この作品の後半は、いわゆる「トラブル・メーカー」のヒキガエル中心にストーリーが展開する。そして、そのヒキガエルを「反省」させようとして、モグラ、川ネズミ（＊原文ではWater Rat. 小さな野ネズミ〈Field Mouse〉より大きく、尾も長い）、アナグマの三者がそろって、ヒキガエルの豪壮な屋敷に出向く。この屋敷は、ヒキガエルの父が苦労苦心して建てたものである。しかし息子のヒキガエルはそんなことを露ほど思わず、のん気、かつ、わがままに過ごしている。当時最新の文明機械である「自動車」に狂っている、二代目の「ぼんぼん」であるヒキガエルに、何とかして堅実な道を歩ませようとして三者は説得する。しかし、ヒキガエルは、てんで取り合わない。そこで、アナグマが提案し、ついに、強硬手段をとることになる。屋敷の一室にとじこめて、そこから一歩も出さない。「反省すれば、出してやる」という条件である。ヒキガエルは初め、おとなしくしていたが、そのうち、寝床のシーツをつなぎ合わせて縄のようにし、それを用いて窓から外へとび下りる。それからのヒキガエルの行動については、前掲「解説」（注9）に譲る。

ところで、逃走後、かなり楽しいこともあったが、非常な苦労をし、人の親切のありがたみも多少わかってきたヒキガエルである。その彼が再び故郷へ帰ってきたとき、唖然とした。自分の屋敷が他人に占領されていたのである。「もう冒険も充分やったし、これからは静かに、着実に、紳士らしく暮らすことにしよう」と決意した矢先のことである。川ネズミから「君の屋敷は今、森のテンやイタチに占領されてるよ。」と聞かされて、ヒキガエルは大粒の涙を落とす。川ネズミの語るところによれば、モグラとアナグマが「君（ヒキガエル）がいつ帰って来てもいいように」とあの屋敷の番をしていた、という。しかし、ある暗い夜、イタチとテンの大群が侵入し、二人を袋だたきにしたうえ、寒い雨の中に放り出した。このようにして、ヒキガエルの屋敷は彼らに占領されてしまったのである。さて、その後の、奪回までの戦いについては、前掲「解説」（注10）に譲る。

三

ところで、石井桃子は岩波書店版巻末の「訳者のことば」で、次のように述べている。

この話（竹長注記：アメリカの大統領シオドア・ローズベルトが『たのしい川べ』を、夫人及び子どもたちといっしょに楽しみながら愛読した、というエピソード）でもわかるように、いわば、むすこと父親の合作であるこの本は（竹長注記：『たのしい川べ』は作者グレーアムが息子のアラステアに語り聞かせた話が元になっている）、家族全体、それぞれのレベルでたのしみ、親しむことができるものをもっていたのです。この話の主人公は、あくまでも、モグラとネズミでありーーというように、私には、思えますーー、それにアナグマ、ヒキガエル、その他の生きものが組みあわされ、これら全体を通じて、グレーアムは、自然のなかに生きるささやかなものへの愛情をむすこに伝えたいと思ったのであり、全編を通じてつらぬいている「川ーー自然」、「家」の考えは、グレーアムにとっては、心の平和のよりどころであるもののシンボルだったのでしょう（注11）。

ここには『たのしい川べ』に対する石井の「読み」が示されている。それは、作者グレーアムがこの作品に託した「メッセージ」とは、たぶん、これこれこのようなものである、という「読み」である。作者の意図に迫ろうとする、解釈学的な読みである。石井はそれまでの文（『たのしい川べ』の巻末解説文）で、一貫してグレーアムの人と生涯を説明してきたので、それを受け継いでの「読み」の開陳は、このような解釈学的なものとならざるを得なかったのである。

石井の「読み」は、作者の意図に迫るという点では、すばらしいものである。しかし、この「読み」には何か足りないものがある。それは、この作品を完全肯定してしまっているからである。この作品の問題点は、どこにもないのだろうか。たとえば、グレーアムは「自然のなかに生きるささやかなものへの愛情」を伝えたかったのではなかろうかと述べているが、グレーアムがこの作品で伝えようとしたのは、はたして、それだけなのだろうか。わたくしはもっと他のものも伝えられていると思う。そして、その伝えられているものが、仮に「グレーアムにとって」「心の平和のよりどころ」であったにしても、それを、今日に生きる我々がどのように受けとめるかは、我々読者の判断にゆだねられている。

つまり、わたくしは、ここで石井が示している「読み」にとらわれることなく、もっと自由にこの作品を読んでみたいと考えるのである。そういう点では、白林少年館版の中野好夫の次のような、「あとがき」の文言に強くひかれるのである。

さて『たのしい川辺』ですが、御覧の通り、これはよくある動物の物語であります。成程、動物が人間のやうに口を利く物語は、いくらでもありますが、よくこの『たのしい川辺』を注意して御覧になるならば、その一つ一つの動物たちの習性とか、特徴といったものが、なんとよく観察されてゐることでせう。この本を読んで、そしてもう一度、あなた方自身の眼で、あなた方の周囲の動物を見なほして御覧なさい。それぞれの動物がいかにもかうも考へ、かうも動くだらうと思はれるやうに語られてゐるのです。それからまた、自然の四季の移り変はりなども、いかに注意深く観察されてゐることでせう。しかも今一つはかうした動物の話を通して、あなた方が他のお友だちと一緒に住んでゐる、この社会生活といふものの中で、どんな生き方をすればよいかといふことも、知らず知らずの間に教へられるものがあらうと思ふのです。そんな意味で、これはイギリスの子供のために書かれた本ではありますが、日本の子供たちにも、決して無駄ではないと思つて、日本語にしてみたのです（注12）。

中野はこの作品が「生き方」に関するメッセージを含んでいると解釈している。しかし、具体的にどんな生き方かということについては述べていない。それは読者各人が読み取ればよい、と中野は考えているのである。

作者の意図を考えながら読むことも大切である。しかし、それと同時に、読者が自分自身のことを考えながら読むことも重視しなければならない。

四

この作品でヒキガエルは総体的にマイナスの価値を付与されている。「お人よし」な面もあるが、「無責任で、はた迷惑」、あるいは、「金持ちで、ほらふきで、珍しがりやで、飽きっぽくて、高慢で、冒険好き」、前掲の二つの「解説」(注13)でも、このように記されている。しかし、このヒキガエルのようなタイプの登場人物は、読者に全否定されてしかるべき存在なのだろうか。わたくしは疑問に思う。

ヒキガエルは放浪癖があり、一ヶ所に腰を落ち着けていられないタイプである。いつも「夢」を追っていて、かつ、「冒険」に心ひかれている。そんな彼にぴったり合うのが自動車である。近代文明の利器であり、スピード社会の象徴と言える物である。ヒキガエルは当時、発明されたばかりの自動車に夢中になる。新しいものや流行に飛びつくというのは、若者の特徴である。ヒキガエルはそういう意味で、若者である。そして、彼は古めかしく、カビのはえたような田舎を飛び出して、憧れの町へ出る。

町では愉快なことや楽しいことがいっぱいあった。しかし、彼はそのような町にいて、自動車事故を起こしたり、喧嘩をしたり、盗みを働いたりして、ついに、監獄に入れられる。ヒキガエルの彼はそれ相応の制裁と処罰を受ける。だが、そんな彼にも救いが待ち受けていた。獄吏（監獄監督官）の娘を始めとし、多くの親切な人に助けられる（注14）。そして、彼は、やっと田舎に帰る。

田舎に帰った彼だが、自分の屋敷は他人に占領されていた。ヒキガエルにとって、またまた、ピンチの状況となる。そんな中、かつて、自分が馬鹿にした友だちが助けてくれる。こうして彼は、真に目ざめる。

このように見てくると、この作品は、一個の「教養小説」と言える（注15）。放縦なヒキガエルを改悛させるのが、モグラ、川ネズミ、アナグマたちの友情である。また、もう一つ別の角度から見れば、この作品は彼らが住んでいる田舎の自然の勝利と見ることができる。軽佻浮《けいちょうふ》薄《はく》な都会の自動車文明を批判していると見ることができる。

現代は田舎でも自動車が走りまわり、自動車が都会文明の象徴であるとする感覚が薄れてきている。しかし、この作品が書かれた一九〇八年という時代においては、自動車は都会文明の象徴であり、田舎で自動車の姿を見かけることは極めてまれなことだった。

つまり、この作品は当時、盛んになりつつあった自動車文明をもっともっと謳歌してもよかったはずなのに、あえて、それに背を向けて田舎の自然と調和共存する生き方を選択している。時代の波に逆らっているのである（注16）。

それでは、この作品はヒキガエル的な生き方を否定し、アナグマ的な生き方を肯定しているのだろうか。ヒキガエル的な生き方とは、作中人物ヒキガエルによって代表化される、夢想的冒険的な生き方のことである。それに対して、アナグマ的な生き方とは、作中人物アナグマによって代表化される、現実的保守的な生き方のことである。

この両者の生き方の関係をさらに考えるには、次の川ネズミとツバメの会話を手がかりにしたら、どうであろうか。

「愉快だって?」川ネズミは言いました。「僕にはわからないねえ、ここはずいぶん楽しい場所じゃないか。君たちが行ってしまえば淋しがる友だちだって、いくらもいるはずだよ。それに君たちは、こんなに気持ちのよい家を、持っているのにねえ。でも、どうしても行かなくちゃならないというんなら、それも仕方がないさ。時が来れば、勇敢に飛び出してありとあらゆる困難や、不自由や、変化や、新しいものにぶつかりながら、それで幸福なんだと思い込むのもいいだろうよ。だけどね、まだその場合でもないのに、前もってそんなことを話しあったり、考えたりするなんてわからないねえ、僕は……」

「君がわからないのは当たり前だよ。」二番目のツバメが言いました。「まず、僕たちはね、何となしにその考えが、心の中に湧き起って来るんだよ。気持ちのよい、美しい、落ち着かない感じなのさ。すると次には、ちょうど巣を指して帰って来るハトのように、いろん

な思い出が、次々によみがえって来るんだ。……（後略）」（注17）

ここには、アナグマ的な生き方とヒキガエル的な生き方との対立葛藤が、提示されている。すなわち、ここでアナグマ的な生き方をとっているのが川ネズミであり、ヒキガエル的な生き方をとっているのがツバメである。

読者はこの部分を読むと、自分はどちらの生き方を選ぶのかと迷う。どちらの生き方にもそれなりの魅力を感じるからである。

前掲の引用部分の先を読んでみよう。ツバメの話を聞いているうちに、川ネズミはしだいに、その生き方の魅力にとりつかれていく。

「そうだそうだ、南からの呼び声なんだよ。」と、他の二羽のツバメは、夢見るように囀《さえず》りました。「南の歌だ、南の色だ、南のあの輝かしい空だ。ああ、君は覚えているかい？」

そして、川ネズミのことなどは忘れて、思い出にふけり始めました。川ネズミは、うっとりと聞きとれているうち、何となく心が燃え立ってきました。そして、とうとう、川ネズミの胸の中にも、今までは眠っていて、考えもしなかった想像の絃《いと》が、振動を始めたような気がしました。ただ南へ、南へと憧れる鳥たちの囀り、つまり、もう薄れてしまった他人《ひと》の話を聞くだけでも、この激しい新しい感動を呼び起こすのですから、これがもし、本当のものを見たら、いったいどんなものでしょう?――本当にあの南の国の太陽にふれてみたら、そしてまた、本当にあの南国の香をかいでみたら――。じっと目を閉じたまま、川ネズミは一瞬間、南の国の夢に、身を任せました。(注18)

この部分を読むと、読者はヒキガエル的な生き方にたまらない魅力を感じ、アナグマ的な生き方を味気ない、退屈なものと見てしまう。

ところで、この後、川ネズミはどうするのだろうか。ツバメの話に影響を受け、「南の国の夢」を追い、ヒキガエルのように、この川辺の田舎を飛び出していくのだろうか。

続きを見てみよう。この後、川ネズミは、コンスタンチノープル(*イスタンブールの旧称。現在はトルコに属す)からやって来たという旅ネズミ(船乗りのネズミ。Seafaring Rat)と出合う。旅ネズミはこれまでの生活の一部始終を川ネズミに話す。それは、「欲しいものはなんでもあった」「理想の生活」だったという。そして、今は、その生活から離反して、昔の質素な生活に戻ろうとしているのだという。川ネズミはそれを聞き、再び迷う。今の生活から脱け出して南の国へ行くのがいいのか、それとも今の生活にとどまるのかと、迷うのである。

そんな川ネズミに、旅ネズミは次のように言う。

「君、君も来給え。時は一度過ぎると、もう帰っては来ないよ。だが南の国は、いつでも君を待っている。ねえ、行ってみたまえ。さあ、二度と帰らない時が過ぎないうちに、僕のいうことを聞くんだねえ。ただ、戸を一つ閉《し》めて、一歩前へ踏み出せば、もうそれで古い生活はおしまいだ、そして新しい生活が始まるんじゃないか……。

それで、もしいつか、ずっと後になって、もう面白いことを見つくしてしまい、することもしてしまったら、またポツポツ、家へ帰って来るさ。そして、あの静かな川辺に坐って、楽しい数々の思い出を相手に暮らせばいいじゃないか。君ならば、僕に追いつくことなんか何でもないよ。僕は年寄りだから、足も遅い。だが、君は若いんだ。じゃあ、僕は一足先へ、ぶらぶら出かけるよ。時々振り返ってみるからね。きっと君は夢中になって、心も軽く、南へ、南へと、顔を輝かせながら、やって来るだろうねえ。」(注19)

旅ネズミはこのように言って、川ネズミの前から姿を消す。川ネズミはしばらくは、ぼうっとして、夢でも見ていたように思う。そこへ、モグラがやって来る。

そのモグラに川ネズミは、「海へ出て、船に乗って、それから僕を呼んでくれている南の国へ行くんだよ。」と言って、どんどん歩きだす。川ネズミが正気を失っていると判断したモグラは、川ネズミを無理やり家の中へ引きずり込み、投げ倒して抑えつける。こうして、モグラは川ネズミを落ち着かせる。

やがて、正気に戻った川ネズミに、モグラは言う、「君はもう長いこと、詩を作らないね。今夜は一つやってみたまえよ。」

このようにして、川ネズミの「南の国」への「旅立ち」は実現しなかった。しかし、その代わりに、たくさんの詩が生れた。

五

このように見てくると、作者は読者に様々な生き方を体験させながら、最後はアナグマ的な生き方に凱歌をあげている。

そして、アナグマ的な生き方を支えている思想は、既に少し述べたように、田舎にある川辺の自然と共に生きる、保守的であり堅実的な人生哲学である。この思想については、批判される面もある。しかし、この作品は、そうした思想を含みながらも、いろいろの迷いや選択肢を提示していて、単なる道徳や教訓とは一線を画している。

つまり、この作品は読者に道徳や教訓を提示しているのではない。具体的には、アナグマ的な生き方とヒキガエル的な生き方との対立葛藤を通して、読者に人間としての生き方の問題提起を行っている。

登場人物のタイプを分類・整理すると、次のようになる。

アナグマ的な生き方の人物

（精神のあり方……土着的、保守的）

・アナグマ　・モグラ

ヒキガエル的な生き方の人物

（精神のあり方……放浪的、冒険的）

・ヒキガエル　・ツバメ　・旅ネズミ

両者の中間に位置して、迷う人物

・川ネズミ

「アナグマ的な生き方の人物」と「ヒキガエル的な生き方の人物」、この両者の綱引きの間で迷い、もみくちゃにされるのが、川ネズミである。そして、放浪的、冒険的な生き方の極限・典型とも言うべきヒキガエルが、ついに、アナグマ的な生き方に降参するというプロセス（過程）が、この作品のメイン・ストーリーである。そして、ヒキガエルが自身の生き方を変える契機となるのが、アナグマやモグラ、それに川ネズミらが示す友情である。彼らの友情によって、ヒキガエルは自身の生き方を改めていく。

その場合、注意すべきはこの作品が単純な二項対立の図式に沿って進められているように見えながら、単なる二項の対立や勝敗を示すというより、ヒキガエルがアナグマ系人物の「人柄の良さ」（人間関係において示す温情）に心うたれて（感動して）みずから改悛するということである。それが、この作品をマイルドな雰囲気にさせている理由である。つまり、わたくしが強調したいのは、ヒキガエルが誰かに諭されたとか、説教されたとかで悔い改めるのではなく、彼が自ら悩み、それなりの心の葛藤を経て、自分で立ち直ったということである。もちろん、そこには友だちが示してくれた温情の励ましがあったことは確かである。しかし、究極的には、本人が動かなければ始まらない。本人の主体的な力の発動である。周囲はそれを温かい目で見守るしかない。そして、ヒキガエルは周囲の温情の中で、自ら立ち直ることができた。ここが、この作品のクライマックスである。

この作品、『たのしい川べ』が、今日もなお読み継がれるのは、反文明や文明批評といった、機械的あるいは都市的なものに対する批判的要素があるからだという見方も確かに成立するが、わたくしはこの作品は一人の人物が向う見ずな行動で、いろいろと破天荒な行いをし、他者に迷惑をかけたりするが、最後は友だちの温情に目ざめて自分で改悛する、そして、友だちのいる「田舎」に帰るという、瀬田貞二の言葉を借りると「行きて帰りし物語」というものだと理解している。そして、もう一つ、この作品の長所をあげるとすれば、作者が幼児期を過ごした英国の田舎の自然が、実に鮮やかに描かれていることである。その自然の風景は、もはや、今日の英国のカントリーにはあまり残っていないかもしれない。しかし、この作品の中には濃厚に残っている。風景画家のターナーが自身の絵画の中に田舎の自然をたくさん残したように、ケネス・グレーアムはこの作品『たのしい川べ』の中に、自分がかつて見、愛した英国の田舎の自然を豊富に投入したのである。よって、読者は『たのしい川べ』を読むことで、英国のなつかしい自然と再会することができる。

六

補説として述べておきたいことがある。それは既に少し述べたことであるが、この作品の本質はどこにあるかという問題である。

登場人物の観点から見ると、この作品は、言うまでもなく、ヒキガエルを中心とした物語である。これは疑いのないところである。

この作品の後、『クマのプーさん』などで有名な作家A・A・ミルン（Alan Alexander Milne 1882–1956）はこの作品の影響を受けて、児童劇の脚本 *Toad of Toad Hall*（日本語訳『ヒキガエル屋敷のヒキガエル』一九三〇年作）を書いている。

また、石井桃子は岩波書店版の『たのしい川べ』を出す前の英宝社版及び創元社版（いずれも昭和戦後の発行）では訳書の題名を『たのしい川べ』ではなく、『ヒキガエルの冒険』としている。

それらは例えば『ピノッキオの冒険』のように、この作品をヒキガエルを中心とした物語と定めているからである。確かに、既に検討したように、この物語はヒキガエルを中心とした物語なのである。

しかし、ここに重大な、一つの問題がある。それはこの作品をいちはやく翻訳した中野好夫が題名を『ヒキガエルの……』などとせず、『たのしい川辺』としたことである。なぜ中野はこのような題名としたのだろうか。

このことに関して中野は明確なことを述べていない。しかし、中野好夫訳『たのしい川辺』（白林少年館出版部　一九四〇年十一月）の「あとがき」から推測すると中野は、この作品の中心が「ヒキガエルの愉快で破天荒な冒険」にあるというよりも、むしろ、「田舎の川辺に住む動物たち」の「社会生活」や「生き方」にあると読み取ったようである。それゆえ、訳書の題名を『たのしい川辺』としたようである。

また、石井は当初、この作品の翻訳題名を『ヒキガエルの冒険』としていた。

中野、石井共に、訳書の題名を直訳ふうの「柳の木に吹く風」などとしなかった。それは両者共に、直訳ふうの題名では、この作品の主眼を表わし得ないと判断したからである。

そして、石井は当初、この作品の題名を中野とは別に、『ヒキガエルの冒険』としていたが、後に岩波書店版を出す時、自身の付けた題名『ヒキガエルの冒険』を改めて、新しく『たのしい川べ』に変更した。もちろん、「ヒキガエルの冒険」というタイトルは完全に消去したわけではない。それはサブタイトルとして残した。しかし、かつてのメインタイトルを退けたのは、そこに石井の中での変化があったからである。

この変更に関しては、石井自身が岩波書店版の「訳者のことば」で明言しているように、中野訳書の題名を踏襲したからである。しかし、それは安易な踏襲ではない。石井自らの読みが変化したからである。その読みの変化が、『ヒキガエルの冒険』から『たのしい川べ』への変化となったと考えることができる。

そのことを具体的に証明するのは、石井の次の言葉である。

この話の主人公は、あくまでも、モグラとネズミであり――というように、私には、思えます――、それにアナグマ、ヒキガエル、その他の生きものが組みあわされ、これら全体を通じて、グレーアムは、自然のなかに生きるささやかなものへの愛情をむすこ（*竹長注記、グレーアムの息子アラステア）に伝えたいと思ったのであり、全編を通じてつらぬいている「川――自然」、「家」の考えは、グレーアムにとっては、心の平和のよりどころであるもののシンボルだったのでしょう（注20）。

このように石井の読みは変化している。すなわち、この作品におけるヒキガエルの存在を特別に強調していないのである。こうして石井の中で読みが変化し、その結果として、訳書の題名が変化することになった。

わたくしも、この作品の主眼は「ヒキガエルの愉快で破天荒な冒険」とは別の所にあると判断する。しかし、この作品が「ヒキガエル中心の物語」として読者に受容されることは、充分予測され得る。なぜなら、ヒキガエル中心のドタバタした面白さは否定できず、その面白さを堪能する読者は多いと判断するからである。どちらの読みが正しくて、どちらの読みが誤りだということを、わたくしは述べるつもりはない。ただ、この作品が読者に、そのような読みの幅広さをもたらすものだということを述べておきたい。そして、読みの幅広さをもたらす作品は、やはり、優れた作品であるということである。

七

次に述べたいことは、作者ケネス・グレーアムの夫人エルスペス（Elspeth）の編集した本 *First Whisper of The Wind in the Willows* を見つけたので、これについて述べたい。この本は、わたくしが一九九九年六月四日、ロンドンのチャリングクロスロードの古書店で購入した。日本語に直訳すると、「『たのしい川べ』の最初のささやき」となるが、内容をふまえて言うと、『たのしい川べ』がどのようにして生れたかという、この作品の誕生秘話を語ったものである。

この本を中野好夫が読んだかどうかは定かでないが、石井桃子がこの本を読んだことは確実である。それは岩波書店版『たのしい川べ』の「訳者のことば」を読むと、この本から得られたと判断される情報に気づくからである（注21）。石井は「訳者のことば」を書く上で、この本を参考にしている。しかし、そのことを明言していない。これは残念である。

ところで、*First Whisper of The Wind in the Willows* という本だが、これはＢ６判九〇ページの小さな本である。ロンドンのチャリングクロスロード百二十一番地にあったThe Children's Book Clubが一九四七年に出版した。

本の中身は、次の全三章で構成されている。

I　Introduction by Elspeth Grahame
II　Bertie's Escapade
III　Letters

第一章はケネスの夫人エルスペスが作者の傍にいて、『たのしい川べ』がどのようにして生れたのか、その制作過程を見ていた、その記録である。

第二章は『たのしい川べ』のもととなった作品、いわゆる「原型作品」Bertie's Escapadeを収録。

第三章はケネスが一人息子アラステア（Alastair）に宛てた十五通の書簡を収録。

ケネス・グレーアムは、もともと作家を目ざした人でなかった。一八五九年、スコットランドのエディンバラに生れた。一八九八年、三十九歳の時、イングランド銀行の総務部長の職（総裁の片腕とも言うべき要職）につく。一九〇〇年、四十一歳で結婚。翌年、男児アラステアが生れた。

アラステアの四度目の誕生日（一九〇五年、ケネス四十六歳）、その日の夕方、何かまずいことがあり、アラステアは大泣きに泣き、どうしても泣きやまない。困り果てた父親は何かお話をしてやることを思いつく。息子はモグラとキリンとネズミの出てくるお話を求めた。ケネスはその日、夜の十二時まで話し続けた。

この話はその後三年、父と子の間で続けられた。その間にキリンはいなくなり、アナグマやヒキガエルが登場した。これらの動物はみな、ケネスが子どもの頃に親しんだ、なじみ深い動物であった。また、ヒキガエルはアラステアの性格に多少、似たところがあった。お話の中でヒキガエルが出てくると、父と息子は大笑いをした。

アラステアが六歳の時（一九〇七年）、五月から九月まで旅行した時、その旅先のホテルに父は十五通の手紙を出した。中身は、お話の続きであった。My Dearest Mouse と息子に呼びかけ、息子をお話の中の登場人物のネズミになぞらえて、父はせっせと話の続きを書いた。それはヒキガエル（Toad）が自動車（motor-car）を盗むところから始まっている。ヒキガエルは「赤ライオン・ホテル」（Red Lion Hotel）の庭から自動車を盗み出すのだが、その部分が一九〇七年五月十日の手紙に記されている。

ところで、この作品は当初、どこの出版社も本にするのをためらった。もともと、当人たちは本にするつもりなどなかったのだから、当然である。しかし、ある婦人の粘り強い働きで、やっと本になった。一九〇八年、メスエン（Methuen）というイギリスの出版社が、はじめて本にした。その後、この本はアメリカにわたり、ルーズベルト大統領が家族に読ませて大好評だったというニュースが世界に伝わり、全世界で読まれるようになった。

この作品は既に述べたように、父親が息子に語った「お話」が原型である。語り手の父親が聞き手である息子に語るという形で完成した作品である。よって、この作品は、「父親と息子との合作」であるとも言える。

しかし、その聞き手であった息子アラステアは学生時代に事故に遭い、若年で死亡。ケネスは四十九歳で銀行をやめ、田舎で暮らしていた。彼は息子の死から十年ほど経ってから死去した。一九三二年、享年七十三。

前掲の本 *First Whisper of The Wind in the Willows* にはケネスの写真、手紙の筆跡などと共に、

アラステアの幼児期の写真も収められている。それらを見ていると、この作品は、確かに、「父親と息子との合作」であるとの感を強くする。

八

さて、最後に述べたいのは、ケネス・グレーアム作『たのしい川べ』の後、A（アラン）・A（アレグザンダー）・ミルンがこれを児童劇 *Toad of Toad Hall* にしたことである。このことについては、石井桃子が岩波書店版『たのしい川べ――ヒキガエルの冒険――』（一九六三年）の「訳者のことば」でふれている。しかし、それはほんの数行であり、そういう情報を述べたにすぎず、その劇の中身がどのようであるかについては、一切ふれていない。

いろいろと調べたところ、ミルンのこの児童劇を日本語に翻訳した本がある。それは志子田《しこだ》光雄と志子田富壽子《ふじこ》の共訳による『ヒキガエル館のヒキガエル』（北星堂書店　一九九三年二月＊初版）である。石井は前掲の「訳者のことば」で書名を『ヒキガエル屋敷のヒキガエル』と訳しているが、志子田の訳では『ヒキガエル館のヒキガエル』である。細かいことを言うようだが、この題名の訳し方においても両者の違いが見て取れる。すなわち、ホールを「屋敷」とする訳し方はいかにも明治生まれの人らしい訳し方である。現代では「お屋敷」という言葉で、壮大な邸宅を想起できる人は少なくなっている。「お化け屋敷」などという言葉で「屋敷」という言葉は残っているが、現代の日本人にはこの言葉は死語になりつつある。したがって、わたくしは「館」の方を採る。

ところで、ミルンの『ヒキガエル館のヒキガエル』は劇の脚本であるから、それ自体を読んでも、それほど感興はわかない。やはり、劇は見るのが一番である。それにしてもこの劇の台本から、そのストーリーは知ることができる。

劇の第一場面は、少女とその乳母が登場する。少女の名はマリゴールドで、乳母の名は記されていない。マリゴールドは乳母を「ばあや」と呼んでいる。マリゴールドは十二歳であるが、電話の受話器をもって交換台（交換手）を呼び出している。

ここで感じるのは、現代の電話状況と異なる点である。現代は通信網や通信手段が途方もなく発達し、十二歳の少女は今なら携帯電話で直接、相手に話しかけられる。しかし、ミルンの生きた時代（一八八二年〜一九五六年）はそれは不可能であり、彼女は交換手を呼び出して相手と話さなければならなかった。

さて、劇の第一場面だが、マリゴールドと乳母がいるのは柳の根方《ねかた》の草地である。そばには川が流れている。そして、季節は春。暖かい春の日のある朝、マリゴールドと乳母は川のそばの草地にやって来た。そして、乳母は靴下を編みながら、いつの間にか眠ってしまった。マリゴールドは草地に寝そべって、電話をかける。その電話の受話器というのは、実は一本のラッパスイセンの花である。その花を彼女は耳にかけ、もう一本のラッパスイセンの花を口に当てて話している。これが送信器である。

彼女は次のように話しかける（注22）。

もしもし交換台ですか。リバーバンクの一〇〇一番をお願いします。もしもし、川ネズミさんのお宅ですか。……あら、すみません。交換台が番号を間違えたんですね。

ああ、交換台ですか。間違ってつながりました。わたし、川ネズミさんを呼んでほしいのに、アナグマさんにつながってしまいました。

（今度は大丈夫かな。）もしもし、川ネズミさんのお宅ですか。あなた、川ネズミさん？　おはようございます。わたし、マリゴールドです。今日は、いいお天気ですね。ええ、一人のようなものです。ばあやはここにいますけれど、今は眠っています。モグラさんはお元気ですか？　ここしばらくは会っていないんですか？　春の大掃除で忙しいんでしょう。わかりますよ、家が地面の下にあるから春の大掃除が大変なんでしょうね。わたしも川に沿った家が大好きです。いつかお邪魔してもいいですか？

うれしいわ！　でも、明日はだめなの。ヒキガエルさんにお茶をいただくことになっているの。ええ、ちょっと気まぐれやさんだけれど、とってもいい人よ。カワウソさんなら、たった今、見かけたわ。あなたにお電話する前よ。……彼のことはよく知らないの。でも、いい人みたいじゃない。

こんなふうにとりとめもなく話していると、乳母が起き上がって言う、「驚いたわ、おかしなことを言ってますね」。

以下、マリゴールド（＊以下、マリと省略）と乳母との会話が続く（注23）。

乳母　聞いていて、びっくりしたんです。お嬢さま、こんなこと、誰も聞いたことがありません。

マリ　他人の個人的な話を盗み聞きするなんて、よくないわ。

乳母　仕方がありません。お嬢さまは、とっても変でした。川ネズミさんだの、ヒキガエルさんだの、人間を相手にしてるみたいでしたから。

マリ　だって本当なんです。

乳母　えっ？

マリ　あの方たちはみんな、自分は人間だと思っているの。わたしたちが自分を人間だと思ってるのと同じなの。

乳母　お嬢さま、それは無理ですわ。私は賛成できません。

マリ　彼らはお互いに充分大きく、しかも大人で、人間のように見えているってことなの。もしわたしたちが彼らの世界に住んでいたら、わたしたちには彼らは本当の人間のように大きくて、大人に見えるでしょうってことなの。

乳母　ふうーん、そんなことってあるんですかね。

マリ　ヒキガエルさん、彼はいつも、うぬぼれていて、気まぐれなの。だけど、なかなかいい人よ。自分のことばかり話した後には、必ず謝るの。それから、あの川ネズミさん、さっき電話していたのが川ネズミさんなのよ。彼は行動が素早くて、しかも、利口だから、みんなの役に立っているわ。そして、彼の小さくて鋭い目は、他の人たちの心を傷つけないように見張っている。そして、モグラさん、彼はずっと地面の下で暮らしているから、よくわからないのだけれど、聞いたところによるととても純粋で、自分のことをあまり話さないようよ。「はい」とか「いいえ」を言うくらいで、お茶だって二杯目をくださいなんて自分からは言わない。それから、アナグマさんね、彼は白髪まじりで、他の人よりずっと年上で、みんなのお父さんみたい。ハンカチを顔にのせて、よく眠るんだって。そして、目が覚めると、「さて、さて」とか「まあ、まあ」とか言うそうよ。

乳母　まあ、びっくりしました！　みなさんに会ったみたいじゃありませんか。

マリ　そりゃ、そうだもの。

乳母　ほんとうですか！

マリ　ある朝のことだったわ。ここへ、とっても早い時間にやって来たの。まだ誰も起きていなかったわ。小鳥さんも起きていなかったし、太陽だって上っていなかった。あたりはしーんと静まり返って、物音一つしなかった。ただ、柳の木に風がやさしく吹いていていたの。

乳母　これを聞いたら、あなたのお気の毒なお母さまは何とおっしゃるでしょうね。まあ、それはともかく、それからどうなりました？

マリ　わたしは柳の木の下に坐って、みんなが目を覚ますのを待っていた。それから、何かが聞こえてきた。ひっそりとした音で、遠くから聞こえてきた。やがて太陽が昇って、あたりが明るくなった。そして、気がついたら、わたしは彼らと一緒にいたんです。

乳母　ヒキガエルさんや、モグラさんなどと、ですか？
マリ　そうよ。でも、あれから後、わたしは彼らと会っていません。
乳母　彼らが人間のように大きかったら、わたしはびっくり仰天です。
マリ　わたしは驚かないわ。だって、あの方たちはわたしたちがここにいるのに気づかないんです。気づかれないで、彼らのおしゃべりを聞けるんです。
（＊大声で叫ぶ）モグラさん！　川ネズミさん！　ヒキガエルさん！
ばあや、なんて素敵じゃない！
乳母　あら、ほんと、何か聞こえます。聞いてごらんなさい！
マリ　ああ、あの音だわ。早く、隠れて！
（＊突然、あたりが暗くなる。かすかに、だが、はっきりとした音が遠くから音楽のように聞こえてくる。妖精の国で吹き鳴らされる角笛のようだ。）
（＊やがて、舞台はだんだん明るくなる。マリゴールドと乳母はもうどこにもいない。マリゴールドの寝そべっていた辺りが少しずつ、盛上っていく。地面がふくれ上がったかと思うと、また、元の地面に戻る。何かが地面の下で動いているようだ。息遣いと、かすかなつぶやきが聞こえてくる。そして、言葉が聞こえてくる。モグラの声だった。）
モグラ　（＊地面の下から、陽の当たる所に出る。）出るぞ、出るぞ、ポン！

（＊立ち上がって、服の泥を払い落とす。）ああ、気持がいい！　こりゃ、壁塗りより、ずっといいや。春の大掃除なんて、どうでもいい。ああ、何とすばらしい太陽なんだろう！　なんと、なんと、なんと、すばらしい！　春の大掃除なんて、いやなこった。（＊前足で目をこすって、あたりをよく見る。）おや、あれは川かな？なんて、なんて、なんて、春の大掃除なんて、ごめんだよ。

（＊川岸にある家から、川ネズミが登場する。）

川ネズミ　こんにちは、モグラくん！

モグラ　こんにちは、ネズミくん！

川ネズミ　前に会ったこと、ないよね。

モグラ　ぼ、ぼくは、ふだん、あまり外に出ないから。

川ネズミ　（＊明るい声で）家にいるほうが好きなの？　ぼくにはよくわかるよ、それなりにとてもいいことだからね。

モグラ　うん。ところで、これが川なんだよね。

川ネズミ　そう、川だよ。

モグラ　これまで、川って見たことがないんだ。

（後略）

このように見てくると、作者が観客を動物たちの世界に如何にして導くかで思案したことが了解できる。すなわち、観客はいきなり、カエルや川ネズミ、モグラの世界に入っていけない。その橋渡しをする者がいなければならない。そこで考えついたのが、少女マリゴールドとその乳母の登場である。彼女たちの登場とその導きによって、観客はスムーズに劇の中へ入っていくことができる。そして、彼女たちが物陰に隠れると、モグラ、そして川ネズミといった動物が人間さながらの、いわゆる「人物」として舞台に登場するのである。この場面転換は、実にみごとである。

それでは、この劇の終わりはどうなっているだろうか。

第四幕第三場はヒキガエル館の宴会場である。ヒキガエル館の立派な広い部屋は今、イタチたちに占領されてしまった。家主のヒキガエルは刑務所で暮らしている。イタチの首領は部下たちの前で、「われらの善良なる家主ヒキガエル氏のことを思う一方で」、「欠席された友人がた、アナグマ氏、ネズミ氏、モグラ氏のことを忘れてはならないのでありまして」、「彼らを今晩ここにお迎えできないことは、私にとりまして、誠に遺憾に思う次第であります」と挨拶を行う。そして、乾杯が始まろうとすると、とつぜん、物音がする。

ドアが開いて、アナグマとモグラが飛び込んでくる。彼らは「ただいま参上!」と叫んで、こん棒を振り回し、イタチたちにとびかかる。すると、今度はもう一方のドアが開いて、ヒキガエルとネズミが飛び込んでくる。ヒキガエルは「今こそ帰館した！」と叫ぶ。こうして、しばらく戦いが続く。やがて、イタチは退散し、数人が捕虜になる。

それから、ヒキガエルはイタチの首領がかぶっていた月桂冠を捕虜に勧められて、かぶる。館の広間で、勝利の宴が始まる。そこへ、アナグマ、川ネズミ、それにモグラが戻ってくる。彼らは外でイタチたちと戦い、追放し終えたのである。

捕虜たちはヒキガエルを英雄とたたえる歌を合唱し、踊っている。ヒキガエルは捕虜たちの輪の真中にいて、気持よく踊っている。それを見たアナグマ、川ネズミ、それにモグラはやめさせようと声をかけるが、聞こえないのか、彼は相変わらず、踊り続けている。

そのうち、どういうわけかアナグマが心地よいメロディーにつられて、踊りの輪の中に入っていく。すると、川ネズミもまた。

こうして、舞台は最後のエピローグへ移動する。春の日、川岸の柳の木に風がそよそよと吹いている。妖精の奏でる音楽が響き渡る。水仙の花が一杯咲いている川岸の野原で、マリゴールドがすやすやと眠っている。川岸の洞穴から、枯葉がむくむくと動き出す。アナグマが枯葉をパラパラと散らしながら、洞穴から姿を現す。

アナグマはマリゴールドに近づくが、起こしはせずに、水仙の匂いをくんくんと嗅いでから立ち去る。川ネズミが川岸にある住まいの穴から、外を見る。モグラも外に出てくる。ヒキガエルもやって来て、彼らの後を追う。

遠くから、「マリゴールド！　マリゴールド！」と呼ぶ乳母の声。マリゴールドは眠ったまま、少し体を動かす。「もう、うちに帰る時間ですよ」と乳母の声。

こうしてエピローグは、最初の場面に戻る。すなわち、この劇はやはり、定番の「行って帰る」形式を踏まえている。

したがって、ミルン作の劇『ヒキガエル館のヒキガエル』はストーリーの上では、グレーアムの原作に新しい最初と最後を付け加えただけで、グレーアムの原作と大きく異なるというわけではない。そして、この付け加えはマリゴールドの見た夢という設定であり、しかも、それはヒキガエルたちの物語という大きな中身をサンドイッチのように包み込んでいる。このような創作手法は劇や物語においてよく用いられるもので、ドリーム・アレゴリー（dream allegory）と呼ばれる。

それでは、ヒキガエルたち動物の物語が始まってからマリゴールドと乳母はどうしたのだろうか。もちろん、彼女らは舞台に登場しない。しかし、彼女らの見ている夢の中で、彼ら動物たちは話し、かつ、動いているのである。作者ミルンはこのようにして観客を動物たちの世界へ自然に導いていく。

そして、ヒキガエルやモグラ、川ネズミ、アナグマなどの動物たちを人間と同じようにして描いてみせるこの魔術は、作者が彼らを fairies（妖精たち）と捉えていたから可能だったのだ（注24）。これは作者の想像力の偉大な成果である。

ケネス・グレーアム作『たのしい川べ』が『クマのプーさん』で有名な作家ミルンによって『ヒキガエル館のヒキガエル』として劇化されたことは、とても喜ばしい。劇化は映画化と同じように、省略や書き換え、そして付加がつきものであるが、『ヒキガエル館のヒキガエル』は『たのしい川べ』のエッセンスを充分にふまえている。ストーリーの上では『たのしい川べ』より短くなっているが、原作の味を十分に生かした見事な劇作品である。

注

（1）作者名の英語表記は、Kenneth Grahame. 生年は一八五九年、没年は一九三二年。作者の名前を中野好夫は「ケネス・グレアム」と表記している。いっぽう、石井桃子は「ケネス・グレーアム」と表記している。本稿では特別の場合を除き、ケネス・グレーアムで統一した。

（2）英語原題は *The Wind in the Willows.* 直訳すると、「柳の木に吹く風」。石井はこの直訳では読者には伝わらないだろうと考え、先行の中野訳『たのしい川辺』を踏襲して自身の訳本の題を『たのしい川べ』とした。岩波書店版『たのしい川べ』（一九六三年初版）所収の「訳者のことば」で、石井は次のように記している。「英語では、ことばのひびきからして、たいへんおもしろいのですが、日本語では、川べの生活のいみが、あまり出ないように思いましたので、戦前、この物語の抄訳をお出しになった中野好夫先生の御本の題を踏襲させていただき、『たのしい川べ』といたしました。」

（3）無署名「たのしい川べ」『新版　私たちの選んだ子どもの本』（一九八〇年四月　第二刷）は東京子ども図書館編・発行。一七七ページ。『新版　私たちの選んだ子どもの本』一七七ページ。傍線は竹長。

（4）影山恒男「たのしい川べ」『読書案内——小学校編』三三二ページ。『読書案内——小学校編』（大修館書店　一九八二年五月）は日本文学協会編。傍線は竹長。

（5）中野好夫訳『たのしい川辺』（白林少年館出版部　一九四〇年十一月）一ページ。

（6）石井桃子訳『たのしい川べ』（岩波書店　一九六三年十一月）一ページ。

（7）*The Wind in the Willows.* 英語版原書の冒頭部分 *The River Bank* の一節を掲げた。Methuen Children's Books (London Reprinted 1973).

（8）Kenneth Grahame の作品 *The Wind in the Willows.* には初版（一九〇八年）以来、いろんな画家が挿絵をつけてきた。アーネスト・H・シェパードは一九三一年の版から、この作品の挿絵を描いている。シェパードはA・A・ミルンの作品 *Winnie-the-Pooh*（日本語訳『クマのプーさん』英語版の刊行は一九二六年）の挿絵を描いて有名である。グレーアムはシェパードの挿絵をたいそう気に入っていたという近親者の証言がある。わたくしが見た洋書では、シェパードの挿絵を採用しているものが多かった。しかし、中には Eric Kincaid の挿絵を採用しているものがあった。この本は横二十二センチ縦二十七センチのA4変型判で、Brimax Books (Newmarket, England) の発行、一九八六年初版。わたくしが見たのはその第九刷（一九九一年）である。エリック・キンケイドの挿絵はシェパードの挿絵よりも現代的で、やや漫画的である。それに絵の収録数も多い。挿絵には人の好みがあるが、現代の子どもには漫画的なキンケイドの挿絵の方が好まれるのかもしれない。

また、洋書ではこの作品（*The Wind in the Willows*）の抄出をしているものがある。つまり、完全版ではないものがある。例えば前出（7）で取り上げたMethuen Children's Books (London Reprinted 1973) は完全版であるが、キンケイドの挿絵をつけたBrimax Books (Newmarket, England 1991) では第七章、第九章が省かれている。

（9）前出（4）に同じ。

（10）前出（4）に同じ。

（11）前出（6）石井桃子訳『たのしい川べ』三五七ページ。

（12）前出（5）中野好夫訳『たのしい川辺』三〇八～三〇九ページ。傍線は竹長。

（13）前掲の二つの解説とは、『新版　私たちの選んだ子どもの本』（東京子ども図書館　一九八〇年）の解説と、『読書案内――小学校編』（日本文学協会　一九八二年）の解説。

（14）重要な登場人物の一人として、獄吏《ごくり》（監獄監督官）の娘に注目する。この作品には、モグラ、川ネズミ、アナグマなど、男性の人物が多い。女性という性を付与された人物の登場が少ない。そんな中で、ヒキガエルの心を大きく動かす契機となっているのが、獄吏の娘である。獄吏の娘は挿絵では、優しい人間の女性として描かれている。彼女はカナリヤを始めとして、ハツカネズミやリスなども飼っている動物好きの女性である。その彼女が父親の獄吏に言う、「おとうさん！　あたし、あのかわいそうなヒキガエルが、あんなに苦しんで、まい日やせほそっていくのをだまって見ていられませんわ。あたしに、あれのせわをまかせてくださいな。」　ふてくされた態度のヒキガエルの扱いに手を焼いていた父は、おまえの好きなようにしていいと娘に言う。そこで娘は監房の戸をたたいて、ヒキガエルに次のように言う、「さあ、元気をだしなさい。起きて、目をふいて、おりこうになるんですよ。それから、どうぞ、ごはんもすこし食べてね。ほら、うちのごちそうをすこし持ってきましたよ。できたてのほやほやを。」（石井桃子訳『たのしい川べ』一九四〜一九五ページ参照)。

この獄吏の娘がヒキガエルに示す「愛」は、母が子に示す愛に近似している。この母性的な愛が、当のヒキガエルにどう影響したかは具体的に書かれていない。しかし、ヒキガエルの心情変化をもたらす要因の一つになっていると、わたくしは判断する。彼女は『ピノッキオの冒険』に登場する仙女に近似している。

ヒキガエルの心情変化は、もちろん、アナグマたちの友情の力によるところが大きいのだが、獄吏の娘が示した母性的な愛情の力も無視できない。コッローディの『ピノッキオの冒険』において、るり色の髪の仙女がピノッキオに示す母性的な愛情に酷似している。

この作品では、アナグマたち(いわゆる、男たち)の友情の力によって押し切られた形になっているが、獄吏の娘が示す母性的な愛情の存在を見のがしてはならない。

(15) この作品(『たのしい川べ』)を「ヒキガエルを中心とした物語」として受容すれば、それは、未熟者が旅先において様々な苦難を体験し、かつ、その苦難を乗り越えてゆくことによって「人としての成長」を遂げるという、教養小説の概念に当てはまる。しかし、もちろん、そのような読み方が唯一、絶対であるというわけではない。その根拠は、この稿の後半(「四」〜「六」)で述べる。

(16) 時代の波に逆らうという点で、この作品は当時、文明批評の役目を果たしたと評価することができる。

(17) 前出(7) *The Wind in the Willows.* (Methuen Children's Books) 英語版原書 (London Reprinted 1973) の第9章 "Wayfarers All" 一六七ページ。中野好夫、石井桃子両者の日本語訳を参照しながら、わたくしなりの訳を行った。ここでの日本語訳は、どちらかというと中野好夫の訳に近い。前出(5)中野好夫訳『たのしい川辺』一九五ページ、及び(6)石井桃子訳『たのしい川べ』二二六ページを参照しつつ、竹長が訳した。

（18）前出（7）*The Wind in the Willows.* (Methuen Children's Books) 英語版原書 (London Reprinted 1973) の第九章 "Wayfarers All" 一六八ページ。前出（5）中野好夫訳『たのしい川辺』一九七ページ、及び（6）石井桃子訳『たのしい川べ』二二八ページを参照しつつ、竹長が訳した。

（19）前出（7）*The Wind in the Willows.* (Methuen Children's Books) 英語版原書 (London Reprinted 1973) の第九章 "Wayfarers All" 一八二〜一八三ページ。前出（5）中野好夫訳『たのしい川辺』二一四〜二一五ページ、及び（6）石井桃子訳『たのしい川べ』二四七ページを参照しつつ、竹長が訳した。

（20）前出（6）石井桃子訳『たのしい川べ』三五七ページ。

（21）ケネスと息子アラステアとの間に行われた、「語り」（対話）と「手紙」というコミュニケーションは、「グレーアム夫人さえもまじえない、ふたりだけのものでした」と石井は岩波書店版『たのしい川べ』の「訳者のことば」で書いている。確かに、それは父親と息子との間で行われた緊密なコミュニケーションだったが、それでは母親のエルスペスは全くのノータッチで、完全に蚊帳の外におかれていたかというと、はたしてそうではなかった。その二人のやり取りを、傍で温かく見ていた母（妻）の存在がある。この作品の成立過程を傍でつぶさに見ていた者の証言として、「『たのしい川べ』の最初のささやき」なる本は貴重である。

また、この本の第一章と第三章の中身は、岩波書店版『たのしい川べ』「訳者のことば」で部分的に紹介されている。しかし、残念なことにグレーアム夫人編集のこの本「『たのしい川べ』の最初のささやき」の存在とその紹介はなされていない。よって、ここで紹介した次第である。

（22）A・A・ミルン作、志子田光雄／志子田富壽子訳『ヒキガエル館のヒキガエル』（北星堂書店一九九三年二月＊初版）一〜二ページ参照。但し、訳文はそのままではなく、加除修正を施した。

（23）前出（22）『ヒキガエル館のヒキガエル』一一〜八ページ。

(24) ミルンがヒキガエルやアナグマ、モグラ、ネズミといった動物たちの登場人物を fairies (妖精たち) と捉えていたことについては、前出 (22)『ヒキガエル館のヒキガエル』の「序」に言及がある。

第四章　北川千代と霜田史光、そして石井桃子

一

わたくしの好きな児童文学作家に北川千代がいる。彼女は作家として好きであるのみならず、人としても好きなタイプである。小堀杏奴《あんぬ》や森田たまが好きなように、北川千代も好きなのである。いずれの人にもじっさいに会ったわけでなく、文章・作品を通しての出会いであるのだが、忘れられない作家というものは誰にも存在する現象であろう。

北川千代は明治二十七年（一八九四）六月十四日、埼玉県大里郡大寄《おおより》村（後に深谷市）の日本煉瓦《れんが》会社の工場内の社宅で生れた。九人兄弟姉妹の第四子で長女であった。父は前掲・工場の責任者（工場長）であった。裕福な暮らしで、まさに「お嬢さん」であった。それが後、彼女が十一歳で東京の女学校に入学する頃、父が病気になり、一家で東京へ移る。彼女も病気がちで三年で中途退学。そして深谷の煉瓦工場が焼ける事件があり、一家の状態はますます傾いて

いく。

　彼女は女学校を退学し、病気療養及び静養のとき、童話などの小品を『少女世界』『少女の友』などに投稿し入選する。のち原稿依頼を受けるようになり、『少女画報』『幼年の友』『女学世界』などに執筆する。二十一歳のとき、東京帝大英文科生江口渙《きよし》（後、プロレタリア系作家）と結婚。

　二十三歳のとき、母と父が相次いで病没。江口は左傾した思想を持っており、家にはその種の青年が多く出入りした。千代は日本で最初の社会主義婦人団体「赤瀾会《せきらんかい》」に入り、その会計を務めた。二十八歳のとき、江口と別れ高野松太郎と同棲し、のち結婚（婚姻届は十年後の昭和七年、千代三十八歳で出す）。高野は足尾銅山の坑夫ストライキで活躍した労働者で、江口の家に出入りしていた。高野は千代と江口がよく口論するのを見ていた。高野と千代は三河島、尾久などの地を転々とするが、千代三十三歳のとき（昭和二年）、大森で養兎研究所を開き兎・にわとり・七面鳥・くじゃく・あひる・やぎ・モルモットなどを飼育する。この年四月末から五月末にかけ、千代は兄妹を訪ねて朝鮮・中国を旅行。兄泰輔は当時、大連の満鉄に勤務していた。昭和十年、大森の家が区画整理にかかり世田谷の弦巻《つるまき》に移る。昭和十五年、千葉の蓮沼村に池つきの大きな家（与謝野鉄幹晶子夫妻の所有）を買い仕事場にする。以後、弦巻と蓮沼、二つの家を往復する生活となる。昭和十八年三月、夫松太郎が狭心症で没。弦巻の家を売り、蓮沼に住む。昭和二十三年、東京の国分寺に仕事場を作る。千代のすぐ下の妹吉能《よしの》（斎藤氏に嫁す）が国分寺に住んでいたこともあった。昭和二十四年、吉能の末子千秋《ちあき》を養子にする。昭和三十年、胃潰瘍で重態に陥るも奇跡的に回復。昭和四十年九月、心臓と高血圧の病で成東病院に入院。同年十月十四日、同病院で死去。享年七十一歳。

北川千代は霜田史光（＊埼玉県浦和出身の作家・詩人）より二年先輩である。経歴を見れば分るように、彼女は少女時代、すなわち、生れてから十一歳くらいまでは裕福で、まさに女王のような暮らしであったが、その後はずいぶん苦労した。生まれつきの正義感と、竹を割ったようなすっぱりした性格の故か、自ら苦労の中に飛び込んでいった人のように思える。しかし、根は案外、楽天的で、「お嬢さん気分」の抜けきれない鷹揚《おうよう》さがあった。世知辛くなく、すべて鷹揚な気分というのは、庶民や、成り上がりの金持ちには、逆立ちしても真似のできないすばらしい気風である。これは小堀杏奴（＊明治四十二年生まれ。森鷗外の娘）などにも見られる気風である（注1）。一度しか生きられぬ人生なら、北川千代や小堀杏奴のように生きたいものである。

しかし、こうした人のことを悪く言う、小ざかしい人間もいる。例えば、北川千代とその作品に対して次のような批判をする人がいる。

北川さんのヒューマニティは、上から下をおもうもので、多分に貴族的であり、人間の自我を覚醒さすというよりは、まひさせる傾きがひそんでいる。

これは確かに、正鵠を射た批判である。しかし、「まひさせる」ものであるかどうか、それは受けとめる読者しだいではなかろうか。北川が示す「人間くさい、温かいまなざし」は、多分に、上から下を思うものといえるかもしれない。しかし、それは彼女の生い立ち（出自）からして致し方のないものである。彼女は自ら生れたくて煉瓦工場主の家に生れたわけではない。子どもは自分の生まれる家を選べないのだから、生まれた家の裕福さ（育ちのよさ）を批判されることは心外である。しかも、見失ってならないのは、裕福な家・恵まれた家に生れたにも拘らず、北川千代のようなヒューマニティを持ち得ない子どもや大人が多数存在することである。そして、千代が示しているヒューマニティの質は並大抵、尋常なものではない。そのことを見ないで、ただ生まれがいいから「上から下をおもう」ヒューマニティなのだと、知ったかぶりの批評言を吐かれるのは彼女にとって、実に辛い、無念なことだったろう。

北川千代は先の批評言を知り、次の様子を見せたという。

めずらしくけわしい顔になり、「わかっちゃいないのね。」と、にが笑いしてみせた。

ところで、この文章の冒頭で小堀杏奴と並べて森田たまの名を出したので、たまと千代のことを書いておこう。たまが千代に書いた手紙が残っている。文面は次の通りである。

（前略）蝕《むしば》める花は大変御《ご》けんそんですけど私みんな気持がいいのです。（中略）仰《おお》せの通り夢二《ゆめじ》さんの絵はしっくりとはいかない様《よう》です。でも表紙がいいからまけておあげなさいな。何にしても三版でえらい景気ね。お目出度《めでと》う。もっともっと売れる事を祈ります。大阪下《くだ》りの旅費がもうかる様に一《ひと》ついでに私がおごって貰《もら》える様に――（中略）高野さんも御招待申したいのですが、なんしろ私の家は文化住宅とやらのマッチ箱で、板の間はあるけど畳のへやがなくて寝る処がないのよ。お客さんは一人がせい一杯なの。高野さんにはどうぞ不悪《あしからず》。兎にすまないから御招待しませんとお伝えしてください。兎が一年間に二百疋《ぴき》もふえるのですか？　夢の様なお話ね。兎はかあいらしい事もかあいらしいけれど、臭いことも臭いでしょう。とりもそうですけど、でもとりの方がましね。（後略）

大正十四年（一九二五）七月二十七日、森田たま（大阪市外千里山十九号）から高野千代（東京府三河島町字町屋三六三）に宛てたものである。この時、森田たまは満三十歳、千代は満三十一歳。

たまと千代は明治二十七年の同年生れであるが、たまは十二月十九日、千代は六月十四日だから、千代の方が六ヶ月年長である（注2）。

手紙は当時、千代が出版した『蝕める花』（寶文館　大正十四年七月十日）のことを話題にしている。これは千代が出した第三番目の本で、B6判で装幀・さし絵は竹久夢二だった。千代は夢二の絵が気に入らなかったらしい。それをたまがなだめている。また、高野が養鶏・養兎の仕事を始めた（後、大森で開く高野養兎研究所の前身）らしく、それを千代がたまに伝えたらしい。このたまの反応がストレートで面白い。たまは「かあいらしい事もかあいらしいけれど、臭いことも臭いでしょう」と正直に書いている。こういうたまの正直さがわたくしは大好きだ。しかし、それは千代にはどう響いたことか。当時の千代はこの仕事に夫の高野と一生懸命取り組んでいた。それは、「かあいらしい」や「臭い」などと言っていられない、死活問題であった。そんなことを知らず、いや、そんなことはとっくにわかってのことか、友人のたまは相変わらずのんきなことを言っている。「まあ、たまさんはこんなことを書いてきて……」と、千代は一瞬、険しい顔になったが、「わかっちゃいないのね。」と苦笑いする。それは友人を許す、寛大な千代の姿を彷彿とさせる。

千代は先の、見当はずれの批評言の時も、理解されない無念を苦笑いで示したが、このたまののんきな感想にも、理解されない無念さを苦笑いで示したことであろう。北川千代の作品には、境遇の違い、環境の違いなどの故に他者と分かり合えない人間同士の「寂しさ」が表されているとわたくしは判断する。

二

ところで、評論家の古田足日が北川千代の作品について、次のことを述べている。

かの女の作品に後世に残るほどの作品があるとは、ぼくは思はぬ。にもかかわらず、古典・名作といわれるものと同様に、いや、ものによってはそれより以上に、かの女の作品はぼくの心に働きかける。

これはいったいなぜなのか。ぼくの読み方が特殊なのかもしれない。ぼくは北川千代に日本の児童文学者のかなしさ、または宿命とでもいうものを見てしまうのである（注3）。

この古田の思いに似たものを、わたくしは霜田史光の作品について感じる。わたくしは今回、北川千代の作品を読みながら霜田の作品のことを考えていた。二歳年下の同じ埼玉県生まれの詩人・児童文学者の作品のことを。

霜田は明治二十九年（一八九六）六月十九日、東京に近い北足立郡美谷本《みやもと》村大字松本新田（現、さいたま市南区松本）に八人兄弟姉妹の末子五男として生れた。家は農業、そして機織《はたおり》業を兼ねていた。この土地は荒川沿いにあり、住民は洪水に苦しめられた。史光の家とて例外でなかった。父兼次郎《かねじろう》はたくさんの子どもをかかえ農業だけでは食べていけないので、機織業を始めた。それで家計は幾らか上向きになった。とはいえ、霜田家は豪農とは言いがたく中農程度の暮らし向きだった。三番目の兄が横浜へ四番目の兄が東京へ出たので史光も東京へ出る。日本工科学校の建築科に入ったが、あまり勉強はせず、好きな文学の師や仲間とつき合ってばかりいた。日本工科学校を卒業しても、定職につかず、好きなことばかりしていた。少年の頃から文や詩を雑誌に投稿していたが、三木露風から認められ『未来』の同人になることを求められる。露風の紹介で新進詩人として様々な雑誌に詩や文章を発表する。北村初雄・柳澤健らを知り、彼らと詩誌『詩王』を創刊する。大正八年（一九一九）五月、詩集『流れの秋』を出版する。西條八十らから高い評価を受ける。その後、童謡・童話など児童文学の作品を多く書く。特に『金の船』『金の星』に童話をたくさん発表する。また、大正期民衆芸術の一つとしての「新民謡」（「創作民謡」とも言う）の運動に積極的に取り組み、多くの作品と評論を残した。晩年は戯曲や剣客小説にも手を染めるが、昭和八年（一九三三）三月十一日、東京で病没。

北川千代の作品「鳩」は、警察官の父を持つ少年の話である。「しょうじきな人の生活をまもって、わるい人たちをつかまえる」、そういう父を少年純一は誇りにしている。ところが、ある日、純一は、つかまえてはいけない鳩を空気銃でうとうとしている「大きいやしきのむすこ」を見つける。その人に父は注意をすると思ったのだが、あにはからんや、父は注意をするどころか、「かしてごらんなさいまし。わたしがうっておあげしましょう。」という卑屈な態度に出る。このとき純一は、「はじめておとうさんのすがたを、小さくみすぼらしく感じました。」

また、作品「キクの正義」は、少女キクがかあちゃんと一緒に工場で働き、かあちゃんのみりんぼしをつくるところや、いわしの味噌づけを作るところを実際に見、幻滅してしまう話である。第一に、汚れた塩水のタンクに、金バエや銀バエが一杯たかっているいわし。それを見てキクが「ずいぶんきたない水につけるんだね」と言うと、かあちゃんは「よけいなことをいうな」と叱る。第二に、味噌漬けにするいわしの身の良くないところ（ちぎれてくずのようになったもの）をキクが捨ててしまおうとしたら、工場のおかみさん（＊主任）がそれを見咎め、「なんだってそんなもったいないことをすんだ。—そんなのをこやしのほうにまわされたじゃあ、うちのもうけはなくなるよ—みそにつけりゃあわかんなくなるもんを、むだなことすんな。」と言った。第三に、味噌漬けをつくるとき下の方にいわしのちぎれた身をいれ、上のほうだけ満足な身を並べる。第四に、みりんぼしは少し砂糖を入れた塩水につけ、ぱらぱらと白ゴマで体裁を作る。砂糖をあまり入れないみりんぼしができあがる。キクはついに、かあちゃんに言う。「どうして工場じゃあ、あんなごまかし仕事ばかりすんだっぺな。―あんなものをうるんかと思うと、おらやんなる。」すると、かあちゃんは、「あれだって、買う人があんだからよかっぺ―なんも自分でくうもんじゃなし、そう気にすることもなかっぺや。」と言って笑った。キクはそうしたかあちゃんがいやだと思う反面、そうしたことまでして働いてお金を少しでも余計にもらって私の着物などを買ってくれようとしているのだと思うと、「なんだか悲しくなる」のである。

このように北川千代の作品に登場する子どもは、父や母という身近な大人の「いやな面」「汚い面」を見てしまう。そして、大人を批判するのだが、その批判の後で、どうしようもない「壁」にぶつかる。それはそうした大人のずるさが実は、自分を良くしてくれようとする「思い」のために行っているのだと気づくからである。

「キクの正義」の最後は次の文で終わっている。

おかあさんはきょうも工場へいって、へいきで砂糖っけのないみりんぼしをつくり、ちぎれたいわしのみそづけをつくり――そしてお金をすこしでもよけいとって、自分に着物を買ってくれようとしているんだ――人に負けまいとして、そのためにはどんなことでもするかあちゃん――。
キクにはそのおかあさんが、なんだか悲しくてならないのです。
（かあちゃんとおらと、気持ちよく、なかよくくらしていける仕事がほしいなあ。）
キクは、思わずそうつぶやくと、目の中がまたじいんとあつくなりました（注4）。

父も母も、そして自分も本当に人間らしく、恥ずかしくない生き方ができるのは、いったい、いつのことだろうか？　そのような子どもの問いかけがこの作品に存在する。これはプロレタリア・アート（貧民階級）の叫びである。日本国中の大半の人々がこうした貧民であった時代の「悲しい証言」として、これらの作品は生き続ける。

三

霜田史光にも似た作品がある。例えば、「夢の国」であり、例えば、「謀叛人の子」である。後者の作品「謀叛人の子」は、主君織田信長に反旗を翻した明智光秀の子　十兵衛光慶《みつよし》の話である。父が行ったことをそれなりに認めつつ、また、恥ずかしくいやだと思う複雑な心のうちが問題とされている。これは戦国時代という古い時代に設定されているが、犯罪をはじめとして様々な事件を引き起こし世間の注目を浴びた親を持つ子どもの苦悩を示すものとして、一種の典型的作品である。子どもの心は、親に対して肯定と否定の二面に引き裂かれ、その二面の間で宙吊りになってぶらんぶらんと揺れている。

また、前者の作品「夢の国」は、子どもに空想することの面白さを伝えた父が、ある時から豹変し、子どもの空想や夢を打ち砕くような行動をとる。少女久子はそうした父を、不思議の国からもらってきた不思議なメガネで復讐するのだが、実は心の中でもとのやさしい、理解ある父に戻ってもらいたいと願っているのである。これもまた、少女と父の、結びつきそうで結びつかない「壁」の存在を示唆している。

謀叛などの事件を起こして子どもに迷惑をかける大人、子どもの空想心をつぶしてしまう大人、彼らはいつの世にも存在するが、とりわけ大正期には多かったかもしれない。そして、大人の悲劇はまた、子どもの悲劇でもある。そのことを教えてくれるのが北川千代や霜田史光ら、すぐれた児童文学作家の作品である。

私たちは彼らの作品を通して次のことに思い至る。子どもの幸せは彼ら単独ではあり得ない。また、大人の幸せも彼ら単独ではあり得ない。子どもの幸せは大人の幸せとともにあり得るのである。ということは、千代や史光の作品が呼びかけてきたのは、子どもの「悲しさ」であると同時に、大人の「悲しさ」であったということである。
北川千代の作品「鳩」の末尾は、次のようになっている。

純一はわけのわからないかなしみといきどおりとで、のどがつまるような気がしました。純一は熱をふくんだ目をあげて、もう穂ののびたたんぼ道を、不器用に、小さい空気銃を持ったおとうさんのうしろすがたがかくれていくのを、いっしんに見つめていました。そしてそのときに純一は、はじめておとうさんのすがたを、小さくみすぼらしく感じました(注5)。

霜田史光の作品「謀叛人の子」の末尾は、次のようになっている。

「……ああ私は逆賊の子……」
と言ったと思うと、十兵衛の胸は張り裂けるように一杯になって、体中の血がぼーっと頭に上ってくるような気がして、その儘《まま》気が遠くなって、床の上にばったりと倒れてしまいました。
隠岐守《おきのかみ》は驚いて介抱しましたが、十兵衛の体は冷たくなって、もう生き返りませんでした。

こうして二人の作家が、奇しくも、作品の末尾を子どもたちの喜びの顔で締めくくることができなかったことの意味を深く考えてみたい。それは子どもの顔を曇らせたり、子どもを不幸にしたりする大人を批判するためではなかった。大地主の息子のご機嫌をとらざるを得ない大人や、逆賊とならざるを得ない大人の「かなしみ」「いきどおり」をも暗に示すためであった。だから、私たちはこれらの作品を読むと、子どもの気持ちになると同時に、また、大人の気持ちにもなり、複雑な気分になって感動するのである。

古田が北川千代の作品には時代性が色濃く反映していると指摘しながら、しかしなおもこれらの作品を今日読む価値があると述べているのは、このような意味からであろうとわたくしは判断する。単に時代の証言、記録としてのみ価値があると述べたのではあるまい。

四

ところで、北川千代に「月の暈《かさ》」（注6）と題する作品がある。これは少女まち子（四歳）の母が赤ん坊を生む話だが、母を独占できなくなるまち子の思いがよく描かれている。史光にはこの種の童話はなく、母を慕う詩はたくさんある。二人の作家が「母」というものをどのように描いているかという点で比較してみよう。

「月の暈」は少女における「母分離」（自分の下に弟や妹が生まれることで、それまでの自分と母との緊密な綱が切られること）の問題を扱っているが、これは少年における「母分離」もあるのだが、長女であった千代には特に切実な体験であったといえる。末子であり、しかも、数え年五歳で母を亡くした史光にはこうした「母分離」の体験はなかった。しかし、これは兄弟姉妹がいて、しかも、当人が末子でなければ、どの子にも味わうことのある痛切な体験である。つまり、自分より後に生れてきた弟や妹に「自分の母」を奪われるという痛切な体験である。

北川千代には他に、「菊の花」（注7）「母います」（注8）という母恋いの作品がある。前者「菊の花」は五歳の和子がいつの間にか母を失うというものである。作品でははっきり書いていないのだが、和子のおじ（母の弟）の語るところによれば病院で「ねんねしている」というのだが、母はいつになっても退院しないし、おじは母の道具をみな運んでいく。和子は家の近くの踏切のところへ行って、母に似た人を探している。踏切の小屋にいるおじいさんが和子の事情を察して、丹精に育てた菊の花をくれる。これは病気で母を亡くした子のために大人が慰めの善意をなすというものである。

後者の作品「母います」は生れたときから一人ぼっちの少女瞳（十二歳）が、孤児院を抜け出して盗みなどをするのだが、愛隣塾という施設の呉という女先生と出会い、その先生のもとで居場所を見つけ幸せに暮らすという話である。実は呉先生も瞳と同じ孤児だった。だから、瞳の気持ちが先生にはよくわかるのだった。

霜田史光には、こうした母恋いの童話がない。史光はそれを詩で表現した。「亡き母」（『音楽』大正四年十二月）「月光讃歌」（『文章世界』大正七年四月）「始めて伯母を訪うた日」（『詩王』大正九年九月）「ほゝじろ」（『白鳩』大正十年四月）「薄《すすき》」（『白鳩』大正十年九月）などである。

ここでは「ほゝじろ」と「薄」の二篇を示しておく。

ほゝじろ

ほゝじろが
夢に現れ
歌ふには
『あの山こひし

森こひし
山の奥の
母こひし』

可哀《かはい》さうにと
夜明に起きて
籠の小鳥を出してやり
涙ながらに送り出す。

それから 後《あと》は
野にも山にも
歌ふをきけば
皆《み》んなわたしの
ほゝじろばかり。

薄

わたしの母さん
何処《どこ》行つた。

月夜の原には
薄の穂
風にゆらゆら
揺れてゐる。

母さんは
遠くへ
行つたと云ふ
薄のなかか
お月さんの国か。

薄ゆらゆら
白い手で招く
お月さん
お月さん
わたしの母さんに
なつておくれ。

詩の形であるが、その思いは北川千代の前掲の童話に通じるものがある。特に史光は、遠くに行ってしまった母を「月」に見立てて表現している。月と母とを並べて慕うという発想は、はたして、史光独自のものと云い得るかどうか詳しい調査が必要だが、ともかく、これは史光に目立つ現象であると言うことができる。
月と母を並べた作品といえば、野口雨情の「十五夜お月さん」（『金の船』大正九年九月）が有名で、その一節に次の文句がある。

十五夜お月さん

母さんに
も一度
わたしは
逢ひたいな

史光は雨情とも親しかったので、両者の相互関係（相互影響）もあったかと判断することができる。

また、奇しくも、北川千代の作品「月の暈」が母と月を並べて書いているのが印象的である。生まれたばかりの弟に母を奪われてしまったように思うまち子の悲しい気持ち、また、母の乳房に吸い付いてお乳を飲む赤ん坊の前で、見舞いに来たおばさんの乳房に男の子がいきなり手を入れるのを見せられたまち子のじれったく、甘えたい気持ち。そんなまち子の気持ちを察して、おばあさんがまち子の視線を上りかけた月のほうへ向ける。その部分を引くと、次の通りである。

まち子は無言のまま、赤ん坊と男の子とをしばらく見比べていましたが、やがて二、三度その目が二人の間を行き来《ゆき》したとき、さっきからこじれて胸のところで固まっていた寂しさのかたまりが、いちどきに涙になって目の外へ溢《あふ》れ出してきました。

「わああ。」

大きな泣き声に、みんながまち子のほうを見ました。

「おお、いい子、いい子。―― ふたりしてお乳を飲みだしたもんだから、急に悲しくなったんだよ。」

おばあさんは半分をお母さんに言いながら、急いでまち子を抱き上げると、縁側の外に出ました。

「まあは、いい子だから、泣くんではありませんよ。あんなおっぱい、きたないの。ばっちいは赤ちゃんにやってしまおうねえ。」

「いやあ、いやあ。」と、まち子はおばあさんの胸の中でそっくりかえりました。何と言ったらいいでしょうか、悲しくじれったく、そして甘えたいような気持ちでした。

「おっぱいよう、おっぱいよう。」

「そんなわからないことをいうと、月《のの》さんに笑われるよ。ほら――。」

言いながら、すかすように空を見上げたおばあさんは、急に自分でも思いがけないような大きい声で、まち子をゆすぶりました。

「まあちゃん見てごらん。月《のの》さんの大きな暈《かさ》――。」

まち子はおばあさんの声に驚《おどろ》かされて、つい泣き声をとめて指さされた空を見上げました。いつか暮れかけた大空には、十三日ばかりの月が、少しゆがんだ体に、倍も重たいもやのような輪をつけて、静かにお隣の屋根の上にのぼっていました（注9）。

最後に出てくる月の暈が、いったい、何を象徴しているのか、よくわからない。月の周りに見える光の輪は、ここではまち子の視線をそらすのに恰好の「不思議な現象」として挿入されているが、それはまた、寂しさに沈むまち子の心を温かく包んでくれる「光の輪」でもある。まち子は家無し、親無しの孤児ではないが、ここでは孤児に類する心境にある。そこで作者は、そうした状況にあるまち子に温かい光の輪を投げ与えたのだと判断することができる。「母います」の孤児である瞳に作者は温かい光の輪である呉先生を与えたが、それと同じようにこの作品では、孤児に近い状況のまち子に温かい月の暈を与えたのである。そう考えると北川千代も、史光と同じように月に母の姿を見ているということができる。明治・大正期に活躍した作家には共通して、月に母の姿を見るという現象がある。これは実に不思議なことである。

五

最後に北川千代と霜田史光の、似ていて、しかも、異なる点を指摘しておく。二人とも外国児童文学の翻訳（もしくは再話）を行っている。これは似ている点である。では、それぞれどのような作品を翻訳しているのであろうか。まず北川千代は、『アンクル＝トム物語』『アンデルセン童話』『おやゆび姫』『母をたずねて』『ピーター・パン』『家なき子』『みつばちマーヤの冒険』など。霜田史光は『ローマ英雄　シーザー』『十五少年漂流記』など。これらの中で千代の『アンクル＝トム物語』と史光の『十五少年漂流記』はそれぞれの特色をよく表していると思う。これらの翻訳（もしくは再話）はもちろん、出版社の編集者から依頼されてのものであるから、必ずしも執筆者個人の意向によるものとは言えない。しかし、アンクル＝トムを千代が引き受け、十五少年を史光が引き受けているのは、いかにもという感じがする。ストー夫人の小説『アンクルトムの小屋』は周知のように、奴隷制度に対する怒りの念が基調になっている。また、ジュール・ベルヌの小説『二ヶ年の休暇』は十五人の少年による無人島での冒険的生活が基調になっている。片や社会性の強い抗議小説であり、片や娯楽性の強い冒険小説である。この選択に両者の作家的姿勢がよく出ている。千代は大人の小説は書かなかったが、もし書いたら社会性の強い抗議・告発の作品になったであろう（いうまでもなく、千代の童話それ自体に社会性の強い、抗議の特徴が見られる）。史光はのち、流行歌のもととなる新民謡を書いたり、大衆性の強い剣客小説を書いたりした。こうした姿勢の違いが翻訳作品の選択に表れているのである。これもおもしろい現象である。

六

北川千代に「三つの家――子犬の身の上ばなし」という作品がある。『家の光』昭和十一年の初頭から同年六月号に連載されたものである（注10）。「ぼく」という子犬が語る身の上話で、第一の家（むやみにかわいがられた）、第二の家（きびしすぎた）、第三の家（かわいがりながら教える）と移ると同時に、その間に、父の死、掃き溜めをあさって歩く宿無し暮らし、犬泥坊につかまる、逃げ出してぶち犬と出会う、ぶち犬との別れ、病気にかかる、新しい主人に救われるなどの事件が挿入されている。長い話ではないが、中篇といえる。

ぼくははじめ父と一緒にある家で暮らしていた。そのうち、父が死んだが、家の人たち（特に子どもたち四人）は相変わらずぼくをかわいがってくれた。ぼくはある日、家の門のところでぼんやりと子どもたちが学校から帰ってくるのを待っていた。すると親切そうな男が寄ってきておいしそうなビスケットを差し出した。ぼくはビスケットと、その人のやさしさに釣られてついて行ったら、何とその人は犬さらいだった。犬さらいはぼくを犬屋に売り払った。ぼくは犬屋の店の檻の中に入れられた。ある日、ぼくは買われてある人の家にすむことになった。しかし、その人の厳しさに嫌気がさしてぼくは家から逃げ出した。家を出てからやっと住処《すみか》を探してそこで眠っていると、「起きろ。何だって俺の寝床に寝ているんだ。」と文句を言われる。怖そうな顔をしたぶち犬だった。しかし、そのぶち犬は見かけによらずやさしくて、やがてぼくは彼を兄と慕うようになる。ぼくはぶち犬に教えられゴミ箱をあさる放浪犬となる。そのうち、野良犬仲間でけんかがあり、そこを通りかかった人間の子どもに野良犬のアカがとびかかった。子どもはアカよりも、そこにいた怖そうな顔のぶち犬をおぼえていて、やがて人間の大人たちがぶち犬を探し始めた。ぶち犬は夜も昼も追いかけられた。ぼくも一生懸命逃げるのを助けたが、とうとうぶち犬はつかまってしまう。それから、ぶち犬はどこか遠いところへ連れて行かれた。独りになったぼくはそれからふらふらと歩いているうちに病気になり古材木の陰にうずくまった。そこを通りかかった少年（五郎さん）がぼくを拾い助けてくれた。病気はジステンバーだった。五郎さんの親切な看病でぼくは元気になった。ぼくは今三番目の家で幸せに暮らしている。それにつけても思い出すのは無実の罪を着せられて遠いところへ連れて行かれたぶち兄さんのことだ。「ぶち兄さん。ぼくはあなたの分まで仕合せになりました。ぶち兄さん喜んでください。喜んでください。」ぼくはそう祈るのだった。

これは犬の視座から家庭や大人、また、社会をみようとする意欲作である。犬はとりもなおさず、子どもそのものである。特に経済的に貧しい子ども、そして親無し、家無しという放浪の子どもが想定されている。北川千代はそうした子どもたちの姿を彼女の作品の中でたびたび描いてきたが、ここではそれが犬という動物の身の上話という形で描かれている。それが特徴である。

殊に私が感心するのは、この主人公の子犬が一見やさしそうな犬さらいの男にビスケット菓子で釣られていく部分である。この部分を読むと近年の幼児誘拐事件を思い浮かべるからである。もし今の子どもたちがこの部分をしっかりと読んでいたならば、少しは誘拐されずにすんだかもしれない。文学を読むことによる疑似体験（間接体験）の価値である。

七

幼児誘拐といえば古典『ピノッキオの冒険』にその前例がある。ピノッキオが友だちの燈《とう》しんから話を聞き、彼と共に夜中、一台の馬車に乗って『おもちゃの国』へ行く。その馬車の馭者の様子を作者コッローディは次のように書いている。

それは小がらな男で、たけよりもはばの方がひろくて、バターの玉のように、ふわふわして油ぎっていました。その小さな顔は、ばら色のりんごのようで、小さな口はいつも笑っていて、そのかぼそいねこなで声は、自分のやさしい女主人に甘える猫の声のようでした。子供たちは誰もかれも、駁者をみると、好きでたまらなくなりました。で、この人に、地図の上では『おもちゃの国』という、よだれのたれるような名まえで知られているそのほんものの夢の国へつれてってもらおうと思って、あらそってその馬車に乗りこみました(注11)。

北川千代の「三つの家」では、次の通りである。

そうして一週間ばかりたった、ある日でした。お子さんたちはみんな学校や幼稚園に行ってしまって、ぼくはさびしくなったものですから、いつも皆さんの帰ってくる御門《ごもん》の方へ、ちょろちょろ遊びに出かけました。そして、誰でも早く帰ってきて下さればいいなあと思いながら、外の方を見ていますと、そこを通りかかったのは、若い一人の男でした。

その人は御門のそとにぼんやり立っているぼくを見ると、親しそうにぼくのそばへやって来ました。ぼくはずいぶん人なつっこいたちではありますが、しらない人がそばへ来たのを見ると、ちょっとこわくなって御門の中へ逃げ込もうとしたのでした。するとその人はそこにしゃがみこんで、やさしい声でぼくを呼びました。

「エス、こいこいこい。」

ぼくはふと、あとを振り向きました。見ると、その人はふところから、おいしそうなビスケットを出して、しきりに「こいこい。」と呼ぶのです。

ぼくはその時お腹《なか》も少し空《す》いていました。それに誰からもかわいがられていたので、こわいことをちっとも知らなかったのです。ぼくはその人がぼくを呼んでいるのだと気がつくと、すぐにそばへかけていきました。だってぼくは、今までいろんな名で呼ばれていたので、なんという名が自分の名かわからないから、その人の顔を見て、そばへ行くくせがついていたのですものね。

ぼくがその人の差し出したビスケットを口にくわえたのと、その人がぼくを抱き上げたのとが、殆んど同じ時に思えました。ぼくはビスケットを口にくわえたまま、泣きもせずにその人のふところにおしこまれました。泣くにも声が出なかったこともありますけれど、それよりも何よりも、ぼくがこわいことをしらなかったのが、声を立てない一番のわけだったといえましょう（注12）。

子どもをかどわかす大人の手口を実によく書いている。それはコッローディも北川千代も同じである。

ところで、北川千代の「三つの家」で私が注目したいのは霜田史光の童話「盲目の猫」（ポケット講談社『少年少女談話界』第二巻第三号　大正十二年三月）との類似点である。「盲目の猫」は次のような話である。

昔、加賀の国に千代という娘が母と二人で暮らしていた。父は千代の小さいときに亡くなった。ある日、母の使いで名主《なぬし》の家に行くと、日当たりのよい縁側に五匹の猫が遊んでいた。名主は一匹あげようと言った。千代はくださいと言って、どれをもらおうかと思案した。その中で千代は、三毛のいい毛並みながら盲目の猫をもらうことにした。名主は「お前さんも物好きですね。それよりもぶちの方がいいではありませんか。」と言った。しかし千代は、他の猫が面白そうにじゃれあっているとき、寂しそうにうずくまっているこの猫がかわいそうで自分で大切に育ててやりたいと思ったのである。家へ帰ると母が、「猫はネズミをつかまえさせるために飼うもの。盲目では何の役にも立ちません。」と言って叱った。千代は自分のご飯を半分にして飼ってくれと頼み、飼うことを許される。千代はこの猫に玉という名を与え、大切に育てた。玉は大きくなるにしたがい千代になつき、また、利口になった。ある日の夕方、旅の僧が遣《や》って来て一夜の宿を請うた。母は喜んで泊めることにした。しかし、この僧は実は泥坊だった。母と千代がぐっすり寝ている間にこの泥坊は箪笥《たんす》を開けてお金や着物を盗み出した。起きていた玉はこそこそと物音のするほうへ行くと泥坊の足にぶつかった。そして、その足に噛み付いた。泥坊はびっくりして「痛っ！」と声を上げた。母が飛び起きて「泥坊泥坊！」と叫んだので男は持っていたものを投げ出して表へ飛び出した。玉は男の足に食いついたままだった。表へ出た男は刀を抜いて玉を斬り殺し、痛い足を引きずりながら逃げていった。母と千代は朝になって外へ出、玉の死骸を見つけた。千代は玉が命がけで自分たちを守ってくれたことに感謝した。しかし、お礼を言うことができないのを悲しんだ。「一方では欣《よろこ》び一方では悲しみながら」千代ははらはらと涙を流した。こうして、ものの哀れを知った千代は後、俳句を学び日本で有名な俳諧師となった。

これは加賀の千代の少女時代の話ということになっているが、実際にそのようなことがあったのかどうか定かでない。おそらく伝説のようなものを根拠にしたのだろうが、そのような詮索はさておき、こうした話を児童向きに作ったことの意義を、わたくしは考える。

盲目の猫の、飼い主に対する「忠義」の表れと見ることもできるが、この話の主眼はむしろ、そうしたところより、千代があえて盲目の猫を選び、それを大切に育てたということ、その判断の叡智にあり、読者としてはそうした千代の叡智にすがすがしさを覚えるのである。

北川千代の「三つの家」は、作品の末尾で作者がまとめをしているのによれば、「ぼく」の飼われた家で一番良かったのは第三番目の家ということである。それは「かわいがりながら教える」家ということで、むやみやたらとかわいがるのでもなく、また、むやみやたらときびしくしつけるというのでもない。その両極端を廃したものである。これは見ようによれば、当時の子育てにおける家庭（親）の態度の三類型を示したものと言うことができる。

そして、もう一つ、油断がならない大人というものが実によく描かれている。ぼくをかどわかした男はやさしそうにビスケットを差し出す。お菓子で釣るというのもしゃくにさわるが、何よりもやさしいそぶりでぼくに近づき、また、男のふところの中に入れられたぼくが「（それは）暖かくって広くって気持のいい寝床でした」と感じている。作品はこういう大人の巧妙な手口を描き、また、残念ながらそれにだまされてしまう子どもの弱さも描き出している。霜田史光の「盲目の猫」でも悪い大人は登場する。それは母と千代という、男不在の、二人住まいの家に僧侶に変装して宿を請う男である。そして、この男は彼らの善意を逆手にとって盗みを働く。このような信用できない大人がこの世の中には実にごろごろいるのだが、それを情報として若年の子どもたちに知らせるという役目もこれらの作品は果たしていたのである。このような童話は子どもにとって、世の中の仕組みや大人というものを、それとなく知らせてくれる教材（教育材料）でもあったのである。

これらの作品にはもちろん、悪い人間ばかりでなく、良い人間も登場する。それは「三つの家」では最後にぼくを病気から救ってくれ、ぼくの新しいご主人となる五郎さんである。五郎さんの優しさ、愛情が最もよく描かれているのは、五郎さんの友だちが「この犬、死んだってかまわないさ。飼い主が世話をすればいいんだ。」「飼い主に捨てられた犬ならかまわないほうがいいよ。よほど悪い病気なんだろう。」と口々にいう中で、五郎さんが「どんな悪い病気だってかわいそうだよ。ぼく、この犬を拾ってやろう。」と犬を抱き上げる場面である。すると、他の子どもたちが「ちえっ、汚いの。五郎君も物好きだなあ。」とはやすようにして笑った。この「物好き」という言葉が、奇しくも、霜田史光の「盲目の猫」にも出てくる。それは千代が名主に、よりによって盲目の猫をほしいと言った時、名主の発した言葉でもある。そして、この盲目の猫をもらったことで千代は母から文句を言われる。五郎さんの家の大人たちが、ぼくを拾ってきたことをどう言ったかは書かれていない。しかし、五郎さんが相変わらずぼくに愛情を注いでくれるので、たぶん、この家の人たちは文句を言わないのだろう。親切な五郎さんのためにぼくは一生懸命働こうとして夜遅くまで起きていると、五郎さんは「ラン（＊五郎さんがぼくにつけた名）。お前そんなに起きていないでもいいよ。僕の家には財産なんかないんだから。」と笑いながら言う。この辺は「盲目の猫」と違う。玉も親切な千代のために一生懸命働こうとして泥坊の足に噛み付いた。そして泥坊の刀で斬り殺される。作者の史光はそれを主人に対して「忠義」を働いたと書いている。私はこの話を「忠義」に収束させたくない。忠義ではなく、千代が自分に対して示してくれた「愛情」への返しなのだと思う。人と動物という境界を越えて「愛情」の感応が起こる、その事実を伝える話だとわたくしは判断した。

「三つの家」で印象に強く残るのは顔は恐そうだが、心は優しいぶち犬のことである。彼は無実の罪を着せられ非業の死を遂げる。その彼のことを、仕合せになったぼくはいつまでも忘れない。この点がすばらしいと思う。「三つの家」でぶち犬の死は父の死に継ぐ悲しい出来事であるが、ぼくは父と、この兄とも慕うぶち犬の死を背負って生きていく。「盲目の猫」の千代とて同じことであり、玉の死を背負って生きていく。それ故、千代は「もののあわれ」を知るすばらしい俳人となる。作者史光はそうした俳人千代のすぐれた資質を描きたかったのだ。

「三つの家」と「盲目の猫」はともに、動物と人とのかかわり（関係性）を描いた作品であるが、愛情という心の感応、そして、死者の思いを背負って生きていくことを示す作品として類似点をもつ。わたくしはこの二つの作品を生み出した作家がともに埼玉にゆかりがあるのを嬉しく思う。

八

北川千代も霜田史光も、この世の中で弱者とされる存在に注目し、彼らに温かいまなざしを向けている。それは経済的に貧しい人が日本全国に多数存在した明治、大正、昭和戦前のことである。ジャック・ロンドンの作品『野性の呼び声』『ホワイト・ファング（白い牙）』が堺利彦の訳で読まれたり、中條百合子（後の宮本百合子）の『貧しき人々の群《むれ》』が時宜を得たものとして歓迎されたりした、そういう時代である。

ジャック・ロンドンの小説で堺によって翻訳された前掲の二冊は、動物心理の考察、犬と狼との生活、及びそれと人間との関係を描写した、雄大、深刻、痛烈な、一対の姉妹篇であり、この二冊を比べてみると、前者（『野性の呼び声』）は南国の飼い犬が北地に行って橇犬となり、遂に山に入って狼群の首領となるという話であり、後者（『ホワイト・ファング』）は蛮地の山中に生れた狼の子が、橇犬となり、闘犬となり、遂に南国に移って忠誠を極めた飼い犬になるという話である。いずれも犬もしくは狼の話であるが、それはつまり、そうした動物に仮託された、経済的に貧しく社会的に虐げられた人間の話であって、そうした境遇の彼らが精一杯戦い、抵抗し、しぶとく生きていくという話である。当時の人々は、自分の周囲にそうした人がたくさんいたから彼らにバック（『野性の呼び声』の犬の名）やホワイト・ファングのようにしぶとく、かつ、たくましく生きてもらいたいと願ったのだ。なぜなら、こうした作品を読む読者といえば、当時は殆んどインテリ階級か富裕層であったから。もちろん当時、プロレタリア階級であってもこうした作品を読む人はいたであろうが、そうした人は少数だった。

中條百合子の『貧しき人々の群』は、自分の見聞きしたことが元になっている。インテリにして富裕層の家庭に生まれた彼女は幼少の頃からよく祖母の住んでいる福島県の農村に出かけて行った。彼女は東京に生まれ、本郷の誠之小学校、お茶の水高等女学校に学んだが、父方の祖父祖母が福島県で開拓の事業にあたっており、そういう関係で彼女はよくそこを訪れた。作品では祖母と自分が登場するが、小作人が畑の作物を盗んだり、金の無心に来る話がよく書かれている。また、貧しくて心が狂暴になっている子どもたちや、主人（地主）に何かとこびへつらおうとする大人たちの様子が生き生きと描かれている。そして、単にうわべだけの慈善や寄付ではどうしようもない深刻な村の現実が描かれている。彼女は彼らと親しくなりたくて近づくのだが、そこには容易に近づけない溝があり、彼女は大いに悩む。この作品には明るい未来や展望というものはない。深刻な農村の現実が描かれているだけである。彼ら（貧しき人々）は慈善や寄付によってお金をもらっても、貯蓄するという考えがないから、すぐに町で消費してしまう。この人たちにはお金や物よりも知識（乃至は知識を与える教育）が必要なのではと問題提起している部分もある。いずれにしても、この作品は当時の日本の貧しい農村現実をリアルに描き出している。これを読む人は彼らのために何かせざるを得ない気持になると同時に、「彼ら、目覚めよ！」と貧しき人々の自覚と奮起を求めたくなる。

こうした時代背景の中で北川千代や霜田史光の作品を読むと、ずっしりとした手ごたえを感じる。

九

ところで、埼玉にはもう一人、すぐれた児童文学者が現れた。明治四十年（一九〇七）、浦和に生れた石井桃子である。石井は霜田史光より十一年下、北川千代より十三年下である。石井の世代になると、事情は少し変わってくる。彼女は浦和の農家に生れたといっても、貧農ではなく中農以上の農家であり、しかも、町に近いところに家があった。中條百合子が描いたような貧しい開拓農村でなかった。兄は中学校へ、姉は女学校へそれぞれ通う家庭であった。親の経済力があり、また、知識・教養の豊かな家庭だった。その家の末子に石井は生れたのである。彼女は地元の学校を出た後、日本女子大学の英文科に入る。大学を出てからは文芸春秋社や岩波書店で働く。特に岩波では少年文庫や絵本の出版に携わり、また、自ら翻訳をしたり書下ろし作品の執筆を行う。

石井の作品は多いが、ここでは回想的自伝『幼《おさな》ものがたり』の一節を取り上げる。また、北川千代及び霜田史光で小動物（犬、猫）の作品だったので、石井の場合も小動物の出てくる話を探してみよう。


（前略）その日、私には、朝から心にかかることがあった。何かが、しきりに私の背中をひっかいているのである。そのものは、ときによると、上のほうへのぼったり、帯のへんへさがったりする。それでも、私は、ほかのことに気をとられているあいだは、それを忘れていたのだろう。いま、静かにおまっちゃん（＊引用者注記：私の姉の友だちで、上の学校へ行かず、家で男物の羽織の紐を織っていた）のわきに背中を丸めているねこを見たとき、私は、とうとうがまんができなくなって、姉にいった。

「あたし――そのころ、私が自分のことをどうよんでいたか、はっきりしない。どうもあたいだったような気がする――の背中に、このねこくらいのものがいるんだけれど、あたしは、おとなしいから、がまんしているんだよ」

ことばは、このとおりでなかったろうが、私が、一生懸命、姉にいったことは、こういうことだった。

姉は、私を家につれて帰った。

私は縁側のそばに立たされ、はだかにされた。何かが、背中からとびだした。おじいさんが竹箒《たけぼうき》をふるって、「やっ！　やっ！」と、それをおさえようとしたが、それは縁の下に走りこんだ。それが座敷の根太《ねだ》の下の板がこいのあいだにとびこむとき、うすぐろいねずみだということが、私にもわかった（注13）。

ここに出てくる小動物は犬でもなく、猫でもなく、ねずみである。この小動物に対する「私」の視線・まなざしが特徴的である。どんなふうに特徴的であるかといえば、それは第一に人間とのかかわりの中で捉えられていることである。これは文学的扱いというべきか、語り物的というべきか、とにかく児童文学（童話など）によく見られる小動物の扱いである。それはもっといえば、人間の暮らしの中に溶け込み、人間の仲間となっている小動物という捉えである。これは当の小動物自身がどう考えているかではなく、そういう想像や観念を超えて人間が勝手に作り出した主観的な幻想である。それは人間のほうで強引に小動物を自分の側に呼び寄せた幻想の図である。もし小動物が人間のように言語を操ることができ、しかも自己主張することができたら彼らはいったい何と言うか、たとえば「おせっかいはやめてくれ」とか「自分たちだけで静かに生活させてくれ」とか言ったとしたら、人間どもは何という言葉を返すだろうか。

これまでの児童文学は、この困難な問題を素通りしているのである。それは皮肉でいうのではなく、時代の特徴として理解しておくべきこととして述べておく。それは、言葉を操ることができない小動物の、彼らの自己意思を明確に把握できないから、人間のほうが勝手に想像するしかなかったという事情による。しかし、それだけではない。人間の側から彼らに差し出す「善意」や「共生」の意思が無条件に確認されていたからである。小動物の虐待や排除などという事態は殆んど考えられなかったのである。

自分たちの周りにいる犬や猫やねずみ、それらはすべて自分たちの仲間（一員）であるとする意識が生きていた。そういう時代の作品が、北川千代、霜田史光、石井桃子らの作品なのである。だから読者は、子どもも大人も等しく、犬や猫やねずみのことをさながら人間のことであるかのように思って、身につまされたり、愉快を感じたりして読むことができたのである。

ところで微細に読んでみると、北川千代、霜田史光、前二者と後の石井桃子の違いが少しあるように思う。それは石井のほうが小動物に対し幾らか距離を置き冷静に対応しているように見えることである。けっして冷たい視線というのではないが、石井は北川や霜田のように小動物に熱く一体化するという姿勢を示していない。それはここで取り上げた作品が幾らか特殊（ノンフィクションに近い回想的物語）であるという事情にもよるが、小動物に対する作者の視線が写実的理知的になっていることの反映である。写実的（観察的）といえば北川は当時としてはずいぶん写実的である（当時の童話にしては珍しく写実的である）が、石井のほうはそれよりも更に写実的になっている（北川よりもずっと後から作品を書き始めた石井であるから当然といえば当然のことである）。以上のことは、物語としての児童文学が「語り」の巧みさで読者を惹きつけるという地点から、写実の的確さ（詳しさ・鋭さ）で読者を惹きつけるという地点へ移動しつつある時期を見るような思いがする。

十

それにしても、児童文学の評価とは何であろうか？　北川千代について古田足日は次のように述べている。

北川千代は大作家ではない。しかし、かの女はまぎれもない日本の児童文学者であった。ぼくはちかごろ翻訳されるかたちのととのった外国作品よりも、かの女の作品にはるかに強い愛着を覚える。

かの女の作品に後世に残るほどの作品があるとは、ぼくは思わぬ。にもかかわらず、古典・名作といわれるものと同様に、いや、ものによってはそれより以上に、かの女の作品はぼくの心に働きかける。

これはいったいなぜなのか。ぼくの読み方が特殊なのかもしれない。ぼくは北川千代に日本の児童文学者のかなしさ、または宿命とでもいうものを見てしまうのである（注14）。

「ちかごろ翻訳されるかたちのととのった外国作品」よりも北川の作品に「強い愛着を覚える」と古田は言うが、その「翻訳されるかたちのととのった外国作品」に深く関わったのは石井である。これは昭和四十二年（一九六七）に書かれた古田の文章であるが。もしこれを石井が読んだとしたら、おそらく、カチンときたかもしれない。

古田はこれに続く文章で、時代や社会と深く切り結んだ児童文学作品の価値ということを言明し、そこから北川の作品が持つ価値を力説する。私は古田のそうした考えに反対ではない。石井は古田とは違い、むしろ、時代や社会とあまり深く関わらないというと言い過ぎになるが、時代や社会に左右されない、いつの世にも読まれる作品を目指したと言い得る。つまり、二人の児童文学観は異なるのである。石井は普遍性のある作品を追求したし、古田はその時代・社会特有の作品を追求したのである。

その時代・社会がもつ個別性（特殊性）を盛り込んだ作品は、その時代・社会の人々には読まれるが、時代・社会が変化すれば殆んど読まれなくなる。だとすれば、普遍性を意識した作品のほうが有利である。しかし、有利である・ないにかかわらず、作家にはなかなか、自分の生きている時代・社会を超えることは難しい。普遍性のある作品を創造することが難しいのである。

古田はそのようなことを承知の上で北川の作品が持つ価値を規定しているのである。一方、石井は自分で作品を書くことよりも、むしろ、翻訳というかたちで普遍性のある作品を読者に提示していった。石井が日本の読者に示した外国の児童文学作品は、日本の現実社会と直接に切り結ぶことはなかったが、作品が持つ雰囲気・テーマ・思想・文体などは程よい距離感の中で、おだやかに、かつ、持続的に日本の読者に受容され愛読されていった。

わたくしは古田、石井、どちらの児童文学観に軍配を上げるというのではなく、両者の接点を見据えたいと思う。例えば北川千代の作品は、本当に普遍性がないのか？　後世の人が読んでもあまり意味がないのか？　それを検証してみたい。また、石井の翻訳作品は本当に日本の現実社会と無関係であるのか？　石井が翻訳作品を通して、当時の日本の時代・社会と切り結ぼうとしたものがなかったのかどうか？　それを検証してみたい。

更に言えば霜田史光の童話は、民衆（大衆）とつながりたいとする彼の願いから出たものであった。史光が剣客小説や創作民謡を書いたのと同じ動機から童話を書いたのだとすれば、我々は彼の童話をそれらの作品と並べて読んだり考えたりする必要がある。そして史光の童話には北川の童話に見られるのと似た時代性が付着しているし、また、時代の特殊性のみにとどまらぬ普遍性も存在する。

こう考えてくると、児童文学の評価は一筋縄でないことが明らかである。わたくしが三人の作家について述べたことも問題提起の一つに過ぎない。埼玉の近代児童文学とその作家について関心を持ってもらう何らかの端緒となれば幸いである。

注

（1） 小堀杏奴（明治四十二年・一九〇九～平成十年・一九九八）と北川千代の共通点は上流階級の家庭に生まれたことであるが、その他に互いに父思いであることだ。杏奴は父森鷗外に対して、千代は父北川俊に対して、それぞれ思い出の文章の中で尊敬の眼差しを示している。

（2） 森田たまと北川千代はともに、沼田笠峰（博文館『少女世界』の編集者。のち、頌栄高等女学校校長）を囲む誌友会メンバーの一員だった。詳しくは升金《ますかね》照恵「北川千代さんと誌友会」（講談社『北川千代児童文学全集　上巻』附録〈月報〉一九六七年十月）参照。

（3） 古田足日「北川千代論」。『北川千代児童文学全集　下巻』（講談社　一九六七年十月）に所収。引用は同書三二六ページ。

（4） 北川千代「キクの正義」。引用は前出（3）『北川千代児童文学全集　下巻』一四〇ページ。

（5）北川千代「鳩」。この作品「鳩」の初出は不明。昭和十二年刊の『父の乗る汽車』（常山堂書店）、昭和二十二年刊の『鳩』（小沢出版社）等に所収。引用は前出（3）『北川千代児童文学全集　下巻』六八～六九ページ。

（6）北川千代「月の暈」は雑誌『若草』昭和八年十月号に掲載。のち、単行本『鳩』（小沢出版社　昭和二十二年九月）に所収。なお、この作品「月の暈」は前出（3）『北川千代児童文学全集　下巻』に所収。

（7）北川千代「菊の花」の初出は不詳。単行本『蝕める花』（寶文館　大正十四年七月）に所収。なお、この作品は前出（2）『北川千代児童文学全集　上巻』に所収。

（8）北川千代「母います」は雑誌『少女倶楽部』昭和三年二月号に掲載。のち、単行本『絹糸の草履』（講談社　昭和六年十月）に所収。なお、この作品は前出（2）『北川千代児童文学全集　上巻』に所収。

（9）北川千代「月の暈」。引用は（3）『北川千代児童文学全集　下巻』一六二～一六三ページ。但し、平仮名の部分が多いので、読みやすいように幾つかの部分を漢字表記に改めた。

（10）北川千代の作品「三つの家――子犬の身の上ばなし」は、雑誌『家の光』昭和十一年に連載されたものである。わたくしはその全体を見ていないが『家の光　都市版』昭和十一年四月号と六月号（第十二巻第四号と第六号）及びその梗概を見て作品の全体を知った。なお、「三つの家――子犬の身の上ばなし」は『北川千代児童文学全集　上巻』『（同前）下巻』に未収録である。

（11）コッローディ作、柏熊達生訳『ピノッキオ』（岩波書店＊岩波文庫　一九五〇年十月）一九七～一九八ページ。

（12）北川千代「三つの家――子犬の身の上ばなし」。『家の光』昭和十一年四月号（第十二巻第四号）。

（13）石井桃子『幼《おさな》ものがたり』（福音館書店＊福音館文庫　二〇〇二年六月）「〈早い記憶〉」中の一篇「ねずみ」より。引用は同書『幼ものがたり』四五～四六ページ。

（14）　古田足日「北川千代論」。引用は前出『北川千代児童文学全集　下巻』三二六ページ。

附記

霜田史光の作品（「夢の国」「謀叛人の子」及び詩篇等）の出典は竹長吉正編著『霜田史光―作品と研究―』（和泉書院　二〇〇三年十一月）に拠る。

第五章　随筆「のんびりしたような世界」

のんびりしたような世界

石井桃子

ふた月に一度くらい、汽車で十二時間ほどの東北のいなかへいくのだが、それが、この目まぐるしい東京を夜たって一晩ねむると、よく朝は、そこにいるものだから、頭のピントをあわせるのに、ほねのおれることがある。このふたつの世界のちがいは、汽車で十二時間どころではなく、時には神武天皇のむかしにかえっていくような、みょうな気がする。たとえば、朝鮮事変のおこったときがそうだった（注1）。

街にひびく号外の鈴の音を聞き、ラジオのニュースで神経をピリピリさせて汽車にのり、さて一晩たってみると、私はみどりの木と草につつまれた山の中にいた。そのみどりのあちこちに牛が草をはみ、その上を「テッペンカケタ」（注2）が鳴いて通っていた。うるさい、よけいな物音は、ひとつもしない。近所の人たちは、わきの山道を通りかかると、「やあ、帰ってきたね。」と声をかけてくれるが、こちらからその話を出さなければ、その人たちの口からは朝鮮のチョウの字も出なかった。私は、一二三日は、ぼうとなって、いったい朝鮮は、この人たちにはあるのか、ないのかと考えた。

ラジオも新聞もあるのだけれど、東京を見たこともない人が多いところでは、東京の話を聞かしても、ピンとは来ない。まして朝鮮をやなのだろう。

いなかの人は、のんびりしている。訪ねてきて、用件を言いだすのに、一時間もかかる人がいる。私たちは、「きょうは、なんの用?」と聞くことにしているけれど、ぼくとつそのもののような顔をして、礼儀ただしく気候のあいさつや、世間ばなしをしているひとたちに、「なんの用で来ました?」と聞くのは、じつにぶしつけな気がすることがある。

ときには、ていねいなおじぎをして、「○○村から来ました。」というだけで、名まえを名のらないで、したしげに話しこむお客さんもいる。そういうとき、私といっしょに住んでいる友だちは、こまってしまって、私に耳うちをする。

「あの人、だれだか、あんたから聞いてみてけらしえ。」

そこで、よそ者の私は、きっかけを見つけて、

「あなた、どなたでしたっけ?」

という質問を、失礼にならないように、話の間にはさむ。すると、とんでもなく世話になった人のむすこだったりして大笑いになる。

また、そういうのんびりした人たちと交わした約束は、私たちの考えるような約束でない場合が、ちょいちょいある。お節句には、モチをついて待っているからねと、お茶飲み話に言われて、さて、お節句になり、訪ねていっていいのか、わるいのか、はじめのころ、私は、ずいぶん迷った。モチをたべたいということよりも、もし先方で、モチをついて待っているのに、こっちがいかなければ、せっかくの好意をむだにしてすまないと思って、本気で心配したのである。が、少したつうちに、そんなことは、あまり気にしないでもいいことで、もし先方がどうしても来てもらいたいときには、お使いがくることがわかった。

こんなことは、どっちになっても、たかがおモチを一度たべるか、たべないかだから、どうでもいいけれど、商談（?）になるとあてにならなくて、こまることが多い。たとえば、家に牛の子が生まれて、となり村の人が、ぜひその子を見たいから、何日にいくという言《こと》づてをよこす。こっちでは、その日の予定を変更して、一日待っていても来ない。そして、それっきり、なんとも言って来ないというようなことが多い。

また、それと反対に、家の牛を、たとえば三ヵ月の約束で、よその家へあずけることがある。何月の何日にとりにゆきますからね、と言っておく。私たちは何月何日と言えば、何月何日なのだが、先方からは何度でも、いっとりにくるかと聞いてくる。

友だちがお客さんとゴトゴトと二時間も話しているので、お客さんが帰ってから、なんの用で来たのかと聞くと、百円借りに来たのだという。お金のことはともかくとして、家ではその二時間が何よりも惜しいのだということは、なかなか相手には言えないものである。金を借りに来る以上、できるだけていねいに、長く話をしていった方が、その人には気がすむのである。

このののんびり時間を使っている人たちは、もちろん、けっしてのんびりした生活はしていない。村にいると赤貧洗うがごとしということばを、私はしょっちゅう思い出す。貧乏が、この人たちを盲にしているのだ。

この人たちが知ろうと知るまいと、同じ瞬間に朝鮮には爆弾が落ちているのだし、そして、このごろ新聞を見ると、この人たちの「犠牲において」日本の肥料が安く外国に売られていくのだという。この人たちが改造のしようもない、だだっ広い台所で薪をボウボウ燃《も》している間に、あたりの山はどんどん裸になっていく。少し前までは二十年も年とった木を伐っていたのに、それが十五年になり、十年になり、しまいには、燃す物もなくなってしまうのだ。

いなかに家があると戦争のとき逃げていくところがあっていいですねと、時々人からほめられるけれど、とんでもない、このごろ私は、どっちへ行っても、日夜、頭がどうかなりそうだ。

出典

『小説公園』一九五三年（昭和二十八）二月号。

注

（1）文中の朝鮮事変は朝鮮戦争のこと。一九五〇年（昭和二十五）六月、北朝鮮（朝鮮民主主義人民共和国）と南朝鮮（大韓民国）が三十八度線付近で衝突した。アメリカが南を支援、中国が北を支援して朝鮮半島は泥沼の戦場と化した。その後、一九五三年（昭和二十八）七月、板門店で休戦協定が成立した。石井のこのエッセイに書かれているのは一九五〇年（昭和二十五）から一九五二年（昭和二十七）頃のことである。

（2）テッペンカケタは、ホトトギスの鳴き声を表した語であるが、ここではホトトギスを意味する語として用いられている。

附記

文中、身体障害に関する不適切な用語が見られるが、当時の状況に鑑み、原文のままとする。

コメント

これは、たいへん珍しい文章である。昭和戦後のまだ間もない頃、東北の友人と牛を飼って酪農業を始めた時、村人のいろんな様子を例のシビアな観察眼で追った記録文の一節である。この頃の石井は東京と東北を行ったり来たりしていた。だから、なおさら、そのギャップを感じた。「朝鮮事変のおこったとき」のことが記されているが、ラジオのニュースだけで詳しいことはわからない。東京では「街にひびく号外の鈴の音を聞き、ラジオのニュースで神経をピリピリさせて（いた）」のに、汽車で十二時間ほど眠ると、そんな事とは全く関係がない、美しい自然の中にいた。この年（昭和二十八年）、ようやく東京地区でＮＨＫがテレビ放送（白黒）を開始する。石井がこの原稿を書いていた時は、もちろん、テレビは放送されていない。たよるはラジオのみだった。

そして、「ふた月に一度くらい」行く東北の田舎での出来事は、石井にとって、まさに「異文化の体験」だった。それ故、このような文章を書く気持ちになったのだろう。

この文章の中でもふれられている、「友だちと牛を飼うようになった」そのいきさつなども知りたいと思うが、そのことの詳細はここでは述べられていない。生まれた牛の子どもを村の人が見に来る話や、家の牛をよその家にあずける話が出てくる。石井は近代的現代的感覚で処理しようとして考えているのだが、それがなかなか村の人に通じない。前近代的な村人の感覚や処理に石井はぼうぜんとする。だが、それを怒ったり、不満に思ったり、嘆いたりしているわけではない。「ふしぎだなあ！　なぜ、ああなのだろう？」と自分とは違う村人の考え方感じ方に思いをはせる。そうした余裕、ゆとりの姿勢が、この文章の魅力であり、同時に作者である石井の人柄をほうふつとさせる。

だが、そんな石井も、ついに言わざるを得ないことがあると重い腰を上げる。それが文章の後半、「このの んびり時間を使っている人たちは、もちろん、けっしてのんびりした生活はしていない。」である。「この人たちが改造のしようもない、だだっ広い台所で薪をボウボウ燃《も》している間に、あたりの山はどんどん裸になっていく。少し前までは二十年も年とった木を伐っていたのに、それが十五年になり、十年になり、しまいには、燃す物もなくなってしまうのだ。」ここには石井の残念だなあという気持ちと、村の人に「早く気づいてほしい」という気持ちが表れている。

そして、最後の部分、「いなかに家があると戦争のとき逃げていくところがあっていいですねと、時々人からほめられるけれど、とんでもない、このごろ私は、どっちへ行っても、日夜、頭がどうかなりそうだ。」ここには田舎にしても東京にしても落ち着けないという気持ちが表れている。

この文章のはじまりは、東京を離れて、しばし「憩う場所」を期待して東北の田舎に行くというものだったが、そこで数日暮らしてみると、ここもやはり、「憩う場所」とはいえないというものだ。全体的に、アイロニーの漂う文章である。

石井も、安定した「居場所」を求めていたのだろう。人は誰しも安定した「居場所」を求めて移動する。しかし、漱石の『草枕』ではないが、「心の休まる」居場所はなかなか見つからない。「このごろ私は、どっちへ行っても、日夜、頭がどうかなりそうだ。」という言葉は少し大げさだとも言えそうだが、ジレンマの中で苦しんでいる石井の姿が率直に出ている。まさに「本然の石井」が出ている。

子どもの本を書く上では、自分というものをすっかり消去することを原則としている石井であるが、時々、このような形でのびのびと自分を語っている、自分の心境を吐露している。いわゆる、はみ出した部分である。そういう点で、この短い文章は得難い価値があり、興味深い。

なお、この文章の背景について、さらに述べると、次のようになる。石井は昭和戦後まもなく、宮城県栗原郡鶯沢村（＊のち、鶯沢町）で友人の狩野ときわと共に、開墾・農業・酪農の生活を始めた。東京がしだいに復興するにつれ、東京へ出かけて出版の仕事を再開する。昭和二十五年（一九五〇）、石井は岩波書店に入社し、岩波少年文庫の仕事を始める。片や宮城県鶯沢での牧場（酪農）の仕事もあり、東京で何日かを過ごし、また、鶯沢に帰るといった二重生活をしていた。なお、この辺の状況については尾崎真理子『ひみつの王国　評伝石井桃子』（新潮社　二〇一四年六月）が詳しい。

石井のこの文章の冒頭に「ふた月に一度くらい、汽車で十二時間ほどの東北のいなかへいく」とあるのが、そのことを物語っている。戦争中の食糧難を逃れるため宮城県の鶯沢に行き、そこで開墾・農業・酪農などの生活を始めたわけである。

初めは意欲をもって村での新しい生活に取り組んだが、徐々に町（都会）の暮らしとの溝を強く感じるようになる。また、東京がだんだん復興してくると東京で出版の仕事を再始したいとの思いが強くなる。石井は戦前、山本有三のもとで新潮社の「日本少国民文庫」の編集に参加していたし、また、戦後は友人らと白林少年館出版部を立ち上げたりしていた。そして昭和二十五年（一九五〇）、既に述べたように岩波書店に入社し、岩波少年文庫の仕事を始める。石井は東京の荻窪で暮らす一方、宮城県の鶯沢でも暮らすという二重生活を送るようになる。やがて、鶯沢での生活に区切りをつけて東京で暮らすことになるわけだが、このエッセイでは区切りをつける少し前の生活の一端が記されている。

第六章　随筆「子どもにうったえる文章」

子どもにうったえる文章

石井桃子

与えられたこの題目は、私にはたいへんむずかしい。さまざまな面からむずかしい。

第一に、私には、はっきり答えることができないからである。第二に、子どもといっても、相手は三歳から十二歳くらいまで――このごろのように、十八歳までを少年少女とよぶようになると、その層は、なお厚くなるが、とにかく、十二歳までと限らせてもらって――の子どもでは、能力も、物の考え方も別人のように変わってくる。

三歳といえば、やっと短いお話がたどれるかたどれないかくらいだし、十二歳になれば、早い子は、物によっては、おとなの本でも読める。その中間に、さまざまな変化の段階があって、子どもは成長していく。そして、それぞれの段階で、子どもたちは、重大な関心事をもっている。ごく小さい子には、たべ物が大きな魅力だろうし、小学一年生のなかには、恐竜に夢中になる子もあるだろう。

こうして、それぞれの子どもに、何が一ばんうったえかけるか、どう書いたら一ばんうったえかけるかを考えていると、頭が千々に乱れてしまうけれども、日ごろ、私の家の文庫にくる子どもたちを観察していると、その大小の子どもたちの心の底に、何か共通なものが潜んでいるようにも思われてくる。今日の子どもたちは、ずいぶん早くからテレビその他の情報媒体にさらされていながら、はやりことばをその時どきに面白がり、そして、やがて忘れていっているようだが、そのようなはやりことばは別として、本来のことばというものを考えるとき、人生経験の浅い子どもたちにうったえかけるのは、ことばそのものというより、そのことばの意味する物や事であるように思われる。

私の家の文庫の壁に、私たちは、時どき、よそから送られるパンフレット類から、子どもに興味ありそうな写真や絵を切りぬいて、はっておく。まだ新幹線が動きだすまえ、「夢の超特急」ということばが喧伝《けんでん》されていたころのことである。その汽車が、いかにも気もちよく走っているような予想図が雑誌に出ていて、その絵を私たちは壁にピンでとめておいた。すると、四歳の男の子が、文庫に足をふみ入れたとたん、「夢の超特急!」と叫んだ。その子が、ほかにも、いろいろなものの並んでいる部屋に入った瞬間、小さいその絵を見つけだし、見つけると同時にありったけの声で叫んだことが、私を驚かせた。

「夢の超特急」というのは、むずかしいことばだから、この子には、考えてわかるということばではなかったろう。しかし、この子には、小学校初年のにいちゃんがいたから、やがて、この世にあらわれるすばらしい汽車の話を聞かされていたにちがいない。だから、この子にとって、「ゆめのちょうとっきゅう」は、きっとスピードと力を形にしたものであったのだろうと、私は考えた。

「夢の超特急」のように造られて、やがて捨てられたことばは、長くは使われなくなったから、その後、その子の心にどんな跡を残したか、私には知る方法もないが、しかし、あのときのぱっと輝いたような、子どもの体全体の表情と叫び声を、私はいまでもおぼえていて、一つのことばが子どもに強烈に働きかける実例として、よくこのときのことを思いだすのである。

　このような小事件の重なりから、子どもに語りかけることばには、そのなかに物（人物もまじえて）と事（事件）が、いっぱいつまっていなければならないのだということを、私は、以前にもまして考えるようになった。おとなが自分ひとりで目読（※通常は「黙読」と表記）しているときには、そのことに気がつかないでしまう場合が、じつに多い。しかし、子どもを前にして、声にだして話したり、読んでやったりすると、一ぺんにわかってしまう。物（人物）が出てきて、たちまち事（事件）がはじまらなければ、聞き手と語り手のあいだに張られた糸は、だらんとゆるんでしまうのである。その点、物と事のぎゅっとつまっているよい例が昔話で、グリムの話のなかなどには、子どもたちをぐんぐんひっぱっていく力のあるものが多く、驚かされる。

おもしろいのは、よく気をつけてみると、物と事のつまっている話には、形容詞が少ないということである。それでも、「大きなパン」とか、「年とった魔法使い」とかいうように、目に見える物についての形容詞は、わりあい多く出てくるが、「さびしい」とか、「かなしい」とかいうように、心情的な形容詞は非常に少ない。

大分《だいぶ》まえ、よくP・T・Aのお母さんたちにお話しに出かけたころ、子どもの本の選択のことになると、私は、まだ自分自身よく納得のできないまま、自分の経験から、形容詞の多いお話は、子どもの心を打つ力が弱いものだという話をした。そして、また、情景描写も物語の進行をとどめてしまうから、子どもをたいくつさせるということをいった。

この描写ということについて、私はその後——たぶん、いまから四、五年まえ、たいへん興味ある経験をした。私は、五、六人の子どもを前にして、新美南吉の「ごんぎつね」を読んでいた。物語のはじめのほうに、ごんというきつねが、川岸の草のかげから、川で魚をとっている兵十《ひょうじゅう》という男のようすをうかがっているところがある（注1）。腰のところまで水にひたりながら、あみをゆすっている兵十のほっぺたに萩の葉が一まい、ほくろのようにはりついている。

しかし、その葉っぱは、前後の事件とは何の関係もなく、物語は進んだ。そのとき、私は、聞いている子どもと私のあいだに、ふっと真空のようなすきまができた感じをうけた。あの葉っぱを、作者は何故につけたのだろう？　これは、それからながいこと、私の気にかかっていた問題であった。そしてまた、子どもに読んでやるまえ、私ひとりで「ごんぎつね」を目読したとき、私は、そのようにこの葉っぱから空《くう》なものをうけとらなかったのだから、いっそう気にかかったのである。

そのうち、あるとき、私は偶然、ラフカディオ・ハーンが、昔、帝大でした講義を読んで、衝撃といってもいいほどの感銘をうけた。それは、ハーンが、アイスランドの伝説や北欧の近代作家の文章について講じた箇所（注2）であった。北欧伝説の文章は、鋭敏な視力と聴力をもって対象を把握し、誇張なしに――誇張は結局のところ、不正確につながり、原始的な生活を送ったひとたちにとっては、しばしば死をも招きかねなかったから――判断したひとたちによって書かれた文章で、そのために力に満ち満ちているのだと、ハーンはいっている。そして、その文章の第一の特長は形容詞のないことであった。ハーンの実例として挙げている伝説の一節は、英語でおよそ百五十語あり、そのうち、形容詞は十ほどであった。

第二の特長は、一片の描写もないことだと、ハーンは説明してくれる。それにも拘《かかわ》らず、傷ついた勇士のかなしみ、その勇士のまわりに群がる人びとの顔つきさえ、読者の心に見えてくる。「りっぱな文章を書くのに、描写はいらない。描写は、詩にはけっこうである。しかし、こうした種類の、力強い散文にはいらない。」と、ハーンはいっている。近代の作家で、その筆の力をもっているひととして、ハーンは、ビョルンソンを例に挙げている(注3)。

鋭敏な視力と聴力で現実をつかむということばを、ハーンの講義のなかに見たとき、私はすぐ子どものことを考えた。いまの世の中で、鋭敏な視力と聴力をもって、自分たちの周囲の事物を観察しているものといえば、まず第一に子どもたちを挙げなければならないだろう。この子どもたちも大きくなれば、文明人になって、頭で物を考えるようになるだろう。しかし、子どもが子どもであるうちは、テレビも本も、ほんとうに彼らの心を打つことばだけで語りかけることを心がけなければいけないのではないだろうかと、私は思った。

しかし、むずかしいのは、子どもに語りかける側の私たちが、すでに生命の力づよさを失い、子どもも今日のような、あまりにもあわただしい、移り変わりのはげしい世の中で、成長の過程で深い根をおろせない時代に育っていることだろう。けれども、子どもが子どもであるかぎり、生物学的に、子どもたちは力をもっている。その子どもに語りかけるとき、私たちは、もう一度、原始の生活をふりかえり、そこから再出発して、あまい語り口、または、おとなのひとりよがりは、大いに自戒しなければいけないのではないだろうか。

出典

林大ほか編『現代作文講座　第五巻』（明治書院　一九七七年・昭和五十二年一月）所収。同書二六一〜二六七ページ。

注

（1）石井が言及している「ごんぎつね」の一節は次のとおりである。

　ふとみると、川の中に人がいて、何かやっています。ごんは、見つからないように、そうっと草の深い所へ歩みよって、そこからじっとのぞいてみました。

「兵十だな。」と、ごんは思いました。兵十は、ぼろぼろの黒い着物をまくし上げて、こしのところまで水にひたりながら、魚をとるはりきりというあみをゆすぶっていました。はちまきをした顔の横っちょに、円いはぎの葉が一まい、大きなほくろみたいにへばりついていました。

（2）ハーンは「読書論」（*On Reading in Relation to Literature*）の中で、アイスランドの伝説も含めて、いわゆる「北欧神話（伝説）」についてイギリス文学専攻の学生は知っておくべきだと述べている。また、ハーンは「ジョージ・メレディスの詩」(*The Poetry of George Meredith*)の中で、メレディスの詩「ハラルド王の喪神」(*King Harald's Trance*)を取り上げて、次のように述べている。メレディスはこの詩で「古代スカンジナビア人気質」(古代ノルウェーの海賊たちに見られる気質)を表現したとして、次のように言う。「彼らは(＊古代ノルウェーの海賊たちは)子どものころから、戦いの方法は言うまでもなく、感情を抑える術も学ばなければならなかった。戦いでは、初めに怒った方が十中八九、負けるからである。古代スカンジナビア人気質としてまずあげられるのは、偉大なる自制心である。」このメレディスの言葉をもとにしてハーンは、激しい感情や衝動を自己抑制するメレディスの創作方法と古代スカンジナビア人の気質とが一致すると説くのだが、自己抑制の構えが文章制作にも通じることに注目したい。すなわち、これは文章制作における「引きしめ」、つまり、むだな部分を削り省くことを意味する。つまり、石井がここで述べている子どもにうったえる文章の「引きしめ」という主張につながるのである。

以上、ハーンの論考「読書論」と「ジョージ・メレディスの詩」はハーンの『人生と文学』(*Life and Literature*)に所収。

(3) ビョルンソン(一八三二～一九一〇)はノルウェーの小説家・劇作家。読者の印象に強く残る簡潔な文体で「シンネヴェ・ソルバッケン(日向丘《ひなたがおか》のシンネヴェ)」「アルネ」「漁夫の娘」等の小説、「二つの戦いの間」「破産」「人力以上」「足の不自由なセルダ」「父のわからない子シグルド」等の戯曲がある。一九〇三年、ノーベル文学賞を受けた。ハーンは前出(2)の『人生と文学』の「生活及び性格と文学との関係について」(*On the Relation of Life and Character to Literature*)の章でビョルンソンに言及している。

コメント

石井がリリアン・スミスなど欧米の図書館員《ライブラリアン》から、じかに学んだことを日本のかつら文庫で実践したことのあらましが、ここには記されている。つまり、「じっさいにやってみてたしかめる」や「実際に、子どもたちの姿を観察して、見出す」という実験的、実証的な試みを経ての実感である。こうした姿勢が我が国では大いに欠けていたので、石井たちの試みは大いに注目された。

おとなが自分ひとりで目読しているときには、そのことに気がつかないでしまう場合が、じつに多い。しかし、子どもを前にして、声にだして話したり、読んでやったりすると、一ぺんにわかってしまう。物(人物)が出てきて、たちまち事(事件)がはじまらなければ、聞き手と語り手のあいだに張られた糸は、だらんとゆるんでしまうのである。

このような子どもの読書行為をつぶさに観察し、それを記述したり、そこから得られた知見を子どもの読書指導に生かそうとする試みが我が国には欠けていたのである。

そのような点で石井らの試みは大いに評価できる。しかし、残念なことにそれが図書館員や児童書の編集者の間の知見として受容されるのみで、教育関係者(学校教師)の間にそれほど広がらなかった。

石井は次のように述べている。

私は、五、六人の子どもを前にして、新美南吉の「ごんぎつね」を読んでいた。物語のはじめのほうに、ごんというきつねが、川岸の草のかげから、川で魚をとっている兵十という男のようすをうかがっているところがある。腰のところまで水にひたりながら、あみをゆすっている兵十のほっぺたに萩の葉が一まい、ほくろのようにはりついている。

しかし、その葉っぱは、前後の事件とは何の関係もなく、物語は進んだ。そのとき、私は、聞いている子どもと私のあいだに、ふっと真空のようなすきまができた感じをうけた。あの葉っぱを、作者は何故につけたのだろう？　これは、それからながいこと、私の気にかかっていた問題であった。そしてまた、子どもに読んでやるまえ、私ひとりで「ごんぎつね」を目読したとき、私は、そのようにこの葉っぱから空《くう》なものをうけとらなかったのだから、いっそう気にかかったのである。


ここでは大人の読者と子どもの読者がそれぞれ違う反応をすることを述べている。つまり、描写というものは子どもには退屈するものであり、大人には味わえるものだということである。なぜそうなのかについて石井は言及していないが、要するに子ども読者には描写は歓迎されないのだから、子どもの読み物（お話）には描写を入れないに越したことはないという結論である。その根拠として、ラフカディオ・ハーンの説を紹介している。

「力強い散文」と「詩」の違いというふうに説明しているが、これはわたくしには近代散文と古代散文の違いのように思える。「散文」と「詩」の違いというよりも、散文だけでも古代と近代の違いがあり、散文の歴史において近代や現代に近づくにつれ「描写」というものが精密になる。そして、大人の読者は近代や現代に近づくにつれ「描写の味わい」を楽しむようになる。だが、原始人の心性に近い子ども読者は描写よりも、何が起こってどうなったかという叙事の方を追いかける。ストーリー展開（筋の展開）に注意が向かうのである。

「あまい語り口、または、おとなのひとりよがり」を慎むようにと石井は述べているが、たしかに「子ども読者」というものをしっかりと把握したうえで、子どもに本を提供すべきである。

ただ一言、わたくしが考えるに、子ども読者を想定しながらも、大人である作者が自己表現をしたくて作品を書く場合、危険地帯が発生する。大人である作者が自己表現をしたいコア（核）と子ども読者が望むものとがたまたま一致した時は、問題は生じない。しかし、この両者が食い違うと、子ども読者から見放される。一番安全、安定した方法は、大人である作者が完全に自己消去して（そんなことは不可能かもしれないが、できる限り努力して）子ども読者が望むものを書くことである。石井桃子が目指したものは、その境地だと思う。子ども読者を想定して作品を書く大人の作者は、ゆめゆめ、自分のことを中心に書いてはならない。なぜなら、そんなことをすると、「あまい語り口、または、おとなのひとりよがり」のものになりますよと石井は述べている。わたくしはそのように受けとめた。

第七章　石井桃子からの手紙──書簡三通を巡って──

一

一九八七年（昭和六十二）五月、わたくしは石井桃子に初めて手紙を書いた。用件は石井の作品『迷子の天使』についての小論を拙著『児童文学の表現構造』（教育出版センター　一九八六年四月）に収めたので、それについての事後報告のような形での献呈であった。本と該当部分のコピーを送った（注1）。該当部分のコピーについては、「今後、改訂版などを出す時には改めたいから、お気づきの点をご記入ください。」と書いた。

拙著の第Ⅰ部第五章が「表現構造の分析方法」となっていて、この中で石井の作品『迷子の天使』を取り上げたのである（＊拙著五九〜六七ページ参照）。この章では他に、皿海達哉『堤防のプラネタリウム』、灰谷健次郎『ろくべえまってろよ』、杉みき子『かくまきの歌』、あまんきみこ『車のいろは空のいろ』、日比茂樹『白いパン』を取り上げている。

この小論は作品の梗概を長々と記し、その後に表現構造の観点から考察を加えるといった作品解説ふうの文章であり、自説を際立たせるという面の少ない極めて地味な文章だった。それゆえ研究者の目にもあまり入らなかったようだ。

ちょうどその頃に出た清水真砂子の『子どもの本の現在』（大和書房　一九八四年九月）所収の「石井桃子論」に少し異議申し立てがしたくて書いている部分があり、その点だけが読者に目立った。今日読み返してみると、清水の用語「生理」について嚙みついている所だけが目立つ、説得力の弱い論である。この時は『迷子の天使』という長篇（従来の児童文学という概念を越える文学作品）を読後、自分の頭で再構成したいという思いが強く、その思いだけで書いた。

ところで、この小論について石井から返書が届いた。それは次のとおりである。

［書簡番号　1］　一九八七年（昭和六十二）五月三十一日　消印（荻窪局）封書

便せん二枚　石井八十才　わたくし四十才

御高著「児童文学の表現構造」についての御手紙と校正刷（＊該当部分のコピーのこと）お送りいただきました。あいにく、私、いま目をひどくわるくしておりまして、（何しろ、八十才で、白内障です。）ゆっくりと拝見もできず、それに、それに、ちょっと健康の事情と私用のため、明日から九州へ十日ほどいってまいります。それで取りいそぎ拝見いたしました。

感じましたことだけ、赤で書きこんでおきました。文章まで、いじって失礼いたしました。

たいへんほめていただいて面《おも》はゆく存じますが、私は物を書くとき、少しも大人だ子どもだと考えませんで、書いていることだけに熱中しますが、大人のものと子どものものは、やはり自ずから、ちがいがあるだろうとは考えております。抽象的な哲学的なことは、そのままでは子どもの心にとどかないでしょうから。

元来、目がわるいものですから、ひとさまが私について書いて下さることは、さがして読むようなこともなく、ひとりよがりにならないよう自戒はしておりますが、そういうところもございますでしょうと、はずかしく思っております。

尚、このような御本をおだしになるときは、一応、著者には前もって礼儀としてお知らせいただいた方がいいのではありませんか。これは私の感じです。

では、右、御返事まで。文字が乱れておりますことお許しください。

五月三十日

石井桃子

竹長吉正様

「感じましたことだけ、赤で書きこんでおきました。」というのは、次の箇所である。

宏一と明彦がデュークの散歩や訓練で町なかを歩いている時、和美と知り合った。そして、三人で氷屋を開こうという話になった。（拙著六三ページ）

拙著校正刷のこの箇所に、赤ペンで次のような修正が施されている。

◎明彦と和美が知り合いになったのは、別のところ、ローラー・スケート・リンク、そのところで煙草銭、ねだられた。

◎宏一は、殆んど仲間に入っていない。（むりに入れられた形ではあるが。）

石井の修正（添え書きとでも言うべきか）をもう少し、わかりやすくすると、次のようになる。

「明彦と宏一はデューク（＊犬の名）の散歩で町なかを歩く。この時初めて彼らは和美と知り合った。」というふうに書かれているが、実はそうではなく、その前、明彦だけはローラー・スケート・リンクのところで和美に煙草銭をねだられている。つまり、宏一はこの時、初めて和美と会ったのだが、明彦はそうでなく、それ以前に和美と出会っているというのが石井の指摘である。

また、もう一つ、氷屋を開こうという話は、まず和美が発案し、それにのって明彦が自分の家から金を持ち出した。その金を和美へ届ける上で宏一に話が回ってくる。宏一はしぶしぶ、それを自転車に乗って和美のもとへ運ぼうとするが、途中、タクシーにはねられ、病院へ運ばれる。

これが詳細なストーリー（物語の粗筋）である。確かにわたくしの本の記述では不十分である。石井は自作であるから特に神経質にならざるを得なかったという面があったかもしれない。しかし、自作であれ他者の作品であれ、事実の正確さにこだわり、作品の細部にも神経質なほどに気を配るという石井の特徴が出ていると、わたくしは思う。つまり、石井の作家として、及び、編集者としての几帳面さがよく出ているのではないだろうか。

二

石井からもらった第二番目の書簡は、次のとおりである。

［書簡番号　2］　一九八九年（平成元年）九月六日　消印（荻窪局）絵葉書

　文字は表のみ裏は絵　石井八十二才　わたくし四十二才

　お便りありがたく、ちょうだいいたしました。

「いっすんぼうし」と「幼ものがたり」についての御指摘、まったく私の気づかないことでした。

「いっすんぼうし」を書くとき、何十という類話を読んだのですが、あの個所は私がつくって挿入したものか、どこかの話にあったものか、資料についてだらしない私には今では何もわかりません。

　御指摘の通りかもしれません。当方、もうボケはじめて、たのしい夢を描くこともできなくなり、なげいております。

　御礼までに。

これは拙稿「石井桃子の文学世界」(『埼玉新聞』一九八九年八月二十二日)のコピーを送った時の返書。以下、拙稿を示す。

・・・・・・・・・・・・・・・・・・・・・・・

石井桃子に「いっすんぼうし」という作品がある。よく知られた話「一寸法師」を基にした創作である。石井の「いっすんぼうし」の面白さは、次のような部分に見い出すことができる。

それから、おじいさんと　おばあさんは、むらのはずれまで　いっすんぼうしを　みおくって、「みやこへ　いくには、このみちを　どこまでも　いくと、やがて、かわに　でるから、そのかわを　どんどん　のぼっていくのだぞ」と　おしえました。

いっすんぼうしは、いわれたとおり　そのみちを　どんどん　あるいていきましたが、なかなか　かわに　でません。ずいぶん　いったころ、むこうから　ありが　一ぴき　やってきたので、「みやこにのぼる　かわは　どこです?」と　ききますと、ありは、「たんぽぽよこちょう、つくしのはずれ」と　おしえてくれました。

そこで　たんぽぽのあいだの　みちを　ながいあいだ　あるいてから、ひろい　ひろい

つくしののはらを　ではずれますと、なるほど、おおきなかわが、まんまんと　ながれていました。

いっすんぼうしは、その　おおきなかわに　おわんを　うかべ、はしを　かいにすると、かわかみめざして、ちからいっぱい　こぎのぼって　いきました。

つまり、おじいさんおばあさんと別れてからの一寸法師が、川におわんを浮かべるまでの叙述が、意外と長いのである。これは、どうしてなのか。

それを難詰するつもりはない。解読したいのである。

一寸法師は、いったい、どのような道順で都へ上ったのであろうか。『御伽草子』の「一寸法師」によると、大阪の住吉神社近くに生れた彼が、十二、三歳のころ、住吉の浦から「御《ご》器《き》」（お椀）の舟に乗り、淀川、鴨川と上っていった。そして、伏見の「鳥羽の津」で舟を降り、京の町なかに歩を進めている。ちなみに、舟を降りた「鳥羽の津」は、あとで一寸法師と姫君が「難波の浦」めざして舟に乗る場所でもある。

さて、それはともかく、『御伽草子』では「……又嫗《おうな》に、御器と箸と賜《た》べと申し受け、名残《なごり》惜しく留《と》むれども、立出《たちい》でにけり。住吉の浦より御器を舟として打乗《うちの》りて、都へぞ上りける。（※以下、和歌一首）住み馴れし難波の浦を立出て都へ急ぐ我が心かな。斯《か》くて鳥羽の津にも著《つ》きしかば、……」（岩波文庫、編校・島津久基　一九七〇年七月第二十五刷）と、ごく簡単に片づけられている一寸法師の出立を、石井桃子は、なぜかくも精細かつ、ビジュアルに描いたのか。

この謎にこたえてくれるのが、彼女の『幼《おさな》ものがたり』（一九八一年刊）である。その中で、『一寸法師』のような鬼の出てくる話などは、いつも聞いていた」（二二七ページ）と書かれているが、それより決定的なのは、少女の石井がすぐ上の祐《ゆう》姉と一緒に踏切りを越えて「古い汽車道」に行った経験（一九八～二〇一ページ）である。これは、まさしく少女の石井が一寸法師になって（＝同化して）「別世界」へ行った経験である。このことが素地となって、あの精細かつビジュアルな叙述が成立したと考えられるのである。

少女の石井と祐姉は、浦和の中山道近くの家から、畑道をくだって鉄道線路に出た。「そこは無人の踏切りで、年上の者がいっしょでなければ越えてはならない、こわい場所であった。祐姉と私は、よくその線路わきの土手に立って、向こうにひろがる畑、散在する木立、木立に包まれた農家――私の身のまわりとは何となくちがったものに思える世界――を眺めた。」そして、二人は一年に何度かは「天下御免で」その踏切りを渡った。

渡った向こうには「古い汽車道」があった。それは「北へゆくはじめての汽車が通ったところ」だが、もう使われず、線路に沿って土手のように伸びていた。そこで、春はツクシ、スミレ、モチ草をつみ、秋はススキをとった。

一寸法師が川を渡る場面、特に川に出るまでの「タンポポ横町、土筆《つくし》のはずれ」などの情景を描くにあたり、石井の頭に去来したのは、浦和の踏切りや「古い汽車道」のことではなかったろうか。少女の石井がそこに行くのを不安ではあるが楽しみにしていたように、石井の描く一寸法師も川に出る時、それと同様の心理状態におちいっている。

ひとりの作家の作品に、生まれ育った故郷の原風景がかくも執拗に影を落とすのかと驚くと同時に、「川」や「踏切り」は我々を別世界へ誘う装置であることを再確認した次第である。

・・・・・・・・・・・・・・・・・・・・・・・・・

いま読み返してみると増補・注記したい部分など（注2）目につくが、原文のままとする。

三

石井からの第三の書簡は、次のとおりである。

［書簡番号　3］　二〇〇〇年（平成十二）十月二十九日　消印（荻窪局）封書

便せん二枚　石井九十三才　わたくし五十四才

前略

「ふしぎなたいこ」について、御質問いただきました。あの本を造りましたのは、一九五三年のことで、もう五〇年も昔のことですから、私は細かいことは忘れてしまいました。

けれども、確か関敬吾先生著の『日本昔話集成』（角川書店）（この本は六、七冊あり、昔話の種類によって分かれていたと思います）のどの巻もシラミつぶしに読んで、多くのお話の中から選んだとおぼえていますが、はっきり、どの巻からということは、おぼえていません。

関先生の御本は、公共図書館などにはあるのではないでしょうか。

確かなことを御返事できないで、残念に思います。

石井桃子

二〇〇〇年十月二十八日

竹長吉正様

これは石井の作品『ふしぎなたいこ』の元になった昔話について問い合わせたことの返事。予想したことだが、明確な回答は得られなかった。あなたは私よりずっと若いのだから御自分でお調べくださいと言われているような気がした。それは当然のことだ。わたくしは自分のつい、甘える部分が出たと思い、恥ずかしかった。

石井のこの作品は原話があるにしても、原話を突き抜けた面白さがある。昔、我が家では（わたくしの幼い娘たちの間では）たいへん人気のある作品だった。清水崑のユーモラスにして、かつ、温かみのある絵とともに、今でもわたくしの脳裏にしっかりと焼き付いている。

久方ぶりに石井と何らかのコミュニケーションをとってみたかったのだと思う。「石井先生、お元気ですか?」とだけ書けばよかった手紙であるのに、学究者としての習性から、つい、「ところで、『ふしぎなたいこ』はですね……」と質問してしまったのだ。

注

（1）この時、本も送ったと記憶しているが、石井の手紙を読むと、本文のコピーしか送らなかったのかもしれない。そうだとすると、たいへん失礼なことをしたと反省し後悔している。

（2）『幼ものがたり』引用の本は、日曜日文庫版（一九八一年）であり、該当の頁数はこの本による。福音館文庫版（二〇〇二年）だと、引用頁が異なる。

参考書リスト覚書

1 『迷子の天使』初出は『朝日新聞』一九五八年（昭和三十三）七月九日から同年十一月十八日まで連載、全百三十二回。画は脇田和。単行本は光文社、角川書店、福音館書店などから次々と出た。石井は福音館書店から出た改装新版（一九八六年）を見るようにと、わたくしに言っていた。

2 『いっすんぼうし』石井桃子・文　秋野不矩《ふく》・絵。一九六五年（昭和四十）十二月、福音館書店から出た本による。

3 『幼ものがたり』石井桃子・文　吉井爽子《あきこ》・絵。わたくしが最初に読んだのは福音館書店の日曜日文庫版（一九八一年）だが、のち（二〇〇二年六月）、同じ福音館書店からより小さいサイズの福音館文庫版としても出た。

4 『ふしぎなたいこ』石井桃子・文　清水崑・絵。岩波書店から一九五三年十二月に出た本。もちろん、以後、版を重ねている。

第八章　二つの石井桃子論

一

石井桃子に関する論を二つ取り上げて以下、論評する。

一つは、小西正保《こにしまさやす》が記したものであり、もう一つは神宮輝夫《じんぐうてるお》が記したものである。まず、両者の経歴を簡単に述べておく。

小西正保は一九三〇年の東京生まれで、早稲田大学を卒業し、岩崎書店に長く勤めた。編集の仕事の他に評論・随筆の執筆も行い、『随筆・宮澤賢治』『絵本と画家との出会い』『児童文学の伝統と創造』等の著書がある。

また、神宮輝夫は一九三二年の群馬県生まれで、早稲田大学を卒業し、青山学院大学の教員を長く勤めた。大学では英米文学を教え、それと併行して児童文学の評論活動及び英語圏児童文学書の翻訳を行った。『アーサー・ランサム全集』の翻訳や、『現代日本の児童文学』『児童文学の中の子ども』等の著書がある。

ここで取り上げる小西正保の「石井桃子論」は、児童文学雑誌『トナカイ村』第四十七号（トナカイ村児童文学会　一九七〇年二月）に発表された。それが認められ一九七〇年、日本児童文学者協会新人賞（＊評論部門）を受賞した。その「石井桃子論」は、雑誌『トナカイ村』の二段組み全二十八ページにわたる長篇評論である。なお、この評論についての具体的紹介と論評は後に行う。

もう一つ、神宮輝夫による石井桃子論。これは書評紙『週刊　読書人』の連載記事〈児童文学　人と作品〉の「第二回　石井桃子」（一九六六年十一月七日）で、その執筆者が神宮輝夫。この記事は小西のものに比べると、とても短いもので四〇〇字詰め原稿用紙にすると約五枚である。しかも、その内容は一見、評論とは言い難いところがある。それは連載記事の表題から察せられるように、対象とする児童文学作家の紹介が主意であるからだ。だが、そうした制約に縛られつつも、これは石井桃子作品の本質を実によくとらえている。

小西正保の「石井桃子論」は力作であり、石井桃子作品の全体像（＊当時に於ける）をよくとらえた評論である。しかも、作品や作家姿勢に対する批判は容赦なく行っている。それに対して、神宮輝夫の「〈人と作品〉　石井桃子」は、作品や作家姿勢の特徴をコンパクトにまとめつつ、しかも、その長所と短所を的確に指摘している。

二

小西正保の「石井桃子論」の目次（＊各章のタイトル）は、次のとおり。

1　発想の根源について
2　『ちびくろ・さんぼ』は傑作か？
3　『子どもと文学』について
4　『ノンちゃん雲に乗る』
5　ファンタジーについて
6　『三月　ひなのつき』
7　むすび

これらの章題を見て気づくのは、取り上げている作品は『ちびくろ・さんぼ』『子どもと文学』『ノンちゃん雲に乗る』『三月　ひなのつき』である。『ちびくろ・さんぼ』（ヘレン・バンナーマン作、フランク・ドビアス絵、光吉夏弥訳）は石井の作品ではないが、石井の著書『子どもの図書館』（岩波新書　一九六五年五月）で、石井がこの絵本を称賛したから、小西は言及したのである。『ちびくろ・さんぼ』は「たしかに、ものがたりは具体的で、行動的で、スリルもユーモアも充分にある。だが、私の考えでは、さらにもう一つ〈文学性〉という一点に欠けるところがあると思う」、小西はこのように述べて批判する。

また、『子どもと文学』（中央公論社　一九六〇年）は瀬田貞二らとの共著であり、子どもの文学は「おもしろく」「はっきりと」「わかりやすく」という基準で評価する姿勢で貫かれている。しかし、こうした姿勢を小西は評価しない。それは「文学作品における技術的な側面にしか過ぎない」からだと言う。

『ノンちゃん雲に乗る』については、次のように述べる。

べつに文部大臣賞受賞作品だからというわけではないが、私はこの作品が文字通り優等生の作文だという感じをぬぐいきれない。どこといって可もなければ不可もない。とくべつにおもしろくて、読みだしたらやめられないということもないかわりに、途中でほうりだしてしまうほどつまらなくもない。さらに、私個人の好みも加わるが、主人公のノンちゃんの性格に私は魅力を感じないのである。私が心ひかれる性格（キャラクター）といえば、むしろこの作品の中で、ノンちゃんの目を通して描かれる兄のタケシであり、いじめっ子の長吉およびその家族たちである。

こうした批評は、まさに印象批評であり、個人的な感想（＊好みの問題）にすぎない。しかし、小西はこうした感想を土台にして石井批判を繰り返している。

だが、『三月　ひなのつき』については、肯定的な評価を行っている。まず、この作品が持つ「雰囲気の暗さ」。「母一人子一人という父親のない家庭における、おひなさまをめぐる母子の微妙な心の通いあい」、こういう「深刻《シリアス》なムード」の作品がよいと小西は言う。

また、この作品はストーリーが輻輳していて、つかみにくい。それは、よし子という十歳の少女の行動と心理の他に、よし子の母親（作中では「おかあさん」）の回想場面が挿入されているからである。このような複雑な構成では子ども読者が作品の筋を追っていけるかどうか心配だと小西は言う。これは石井らが唱えてきた「はっきりと」「わかりやすく」という主張と異なる作品だ。しかし、このような「技術論的な欠陥」はあるにせよ、この作品『三月　ひなのつき』は「高い文学性、あるいは豊かな人間性」を持ち得ていると、小西は述べる。

小西の「石井桃子論」でわたくしが特に注目するのは、その「7　むすび」で石井が山本有三の下で『日本少国民文庫』（新潮社）の編集に加わったこと、及び、戦後の一時期、『岩波少年文庫』の編集を行ったこと、この二点をふまえて彼が述べていることである。

小西は次のように述べている。

私の推測だが、石井氏がこの中（＊竹長注記、『日本少国民文庫』の仕事の中）にあって、児童文学における一定の社会性を学びとらなかったはずはないと思うのだ。（中略）この石井の仕事と、戦時中の『ノンちゃん雲に乗る』の執筆を経て、『子どもと文学』にいたる石井氏の思想とのあいだには、かなりの径庭ないしは断絶があるように思われる。きわめて直感的な、そして大ざっぱないい方をすれば、石井氏の子どもをとらえるとらえかたは、この時期の一定の社会的な視野のなかで子どもをみるというところから、小市民的な個としてのそれへと変わり、さらには「時代によって価値のかわるイデオロギー——例えば日本では、プロレタリア児童文学などというジャンルも、ある時代に生まれましたが——それをテーマにとりあげること自体、作品の古典的価値（時代の変遷にかかわらずかわらぬ価値）をそこなうと同時に、人生経験の浅い子どもたちにとって意味のないことです。」（『子どもと文学』）と、しごくあっさりと言ってのけるところまで、かなり極端にその視野をせばめていったのではないか。

『日本少国民文庫』の果した役割とその価値について、小西は力説したいらしい。そして、さらに次のように述べる。

この後、彼女がよりすぐれた作品を日本の児童文学の上に残すためには、もう一度、『日本少国民文庫』の時代に立ち返って、さらにそこから前向きの子ども像をとらえてくる以外にはないのではないかという思いが強い。そして、『三月　ひなのつき』は、作者の意識如何にかかわらず、そうした彼女の折り返し点にある作品と眺めることができるのではないか。

以上が、小西正保「石井桃子論」の要点である。「おもしろく」「はっきりと」「わかりやすく」という基準は確かに、幼児及び幼少年の文学には通じるが、もう少し上の年齢の子ども、例えばヤングアダルトなどには通用しないだろう。また、技術論に傾きすぎているのも、気になる所である。そして、『三月　ひなのつき』のような、技術論をはみ出して、その作品が志向するイデア（観念）やモチーフの今日性（今日的意義）の新鮮さで評価するという小西における作品評価の観点は、文学作品を見る場合、確かに必要になる。

三

神宮輝夫の「〈人と作品〉　石井桃子」を見てみよう。
神宮はまず、次のように言う。

作家石井桃子を考えるには、子どものための作品『ノンちゃん雲に乗る』『山のトムさん』『三月　ひなのつき』の三つが中心になると思う。

神宮は「作家石井桃子を考えるには」と述べているが、これにわたくしが補足的な注記を行うと、一九六六年（昭和四十一）の時点において「作家石井桃子を考えるには」となる。また、関連して言うと、前掲の小西正保の「石井桃子論」は一九七〇年（昭和四十五）の時点においての石井桃子論である。いずれにしても一九六〇年代後半から一九七〇年初頭における石井桃子論の実態である。それを見てみようとするのが本稿の意図である。
『ノンちゃん雲に乗る』は一九四六年の作品、『山のトムさん』は一九五七年の作品、そして『三月　ひなのつき』は一九六三年の作品である。これら三つの作品を通しての特徴を神宮は次の三点にまとめている。

〈一〉　ユーモア

〈二〉　子どもの心の洞察力

〈三〉　物語性の欠如

〈一〉と〈二〉は長所であり、〈三〉は短所である。

神宮によれば、石井作品の魅力は、そのユーモアだという。『ノンちゃん雲に乗る』にもユーモアは横溢しているが、何といってもそれは『山のトムさん』にはかなわない。

『山のトムさん』はユーモアそのものである。これは、戦後のいちばん苦しかった時期に、東北で開墾をはじめた一家の生活をオス猫トムを中心にえがいたものだが、その生活を客観化して、微笑を持ってながめる態度が、すばらしいユーモアを生んだと考えられる。そして、この作品はユーモアの本質を教えてくれる。現在に至るまで、日本の作家がユーモラスなものを書こうとするとき、ほとんどが大げさな戯画化や擬音を使った調子のよさにたよるのに、この作家は生活の中のなにげない出来事からそれを生み出す。おばさんが、満員電車の東京から帰って寝こんだとき、枕もとへすわりこんだトムが、「トウチョウは、なじょ（いかが）でがした？　電車がこんで……、フムフム、それはたいへんでがしたな」とごきげんをうかがう（ように見える）ところなど、生活のにおいをかぎとりながら、思わず笑いがこみ上げてしまう。この作家から中川李枝子に通じる系列だけに、真のユーモアが存在する。

神宮はこのように述べ、『山のトムさん』におけるユーモアセンスを高く評価し、かつ、それが『いやいやえん』の作者中川李枝子にもつながっていると喝破している。

第二の特徴である「子どもの心の洞察力」については『三月　ひなのつき』を取り上げて、論じている。

『三月　ひなのつき』のもっとも感動的な場面は母と子との願望の差が明確になるところである。おかあさんは、少女時代、一つの箱におさまっていたおひなさまのすばらしさが忘れられず、デパートで売っているような、「金ぴかの安っぽい」おひなさまを買ってやろうとは思わない。しかし、むすめのよし子は、

「そんなこといったって……」

そういいかけて、よし子は、口がきけなくなりました。

「そんなこといったって、どうなの?」

おかあさんが、しずかにききました。

「あたし…あたし…」

よし子は、どなっていました。

「安っぽいのでいいのよ! 安っぽい、金ぴかのであたしはいいの!」

むかしのおひなさまについての説明がきめこまかにあるので、わたしたちにも母親の気持ちが理解できるのだが、その気持ちと子どもの願望との断層があざやかに浮きぼりされて、子どもにも大人にも深い共感をよぶ。

これは確かにすばらしい場面である。神宮が言うように、「母親の気持ちが理解できるのだが、その気持ちと子どもの願望との断層があざやかに浮きぼりされて〈いる。〉」ところで、この作品『三月 ひなのつき』については前掲の小西正保「石井桃子論」でも取り上げ、称賛していた。しかし、神宮のほめ方と小西のほめ方は微妙に異なっている。小西のほめ方を見てみよう。

よし子が、三光ストアで見たおひなさまを欲しいといい、母親があまりその話に乗ってこないという場面での母子の会話。三月三日、家に帰ったよし子の前に、母親が心をこめて作った紙の折りびなが並んでいるという光景など、感動的でさえあると思う。

人間が本来の人間であることを放棄することによって、とにかく生物的にはよりよい暮らしむきができるという現代のおおかたの状況に対する、相当にはげしいプロテストがこの作品のなかにはこめられているとわたしは考える。「はい、一万円の口？　はい、こちらへどうぞ。一万円のは、こちらでございます。」、「どうして、こう規格品ばかりなの？」というような現実批判の視点に支えられた、母と子、あるいは親と子、もっとひろげていえば人と人とのあいだのつながり——失われたものの回復を訴える作者の声が聞こえてくる。

こうした論調から察すると、小西の考えは作中人物では母親寄りである。よし子の側に立っていない。

それでは、神宮の立ち位置は、どうなのであろうか。わたくしの見るところ、母親の気持ち半分、よし子の気持ち半分である。母親の気持ちと子どもの気持ちとの両方を見ながら、その「断層」に注目している。作者石井は、その判断を読者にゆだねているのである。

すなわち、これは読者によって、どのようにも読まれ得る作品構造である。「安っぽいのでいいのよ！　安っぽい、金ぴかのであたしはいいの！」と主張するよし子と、「少女時代、一つの箱におさまっていたおひなさまのすばらしさが忘れられ（ない）」母親、この両者の対立がどのようにして大団円を迎えるかが、読者には「たまらない魅力」なのである。

さて、神宮があげる第三の特徴「物語性の欠如」は、新美南吉、佐藤さとる、山中恒などが持っている「ストーリー・テラー」としての資質が石井には弱いということである。石井の作品は、『ノンちゃん雲に乗る』『山のトムさん』『三月　ひなのつき』に関して言うと、いずれもストーリーに引っ張られて読むというよりも、「場面場面の鮮明なイメージが与える感動やこころよい楽しさ」に惹かれて読むのだと神宮は言う。

そして神宮は、この短い石井桃子論の末尾で、石井を「翻訳家」や「児童文学世界でのオピニオン・リーダー」としてだけでなく、「作家」として評価することの重要さを指摘している。

四

前掲の神宮輝夫「〈人と作品〉石井桃子」の末尾で神宮が一読を薦めていた文献がある。それを以下、紹介し、寸感を述べる。

それは与田準一による「石井桃子」(至文堂『国文学　解釈と鑑賞』一九六二年十一月臨時増刊〈現代児童文学事典〉)である。与田の石井桃子論は、「日曜作家」的な「ういういしさ」をもつ石井というとらえ方である。

与田によると、石井の児童文学作品は「職業と直結するのを意識しない、書きたいから書くという純粋動機の書き手が書いた作品」に近いという。そして、「職業作家の毒におかされていない」、「作品のはなつふんいきがソフトで清潔感にささえられている」などの特色を持っているという。

与田は、『ノンちゃん雲に乗る』以後、『山のトムさん』ぐらいまでの石井作品を見て、このように判断したのであろうが、確かに石井の作家としての出発期にはこのような「ういういしさ」を見ることができる。また、それは児童文学書の編集者としての仕事が第一であり、創作はその合間に行うという、まさに「日曜作家」的な活動だったのだろう。それゆえ、「書きたいから書くという純粋動機」が働いたのかもしれない。しかし、それはあくまでも外側から見た「石井の姿」であり、しかも、それは想像である。

百一歳で亡くなった石井の生涯を俯瞰すると、与田の言う「日曜作家」的な「ういういしさ」は石井において、いつまで続いたのだろうか。終生続いただろうと考える人もいるだろうし、はたまた、それは編集者をやっていた時までであり、それ以後は翻訳と創作、そして「過去の振り返り」（自伝の執筆）に費やしたのだと考える人がいるだろう。

しかし、石井桃子の作家としての出発期において、彼女が「日曜作家」的な「ういういしさ」を持っていたことは確かである。そして、作家として有名になっても、「職業作家の毒」におかされず、「作品のはなつふんいき」がいつも「ソフトで」「清潔感にささえられている」、石井がそのような作家であったことをわたくしも認める。

与田は前掲の「石井桃子」の中で、文学は本来、「職業化とは無縁の地点で成立するものだ」と述べているが、そのような文学観はおそらく、一九〇七年（明治四十）生まれの石井には根強くあったものと判断する。

注

本稿で取り上げた文献は、以下のとおりである。

・小西正保「石井桃子論」『トナカイ村』第四十七号（トナカイ村児童文学会　一九七〇年二月）
・神宮輝夫「〈人と作品〉石井桃子」『週刊　読書人』第六四九号（一九六六年十一月七日）
・与田準一「石井桃子」『国文学　解釈と鑑賞』（至文堂）一九六二年十一月臨時増刊〈現代児童文学事典〉

第二部　石井桃子の周縁

第一章　十九世紀のイタリアと佐藤春夫「いたづら人形の冒険」

まず、「いたづら人形の冒険」の原作者カルロ・コッローディの生い立ちと、その後の作家としての活動について述べておこう。

カルロ・コッローディ　Collodi, Carlo（1826-90）

本名はカルロ・ロレンツィーニ（Carlo Lorenzini）。イタリアのフィレンツェで生まれた。父親はフィレンツェの貴族ジノーリ家の料理人であり、母親は貴族ガルツォーニ家の召使《メイド》である。ジノーリ家とガルツォーニ家は親しい間柄で、ある日、ジノーリ家の面々がガルツォーニ家の所領であったコッローディ村を訪ねた時、料理人として同行したドメニコ・ロレンツィーニ（のち、カルロの父親）がアンジェラ（のち、カルロの母親）と出会い、やがて二人は結婚する。ロレンツィーニ夫妻には次々と子どもが生まれ、総勢十人の子だくさんとなった。ジノーリ家の侯爵夫人はロレンツィーニ夫妻にたびたび援助の手を差し伸べたが、亡くなる子が多く、成人に達したのはわずか三人であった。

カルロはその長男である。彼は父親の考えにより、シエナ近くの神学校《セミナリオ》に入れられた。ここで十一歳から十六歳までを過ごすが、そこでの生活に満足できず、退学し修道会学院《コルレジョ》に入り、そこで哲学と修辞学を学んだ。

コルレジョを卒業しないうちに彼は、フィレンツェの有名な書店ピアッティ社に就職する。彼の学歴は、ここまでである。当時、イタリアには大学もあったが、彼は早く職を得たかった。ピアッティ社での彼の主な仕事は、新刊図書を紹介する小冊子の編集である。この仕事で彼は文筆家としての仕事を開始した。また、書店にかかわる文学者、新聞記者などと知り合い、たくさんの影響を受けた。彼らと夜を徹して議論したりする中で彼は文学のみならず、イタリアの国家統一に関する思想を自ら育んでいった。

そして一八四八年、彼が二十二歳を迎えた年、いろんな事が起こった。この年に勃発した第一次イタリア解放戦争に志願兵として参戦し、九死に一生を得て帰還した。イタリアは当時、現在のように統一されておらず、あちこちに小国が群立し、しかも、隣国のオーストリアなどから部分的に市街や町村が占領されていた。イタリア解放戦争とは、イタリアの「自由・独立・統一」を目ざした「自由主義と民族主義」の運動である(注1)。

また、この年、父親のドメニコが亡くなった。彼は一家の長として家族の責任を負うことになる。ピアッティ社の書店支配人の紹介で、トスカーナ議会の下級職員となった。

一八五九年、三十三歳のとき、彼は再び志願兵として第二次イタリア解放戦争に参加。

一八六〇年、三十四歳のとき、イタリアの統一に反対するエウジェニオ・アルベーリ（ピサ大学教授）の保守的な意見に対して彼は反論した。その反駁文にコッローディというペンネームを用いた。この反駁文は、鋭い風刺と、相手の論拠を一つずつ論破していく見事な筆致で、読者の評判になった。また、ここで初めて用いたコッローディというペンネームは、彼の母親アンジェラの生まれた村の名前である。

コッローディはその後、新聞の編集などを行い、ジャーナリスト及びライターとして注目されるようになる。そして彼に児童文学の執筆依頼が訪れる。依頼したのは、パッジ社のフェリーチェ・パッジ。パッジ社はフィレンツェの出版社で主に、教科書と子どもの本を出版していた。

一八八一年、コッローディが五十五歳のとき、ローマから出た週刊紙『子ども新聞』に彼の作品「ある操り人形の話」が出た。これは連載物であったが、執筆の筆はなかなかはかどらなかった。編集者は「これは当たる」と判断したし、主人公ピノッキオの活躍が面白く子ども読者からの反響もよかった。しかし、作品の第四章以降、不定期の掲載となる。なぜコッローディが執筆に難渋したのか定かでないが、体調不良が主な原因とされる。そして、彼は当初、第十章で終わりにすると宣言していたが、子ども読者から「もっと続けて！」の声が多く寄せられ、彼は第二部にとりかかり、ついに一八八三年一月まで続いた。連載完結後、しばらくして『ピノッキオの冒険――ある操り人形の話』と題してパッジ社から刊行された。コッローディはこの年、五十七歳。

コッローディの著作活動は、児童文学に限定されない。彼の仕事は既に述べたように、議会の下級職員、新聞の編集者、児童書や教科書の執筆者など多岐にわたっている。『ピノッキオの冒険』で大成功したが、それ以外の著作で「変人」（一八七九年）「眼と鼻」（一八八〇年）などが知られている。

次に、『ピノッキオの冒険――ある操り人形の話』の日本語による翻訳として有名な『ピノチオ』の作者佐藤春夫の「いたづら人形の冒険」について述べる。

佐藤春夫と「いたづら人形の冒険」

佐藤春夫の「いたづら人形の冒険」は雑誌『赤い鳥』第四巻第二号（大正九年二月）～第五巻第三号（大正九年九月）に掲載された**（注2）**。

「或るところに木ぎれ《ママ》が一つあった。ほんのつまらない木切れで、よく仕事小屋などにほっ散らかしてある奴で、火をおこす時にストオブのなかへくべるやうな木切れである。で、どうしてそんなことになったのかは解《わか》らないが、或る晴れやかな日のことであったが、一人の年寄りの木樵《きこ》りが仕事場でこの木切れを見つけ出した。この年寄りの木樵りはアントニオといふ名前なのだが、いつも鼻の先がつるつると光って紫色をして桜ん坊みたようなので、誰も名前は呼ばないで、桜ん坊のお爺さんと言ってゐる。」

このような書き出しで始まり、『赤い鳥』には全八回（第十五章まで）掲載された。原作はもっと長いから、掲載は途中で打ち切ったことになる。打ち切った理由や原因は明らかでないが、編集の鈴木三重吉の方からすれば「続ければ途方もなく長くなるようだから、ここら辺で打ち切ろう」という思いであったろう。しかし、執筆の佐藤春夫の方からすれば「次の小説などの計画があるから、この童話はここまでにしよう」ということではなかった。春夫はもっと続けたかった。それほどこの童話に執着していた。春夫はその後、雑誌『女性改造』大正十二年三月号~六月号にもう一度はじめから、この童話を掲載する。題は「ピノチオ」。『女性改造』では作品の第十二章までが載った。そして、大正十四年一月、改造社から単行本『童話ピノチオ』が発行される。

佐藤が翻訳の基にした本は英語版であり、クランプが英訳、ロックウッドが校閲、コープランドが挿絵を担当した *PINOCCHIO: The Adventures of a Marionette* である。この英語版の『ピノッキオ』を知人の下村悦夫（大衆作家）から借りて春夫は翻訳を行った。また、同郷の西村伊作はそれ以前に下村からこの本を借りて、娘のアヤに日本語に訳して読み聞かせた。

ところで、佐藤の「いたづら人形の冒険」は所々、英語版『ピノッキオ』の中身と異なる所がある。それはストーリー（作品の筋）でなく、部分の描写である。例えばフェアリィ（青い髪のお姫さま）が「大樫の木」の枝に吊るされて今にも死にそうになっているピノッキオを「はらはらしながら」見ている箇所。この箇所の詳しい描写は英語版にない。また、佐藤の完成本『童話　ピノチオ』にもない。よって、これは『赤い鳥』の編集者鈴木が付加したものであるとわたくしは見ている。描写にこだわり、他者の作品にも添削の筆をふるったとされる鈴木三重吉の特徴をふまえて、このように判断した次第である。

注

（1）19世紀のイタリアはサルディーニア王国、トスカーナ大公国、ローマ教皇領などの様々な独立小国家に分裂していた。しかも、それらの独立小国家は隣国のオーストリアやフランスなどの強い干渉を受けていた。それ故、イタリア人はまず外国の政治力を排除するとともに、国内の統一を実現する必要があった。リソルジメント（国家再興運動）はその課題を掲げて始まった運動であり、コッローディはその運動の延長線上にあるイタリア民族解放戦争に二回、参戦した。

（2）佐藤春夫の『ピノッキオの冒険——ある操り人形の話』の翻訳は次のとおり。
佐藤春夫の「いたづら人形の冒険」（途中から「いたづら人形」とタイトルを変更）は雑誌『赤い鳥』

第四巻第二号（大正九年二月）から第五巻第三号（大正九年九月）にかけて掲載された。但し、これは原作『ピノッキオの冒険――ある操り人形の話』の完訳ではなく、前半部の翻訳である。

参考文献

前之園幸一郎（一九八七年）『『ピノッキオ』の人間学』
前之園幸一郎（一九八九年）『子どもたちの歴史』
竹長吉正（二〇一七年）『ピノッキオ物語の研究』

第二章　中勘助と、ある詩人

一

中勘助の『銀の匙《さじ》』は不思議な小説である。

少しも力んだところがない。趣向らしきものがほとんど感じられない小説である。したがって、いわゆる「面白い」小説ではない。読者がもしこの小説に「劇的なもの」を期待して臨むとしたら、失意を味わうことは必定である。

だが、『銀の匙』は昔も今もよく読まれている。昨今の報道によれば、「文庫の売り上げ一位を独走する本」（昭和六十二年七月十二日の朝日新聞）だという。初版は昭和十年であり、約五十年間で約六十万部が売れたという。なぜ、そのように多く読まれているのだろうか。

『銀の匙』は作者の中勘助が少年時の出来事を回想風につづった自伝的小説である。「私」は本箱の引き出しから、ひとつのなつかしい小箱を取り出す。そして、その小箱を開けると、中には子安貝や、椿の実、その他幼い頃の遊び物がいっぱい入っている。「私」はそのうちに「珍しい形の銀の小匙《こさじ》」を一本見つけ、それを取り出して、あかず眺める。

それから「私」は幼時の回想を開始し、その世界へ入っていく。

銀の小匙は自分の母からもらったものである。母はその時、こんな話をした。あなたが生まれるとき、ずいぶん難産だったのよ。また、生れてからもあなたは虚弱児で、しょっちゅう、お医者さんのお世話になったのよ。特に吹き出物に悩まされたわね。吹き出物を抑える薬をあなたの小さなお口へすくいいれるために伯母《おば》さんが探してきてくれたのが、この銀の匙なのよ。

この話を聞いてから、「私」はこの匙をぜったいに放したくないと思うようになった。

このようなストーリーからもわかるように、この作品は銀の匙（＊スプーン）という一つの物から、母や伯母といった「なつかしい人々」への思いへ、さらに、「子ども時代」へという、まるごとの時間と空間へ遡行《そこう》することによって、われわれに「永遠の郷愁」を抱かせる、そのような構造の作品となっている。

わたくしはこの作品をこれまでに幾度も読んでいるが、今回読んでみて新たに発見することがあった。以下、そのことについて記す。

それは『銀の匙』後篇の四〜七に書かれている、兄と「私」との葛藤をめぐってである。

中学生の年ごろになっていた兄は、小学生の「私」を「教育」しようとして事あるごとに干渉する。それに対して「私」は離反する。つまり、兄の言うことに従わず、反抗とまではいかないが、従わずに逃げたり避けたりする。具体的に見てみよう。

鯉を釣りに行った帰り道でのこと。

しかられしかられして疲れきった足にあとから小走りしてゆくのだが、遠い道を遠くして歩くのでまだ家近くならないうちに日がくれてしまう。そのときの不愉快と不平……のうちに夕べの空にひとつふたつかがやきはじめる星、それは伯母《おば》さんが神様や仏様がいるところだと教えたその星を力になつかしくみとれていれば兄は私のおくれるのに腹をたてて

「なにをぐずぐずしてる」

という。はっと気がついて

「お星様をみてたんです」

というのをききもせず

「ばか。星っていえ」

とどなりつける。あわれな人よ。なにかの縁あって地獄の道づれとなったこの人を、にいさん　と呼ぶように、子供の憧憬《しょうけい》が空をめぐる冷たい石を　お星さん　と呼ぶのがそんな

に悪いことであったろうか。

（岩波文庫『銀の匙』一三五ページ　昭和四十七年十月第四十九刷）

もう一箇所は海岸でのこと。以下、引用する。

ひとつの波が　ざぶーん　と砕けて、じーっ　と泡がきえて、まあよかった　と思うまもなくつぎの波が　ざぶーん　と砕ける。ひとつの湾をやっと通りこすとそのつぎの湾がざぶーん　と鳴る。ひもじくなって足も疲れてきたのに岬《みさき》ははるかむこうにみえて波の音はいくらいってもやまない。ぽくぽくとひかれてゆく五六頭の牝馬《めうま》の列に追いついたときお友だちはふと私が涙をためてるのをみて小声で兄に注意した。兄は
「ほうっとけ　ほうっとけ」
といってさっさとゆく。お友だちはふりかえりふりかえりしてたがしまいに立ちどまってくたびれたのか、気分でもわるいのか　と親切にたずねたので正直に
「波の音が悲しいんです」
といったら兄はにらめつけて
「ひとりで帰れ」

といって足をはやくした。お友だちは私の意外な返事に驚きながらも兄をなだめて
「男はもっときつくならなければいけない」
といった。

（岩波文庫『銀の匙』一三八〜一三九ページ　昭和四十七年十月第四十九刷）


ここに記されているのは、誰でもがよく経験することである。いや、誰でもがよく経験したことだと言ってもいい。そして、その時あなたは「兄」の方でしたか、それとも「私」（弟）の方でしたかと、問いたい。

大人になろうと背伸びしている人物（兄）と、子どもの感性に満足している人物（弟）とのコミカルな対照性が、みごとに点綴されている。この両者の食い違いが、読者であるわたくしには、ことのほか面白かった。それに、文章は独特の描き方で忘れ難い。

しかし、ここに描かれた兄と弟との葛藤は、実は大変な確執であり、弟のモデルとされる作者は、実際の兄にずいぶん苦しめられたそうだ。そのことをわたくしが知るのはもう少し後のことである。

ともかく、『銀の匙』をさらっと読んだ限りでは、どこにでもあるような兄と弟との対立くらいにしか読みとれない。それはこの作品が中学生の兄と小学生の弟という年代の記述にとど

まっているからであろう。

二

槇皓志《まきこうし》という、埼玉県ではよく知られた詩人がいた。この詩人とわたくしは親しくつき合った。いや、親切に、また、丁寧に扱ってもらったという嬉しい思い出がある。

槇皓志は一九二四年（大正十三）十月、青森県に生まれた。早くに埼玉県の浦和岸町に住み、県立浦和中学を卒業し、国学院大学在学中に海軍予備学生となった。戦後、文筆活動を開始し、浦和をはじめとして埼玉県内各地の文芸振興に力を注いだ。特に、同じ浦和在住の神保光太郎と協力し県内の文芸活動を盛り上げた。また、地方紙である埼玉新聞の文芸欄の充実を図った。わたくしは昭和四十年代に槇を知り、彼の紹介で神保光太郎や宮澤章二と会った。

槇皓志は二〇〇七年（平成十九）十一月、亡くなった。今、彼のことを思い出すと、真っ先に中勘助のことを想起する。生前の槇から中勘助のことを少し聞いたことがあるからだ。しかし、その詳細は覚えていない。

そして後日、幸いなことに、古書店を経由して槇皓志宛の中勘助の葉書を、一枚入手した。長い間、槇の第一詩集『善知鳥』（昭和二十四年刊）を手にしたいと思っていたが、あれこれしている間に詩人は亡くなってしまった。

ところで、ある日のこと、勤めの帰りに池袋西武デパートの古本市を覗いてみた。目的もなく、山のように積み上げられた雑本の中に目立たない表紙の本があり、それに、つい目をとめた。表紙の文字は「うと宇」と読める。だが、他に何も記されていない。背を見ると、薄ぼけたインクで、「詩集　善知鳥　槇　皓志」と書いてある。まさに、偶然の出会いであった。

この本は昭和二十四年（一九四九）九月、吉井千代治経営の吉井書房から刊行された。全二二七ページ、六〇篇の詩が収録されている。表紙・中扉の題字を中勘助が記し、序詩を神保光太郎が記している。装丁は浅田欣三。戦後まだ間もない頃に、このような詩集を出すことができたのは、槇本人の苦労もあったであろうが、それにしても多くの人に支えられていることがうかがわれて槇は幸せであったろうと推察する。

詩集の「はじめに」で槇は、「陸奥の外の浜なる呼子鳥鳴くなる声はうとうやすかた」という謡曲「善知鳥《うとう》」にちなんだ歌を引きつつ、次のように述べている。

われ善を知るにも善く知るにももとよりあらず。謡曲「善知鳥」の如く悲傷なるうらみの言《こと》を今更のごと人世《ひとよ》に揚ぐる故にてもなし。たゞわれ外の濱に生れしより、初めての詩集編むにあたりて、わが歌《うと》う名をおぞましくも拙なくこゝに暫《しば》し借らむとて。

さらに、とし月の敬慕の情すゝむるまゝに、「飛鳥」の詩人、「鳥」の詩人の高風に、あやかりたきこゝろ抱きつるより、おのれまた鈍き尾羽をもうちつくろひ……

古典調の序文であるが、その中には「飛鳥」の詩人（中勘助）、「鳥」の詩人（神保光太郎）の高風に、あやかりたきという文言のあるように、詩人槇晧志は先輩の詩人中や神保に捧げるつもりで、この詩集を編んだのである。また、先輩詩人の中や神保のようにこれから詩人として飛翔したいという願いも込めている。

しかし、槇晧志という詩人の特質は、わたくしの見るところ、中や神保とは異質である。具体的に詩集の中で見てみよう。

「さなみ……」と題する一篇がある。

さなみ、さなみ、さなみ……
さな実？　さな身？　さな美？
さ無《なみ》？　早浪？　さ波ダ？

さなり。当て字が無い、不明である。
さより。魚である、さより子にあらず。

流れ歩みの　足なみの
　　足なみの
形なく　足なみの乱れ
砂は　小波《さなみ》に
砂は　細波《さなみ》に
波形《はがた》　しるされ
　　細鳴《さな》る　蘆《あし》の葉。

さなり、さなみ、さのみ、
　　さ無《なみ》……。ああ、それだけ。

言葉の次から次への連想である。音から始まっているが、いつの間にか意味にとらわれていく。海の波のようでありながら、また、湖の波のようである。そして、人の名が次々に浮かんでくる。詩人は波の姿（様相）を眼で追っているうちに、いろんな人の名を思い浮かべるが、それらはいつの間にか消えて行き、最後にまた、波のすがただけが残る。

何とも不思議な詩である。このような詩は、意味を深く考えず、朗読するのがよい。わたくしはこの詩を読んで、「ことば遊び歌」の早い出現だと思った。

詩人は、いうまでもなく、言葉を大切にしなければならない。しかし、だからといって、一行の詩も書けなくなったらおしまいである。言葉を覚え、学校に上がった子どもは、まだ言葉の数が少なくて、自分の見たこと思ったことを詩や作文に書こうとしてもなかなか言葉が出てこない。そのような子どもの状態に似た状況が、大人の詩人にもある。そのような隘路をぬけ出す一つの方法として、「ことば遊びの詩」制作がある。

ここでの槇の「さなみ……」という詩がそれだと断定するつもりはないが、詩人にしても子どもにしても、ピンチに陥った時、そこから脱出する方法として「ことば遊び歌」は効力があると述べておく。

詩人は言葉を大切にしなければならない。そして、詩人は言葉と格闘する。その力んだ行為のふっとした間隙を縫って、このような「軽み」の詩が生まれてくる。したがって詩人は、精神の柔軟性を保っていなければならない。精神がコチコチに固まってしまっていては、詩は生まれてこない。それは大人においても、子どもにおいても同じである。小学校低学年の時、「すばらしい」詩や作文を書いた子どもが、高学年になると、決まり切ったようなもの（いわゆる紋切型の詩や作文）しか書けなくなるのは、日本の学校の大きな問題点である。

ところで、槇はこの詩集の自序で「悲傷なるうらみの言《こと》を今更のごと人世《ひとよ》に揚ぐる故にてもなし」と述べて、「うらみの言」を殊更に述べる意思のないことを伝えている。それはこの詩集を出版した昭和戦後の混乱した時世に、追い打ちをかけるかのような「悲しいこと」「つらいこと」「苦しいこと」を流したくないという意図であっただろう。

しかし、わたくしがこの詩集を読んで気づいたのは、そうであってもやはり、「うらみの言」をモチーフにした作品が多いということである。例えば、「影」「安居の意」「カリカチュア」「灌木の前にて」「杖」などである。

だが、これらの詩は「うらみの言」をそのまま歌い上げた、一本調子のうらみ節となっていない。戯画化したり自嘲の要素を入れたりして、デフォルメしている。だから、読者にはなかなか気づきにくい。そうした操作を行って「うらみの言」を自ら突き放そうとしている。そこに、わたくしは槇皓志の「熟練された」詩精神の存在を見た。

次に、二つの詩「カリカチュア」「杖」を掲げておく。

カリカチュア　　——年末の日に——

カリカチュアを画《えが》こうよ——。

僕のようなインジュンな人間が
去るものと来るものを入れ換えようなんて、
いささか矛盾じゃないかしら。
ムジュンなんて、派手にもいえない
不揃いな歯並びのような
点々まばらのこころの顔。

フラッシュを焚くわけにもいかないが
指先にちょっと、線香花火でも灯《とも》したら——
いやいやそれとも、もぐさにしようかな？
……目つきは変わらぬ。
時ならぬ、貧弱なダイナマイト！

それでもけっこう死ねるんだろうけど
それじゃあんまり早すぎるようだしね。

あわてて、
あわてろ。
不揃いなぼくのこころの顔の
今日の日のカリカチュアを画《えが》こうよ――。
暗くとも、光がなくとも
一生懸命に画こうよ
カリカチュアを、画いておこうよ。

杖

わたしは杖を擲《なげう》ちたい
杖は　わたしの手にある。

わたしには独歩できる足が無い
それでも杖を擲ちたい。

いえいえ
杖はわたしの手の中に無い
妙なあこがれの
羊飼いの長い杖などありはしない
指先で
草の葉が風にひらひら躍《おど》る。

徒《いたずら》に
ゝゝ
あると思う
頼りをねがい頼りを残す
杖へのひびきは、それで
風一つ　空《くう》に打っても

直《ただ》ちに指を傷つける。

今日も丘の上に歩をとめて
杖を擲てる日を
杖を持ってるなど思わぬ日を
杖にまつわるこの妄念の
消え　離れ去る日を
ひたすらに待つ。

ひざまずいて
滑稽な敬虔さで　祈る
――それなのに、祈りの手は
もうすでに杖の上に組み合わされている

木の梢から
余映《よえい》をうつした
枯葉が一枚
ひとりで飛び下りながら

カラリと笑う。――

この二篇の詩を読むと、詩人槇晧志の若年時の苦悩がしのばれる。それは詩「杖」から知られるように、足の負傷から来る不自由さである。障害を持った自らの身体をどう御《ぎょ》したらいいのか、青年の槇は苦しんだ。それを自嘲し、戯画化することで苦悩をのりこえようとした。また、詩「カリカチュア」ではみずから、自身を「インジュンな人間」と規定している。インジュン（因循）とは、ここでは「思い切りが悪くて、ぐずぐずしている」というような意味であろう。つまり、足の障害からの不自由さで心意まで「ぐずぐずしてしまう」というのである。このような障害をバネにして槇は粘り強く生きていこうとする。

障害を持った人には、健常者の予想を越えた苦しみや悩みがある。しかし、その苦悩をどこに吐き出すか。また、その苦悩をどうのりこえるか。それが生きていく上での課題である。時には自分の周りの人に当り散らすこともあるだろう。槇にも、そのようなことがあったかもしれない。しかし、槇が最終的に辿り着いたのは、自己との対話であった。自分をよく見つめ、自分の身体を対象化することで、自分の身体や心を傷つけることなく、その課題をのりこえることができた。それは具体的に言えば、言葉で自分の心意を表現し、「自らの危機《クライシス》」をのりこえることであった。「自己の思いや願い」を詩によって表現することが、青年期の槇晧志のクライシスを救ったと言える。

　そして、槇の第一詩集『善知鳥』（吉井書房　昭和二十四年九月＊再版二十五年四月）を手にすると、その題字を中勘助が記し、序詩を神保光太郎が記している。題名の善知鳥《うとう》は、謡曲「善知鳥」からきている。善知鳥は北の海にすむ海鳥であり、小さな鴨くらいの大きさである。子を取られると鳴くと伝えられる。青森県の海辺の村に生まれた槇が、この善知鳥に親近感を覚えたのであろう。また、詩集『善知鳥』の「はじめに」には、中勘助の『飛鳥』、神保光太郎の『鳥』にあやかって、この詩集のタイトルに鳥の名を入れたと記されている。

附記

　本稿「一」の初出題名は「『銀の匙』（中勘助）の魅力」で、出典は『埼玉新聞』一九八七年八月二十一日号。「二」の初出題名は「槇晧志の処女詩集『善知鳥』」で、出典は『埼玉新聞』一九八五年六月四日号。ここではこれら二篇の論考に若干、増補した。

第三章　野上弥生子の児童文学

一

野上弥生子の児童文学作品で、わたくしが思い浮かべるのはまず、『アルプスの山の娘　ハイヂ』（岩波文庫　一九三四年六月）である。次に『お話　小さき人たちへ』（岩波書店　一九四〇年十二月）である。この『お話　小さき人たちへ』の中では特に、フレデリック・ショパンの少年時代を描いた「金時計」が好きだった。さらに三番目であるが、これは『中学生文学全集第十七巻　中勘助・野上弥生子集』（新紀元社　一九五七年六月）。この『中勘助・野上弥生子集』には中勘助の作品と並んで野上弥生子の作品が収録されているのだが、その収録作品は「海神丸」「哀《かな》しき少年」「〈山荘記〉より」である。わたくしはこれらの三作品を読んで、「哀しき少年」に最も強く惹かれた。

その後、野上弥生子についていろいろと調べていると、この「哀しき少年」が様々な本に収録されていることに気づいた。わたくしが目にしたものに限定して言うと、次のとおりである。まず彼女の単行本『妖精圏』（中央公論社　一九三六年十一月）。この本は中川一政の装幀であり、実に美しい本である。これには六篇の作品が収録されているが、その第三番目に「哀しき少年」が載っている。「はしがき」も「後記」も載っていない、まさに作品だけを並べた作品集である。ちなみに収録作品を順に記すと、「黒い行列」「ノッケウシ」「哀しき少年」「一隅の春」「めばえ」「小鬼の歌」である。

次に『日本の文学第四十四巻　野上弥生子・網野菊』（中央公論社　一九六五年十月）。この中に、野上の作品で「秀吉と利休」「茶料理」「哀しき少年」が収録されている。

二

野上弥生子の児童文学作品というと、岩波書店から出ている『野上弥生子全集』等を見ると、膨大な量であり、ここでは全体を取り上げて述べる余裕はない。そこで、ここではある作品に限定して述べることにする。

わたくしがここで取り上げようとするのは、「哀しき少年」である。なぜ、この作品かというと、それは既に述べたように、わたくしがこの作品を最初に読んだ『中学生文学全集第十七巻　中勘助・野上弥生子集』に関係している。この本が、本としての出来具合が良いからというわけではない。なつかしさからである。旧知の友に再会した時のような気分になるからである。

ところで、この作品の初めの部分に次の箇所がある。

三年八ヵ月の隆《りゅう》は、ふたりの兄と姉とで、羽目にそうて花模様のふかふかした布団のついた腰掛けに押し並んでいた。すぐ上の四つちがいの兄で、隆をたえずからかっては叱られる少しおでこの、鼻の穴の大きな健も、まじめくさった顔で、短ズボンから突きでた裸の脚《あし》をぷらんぷらんさせていた。二月まえ腎臓病で入院した父親がいよいよ重態に陥りかけたのであったから（注1）。

ここに登場する子ども、隆が主人公である。子どもたちは母親に連れられて、腎臓病で入院した父親を見舞に来たのである。そして、父親は、その日の夕方死ぬ。隆には「ふたりの兄と姉」がいる。長兄は亮、次兄は健、姉は美和子。

隆は、その日の父の様子と、病院の面会所で新聞を読んでいた「異人」（＊外国人）のことを鮮明に記憶している。しかし、なぜそうなのかは自分にもわからない。

それから、隆は小学校に入る。子どもたちはどんどん成長して、隆は中学校受験の準備をするようになる。兄たちは既に中学校や大学に入り、姉は女学校に通う。この家は子どもも多く、経済的にどうなのかなと不安に思うが、その点は心配がないようだ。父親の遺産があるので、豊かに暮らしている。上流階級とまではいかないが、まずまずの中産階級である。

例えば姉の美和子は女学校を出てから、上の学校には行かずに、ピアノ・洋裁・料理の稽古を続けている。そして、弟の隆にプディングを作ってくれる。美和子は長兄の友人である曽木と交際している。曽木は大学卒業後、文科の副手（＊助手、及び教務補佐員）になる。

長兄の亮は大学の理学部で学び、日曜日にも実験室に出かけたりしたが、やがて大学を卒業する。次兄の健はラグビーの試合や練習に余念がない。ある日、姉の美和子が曽木と映画に行こうとするが、その時、母が中学生の隆にこう言う。「お姉さんたちと行ってらっしゃいよ。今日のは隆ちゃんでも見ておく方がいいのだから。」こうして十四歳の隆は姉と曽木の見張り役にされる。

また、隆は中学校の「軍教」（＊軍事教練）の時間に「ぼんやり」と考え事をしていて、教員役の配属将校に怒鳴られてしまう。「なにをぼんやりしている。号令が聞こえないか。」

それからの隆の行動は、次のとおり。

隆は杭《くい》のように動かなかった。彼の姉によく似た塗ったような黒瞳《くろめ》が、教官を、分隊長を、他の列になった仲間を、瞬間、なにからんらんと見廻したと思うと、隆はくるっと後むき、銃を摑《つか》んで駈けだした。そうして、驚いて呼びとめようとした教官と呆気《あっけ》にとられている三つの分隊をあとに、彼は武器庫に向って、前のめりに運動場を突っきって走り去った（注2）。

それから、隆はどうしたのだろうか。彼は大きな樫の木の上にのぼったのである。そして、しばらく木の上にのぼったまま、時を過ごした。その彼の様子を作家は次のように描いている。

樹の上はひいやりと静かで秋らしい苔《こけ》の匂いがした。そうして地上を空間的に離れた時のみにひとが知る自由な寂しい孤独感に充《み》ちていた。学校鞄をしょったまま、いつもの樫《かし》の太い黒ずんだ幹の股《また》になにか投げこまれた形で上半身を埋めた隆は、靴下だけの両足を下の枝に突っ張り、うす青い葉裏に、鳥のように見ひらいた眼でまじまじしていた。彼はもう何時間もそうやっている感じがした。そのうちに遠いサイレンが鳴った。住宅地の丘陵のうしろに古くからあって、風向きでどうかすると硫黄臭《いおうくさ》い煙を送って来る製薬会社の早いポー（※時報の音）である。学校では四時間目の代数が終ったころだ。黒板拭《ふ》きをおくと、肱《ひじ》から、片側だけ白くついたチョークの粉を左の指先ではじきはじき出て行く教師の猫背《ねこぜ》を、隆はちらと思い浮かべた。今でも数学は一番好きでさぼったりしたことはなかったが、今日だけはあのまま授業を受ける気にはなれなかったのであった（注3）。

ところで、隆はいつになったら、この樫の木からおりるのだろうか。読者のわたくしには、それが気になって仕方がない。先を読んでみよう。

いつもは彼の味方をしてくれる姉にも今日は庇《かば》っても貰《もら》えないであろうし、かえって猿のように樹の上に隠れたことを曽木に話して笑うかも知れないと思うと、殴られた時とはまた別な口惜しさがあらたに身うちに甦《よみがえ》った。そんな姉に同情して貰わなくともたくさんであり、その代り活動（＊引用者注記、活動写真。今でいう、映画）にだってもう一緒には行ってやらないと隆は決心した。そういえば、あんなところへ連れて行かれたのがいけなかったのだ。そうして欧州大戦なんぞ見て来たのが。――ほんとうの戦争って、あんなにパタパタと無造作に人が死ぬのであろうか。すぐ前まではあんな人たちは塹壕《ざんごう》の中で煙草をふかしたり、ものを食べたり、笑ったり、手紙をよんだりしていたのだ。隆は嘘のように思えてならなかった。とその映画も、今朝《けさ》校庭で打《ぶ》たれたことも、みんな夢であったような感じがして来て、頭の上の入れ違った枝と葉のあいだに、藍手《あいて》の薄い皿のように輝いた空をぼんやり透かしていると、そこにも、夢の一片が、病院の面会所で見た跛足（＊足の不自由なこと）の異人（＊外国人）の青い繻子《しゅす》のガウンが、知らず知らず浮かびあがった。

「父さん。」

隆はふと父をこころの中で高く呼んだ。すぐ上の梢にでもいそうなほど、その時父が身近く親愛に感じられ、また父だけは隆のじぶんでもわからずに犯した今日の過失を咎《とが》めないでくれそうな気がした（注4）。

隆は樹の上で、いろんなことを考えている。すなわち、彼はまだ樹からおりないのである。そして、姉のこと、姉の恋人である曽木のこと、また、彼らと一緒に見た欧州大戦の映画のこと。次々にいろんなことが、走馬燈のように浮かんでくる。まさに夢、幻の世界に隆は参入しつつある。そして、あの病院の面会所で見た外国人の姿であり、病床に臥していた父の姿である。ついに彼は心の中で「父さん。」と呼ぶ。

隆はこの時、初めて人を恋しく、懐かしく感じた。熱い涙が両方の眼から、あふれ出る。作品の冒頭部で見た三歳八ヵ月の隆と、ずいぶん違っている。

しかし、作者はこのような隆の姿を描きつつ、もう一方で、相変わらずの無邪気な隆の姿を描いている。

作者は隆の無邪気な姿を、次のように描いている。

熱い涙がなにか破れたようにたくたく両方の眼からあふれて、塩っぽく唇に流れこむと、隆はたまらなく悲しくなり、その悲しみが、また急におなかの空《す》いていることを思い知らせた。お昼飯は学校で拵《こしら》えるきまりで鞄《かばん》にもお弁当は入っていないから、毎日帰る時刻まで隠れているとすれば、もう三、四時間も我慢しなければならなかった。そう考えると一そう悲しくなり、横の黒く突き立った枝に制帽ごと顔を押しつけ、小鼻をひくひくさせてしゃくりあげた。

隆は今はひもじさゆえにひたすらむせび泣くのであった（注5）。

隆はまだ、木の上にのぼったままである。こうして彼は木の上にのぼったまま、いろんなことを考えている。時には、ずいぶん昔のことを思い出す。それは自分が三歳八ヵ月の時、病院で死んだ父のことや、病院で見た外国人の姿であったりする。そして、思わず涙を流したりする。しかし、彼はそういった思い出にふけってばかりいるのではない。

隆は不意に、おなかが空いていることに気づく。そして、今度は「ひもじさゆえに」「ひたすら」むせび泣いた。こうした隆の一連の行動と心理は、まさに若者の特徴をよくとらえたものだ。特に、思い出にふけってばかりいないで、おなかが空いたことで、急に涙が止まって、気持ちが切り替わっていくところは、よく描けている。わたくしはそれを前に、隆の無邪気な姿と言ったが、無邪気どころか、また、若者らしい特徴どころか、そんなものではない。それは老若男女を問わず、まさに人間的な、人間らしい特徴である。人間とは、このように気持ちがいろいろと変化する。作者は、そのことをただ、ありのままに描いたのである。だから、この表現、この描写には、強いリアリティ（真実味）がある。

三

ところで、たまたま読み始めた灰谷健次郎の『天の瞳　幼年編Ⅰ』（新潮社　一九九六年一月）に、次の箇所がある。

あんちゃんは倫太郎にいった。

「分かった。分かったから、下りてこい」

倫太郎が怒鳴った。

「つかまえるんやろ」

「そんなきたない手は使わん。オレがおしまいまでつき合ったる。けど、ほんとうにもう一回だけやぞ。ええか」

それをきいて、木の上の倫太郎はにたあと笑った。木から下りてくるときの倫太郎はただの幼児だった。怖そうにそろそろと下りてくる（注6）。


倫太郎は保育園に通う園児である。ある日、子どもたちは先生に連れられて、近くの白鷺山《しらさぎやま》へ園外保育に出かけた。その山は丘くらいの高さであり、登りきったところに一本の松の木がある。子どもたちは山の斜面をビニールシートで滑るのが楽しみだった。ビニールシートを尻に敷いて、緑の斜面を一気に滑り下りるのである。

やがて、時間が来て、先生は「もう帰りますよう」と言った。すると、「ぼく、帰らないもーん」と言った子どもがいた。倫太郎である。他の子どもたちは整列して、帰る用意をする。「（山の斜面滑りをもう一回）やらせてくれないと、ぼく、帰らないもーん」と言う。「そんな無理をいうのなら、あなた、ここにひとりでいなさい」そう言って先生は子どもたちを連れて出発する。しかし、気になって先生は少し歩いたところで子どもたちをしゃがませ、倫太郎を探しに行く。すると、倫太郎は山の一本松にのぼっていた。

先生は園に戻り、助けを求めた。そして、あんちゃんが現場に駆け付けた。あんちゃんは園長に就任することになっている人の弟で、元プロボクサー。本名は達郎。

「こら！　下りてこい」大声で怒鳴るあんちゃんに対して、「下りないもーん、ねえー」と憎々《にくにく》しげに言う倫太郎。

「下りてこんのやったら、こっちから上って行くぞ！」「来てみィ、来てみィ」

あんちゃんは松の木に上って行くが、倫太郎が逃げようとしてさらに、上の枝にのぼって行くと、枝が折れて倫太郎が落ちてしまう。そのことを心配して、見ている先生たちが「ああ。だめ」と言ったので、あんちゃんは松の木から下りようとする。

しかし、あんちゃんは大人だ。ちょっとずるいことを考えた。下りるふうをしたら倫太郎も少し下りた。そこで、下へおりていくふりをしながら、さっと向きを変えた。そして、倫太郎の右足をがっしりとつかんだ。

「だました。だましたやろ」

「あほたれ。だましたんやないわい。作戦や、あれは。おまえはそれにはまりよったんや。おまえの負けや」

そんな口論が続いたが、けっきょく、倫太郎は下りようとしない。また、あんちゃんは彼を無理に引きずりおろそうとしない。ここら辺が、あんちゃんと倫太郎との関係が無味乾燥でなく、何かしら親密感がありそうである。そんな気配（雰囲気）を漂わせている。

そして、松の木から下りてきた倫太郎はもう一回、山の斜面滑りをして、機嫌を直す。

「あんちゃんはすぐ怒るう……」

鼻歌でもうたうように倫太郎はいうのである。

「あんちゃんはすぐ怒るう……」

そういいながら倫太郎はもうあんちゃんの手を握っている。

「おまえには負けるわ」（注7）

こうして二人は和解する。いたずら好きで聞かん気の子どもと、見かけは乱暴そうで一見怖そうなあんちゃん、この両者がついに和解し、手を取り合って仲良くなるというのは、浪花節などによくある話である。日本人のどこか深い部分につながるところがある。

しかし、今、野上弥生子の「哀しき少年」と並べて読んだとき、その違いが強く印象に残る。もちろん、登場人物の年齢差があるにせよ、わたくしがここで問題にしたいのは、その描写の違いであり、さらに、その奥に潜む人間観、児童観の違いである。

『天の瞳　幼年編Ⅰ』の作者は、前作である『兎の眼』『太陽の子』から、それほど変わっていない。というのは、残念ながら、作家としてそれほど発達・進歩していないということである。もっと変化してほしかったというのが、かつての読者であったわたくしの希望である。なぜ『兎の眼』『太陽の子』の作者が、変化し進歩しなかったのかについて、わたくしには明言するものはない。しかし今、野上弥生子の「哀しき少年」と並べて読んだとき、気づくことがある。それは一度形成した自分の児童観や人間観を消すか、ひっくり返すことである。そうした冒険心が作家には必要である。

作家は出版社に追い立てられて、たくさんの作品を残せばいいというものではない。数は少なくてもいい、マンネリズムの作品は残してもらいたくはない。

もう一つ、この作品『天の瞳　幼年編Ⅰ』と野上弥生子の「哀しき少年」とを並べて読んだとき、気づいたのは、少年（及び、幼年の子ども）が高いところにのぼるというエピソードである。いずれも、自分の気持ちが満たされないとき、高い木にのぼる。これは心理学的に何か意味があるのかもしれないが、わたくしとしてはそれは単なる反抗や何かではなく、自分の気持ちを落ち着かせたり、自分自身をよく見つめたりするための行為だと判断する。

『天の瞳　幼年編Ⅰ』の倫太郎の行為は自分の欲求を満たすために、その反抗の一端としての行為であったと見ることができる。しかし、「哀しき少年」の隆は軍事教練の教官に対する反抗として逃げ出して木にのぼった。その動機は何であれ、倫太郎も隆もそれぞれ自分の思いを満足することができた。すなわち、それらの行為は確かに、その場からの逃避逃走であったのだが、自分にはある種の心理的な満足感が得られた。それが彼らにとっての「木のぼり」の意義であった。

今、学校で問題のある子どもに「逃げ場所」を用意しようという動きがある。わたくしは、その先駆けとしてこれらの文学作品にその姿、その像《イメージ》を見出すのである。

注

（1）『日本の文学第四十四巻　野上弥生子・網野菊』（中央公論社　一九六五年十月）三〇二ページ。
（2）前出（1）『日本の文学第四十四巻　野上弥生子・網野菊』三一五ページ。
（3）前出（1）『日本の文学第四十四巻　野上弥生子・網野菊』三一五ページ。
（4）前出（1）『日本の文学第四十四巻　野上弥生子・網野菊』三一六ページ。
（5）前出（1）『日本の文学第四十四巻　野上弥生子・網野菊』三一六ページ。
（6）灰谷健次郎『天の瞳　幼年編Ⅰ』（新潮社　一九九六年一月）一一ページ。
（7）前出（6）『天の瞳　幼年編Ⅰ』一一ページ。

第四章　早船ちよの人生と作品

一

早船ちよについて述べる。早船ちよは旧姓は住田であり、早船斌男《よしお》と結婚して早船という姓になった。また、早船斌男は通常、井野川《いのかわ》潔というペンネームで知られている。井野川潔は一九〇九年（明治四十二）五月十五日、埼玉県の川口（旧名、北足立郡戸塚村）に生まれた。

住田ちよとの出会いにふれるまで、少々、井野川潔の歩んだ道をたどってみる。

井野川の父鹿之助は戸塚村の村長を務めたほどの人であり人望があり、村人から慕われた。井野川の円満な人柄、人のために奔走し、他人のために我が身を削っても尽くすという性格は父親から受け継いだものと見て大過あるまい。

井野川潔は埼玉師範学校を卒業し、北足立郡の小学校訓導となったが、五年ほどで退職する。そして、郷土社という綴方教育の雑誌を出版していたところに入る。だが、そこも程なくやめて、新興教育研究所に入りプロレタリア教育運動に加わる。そして、二度ほど検挙される。

いっぽう、住田ちよは一九一四年（大正三）七月二十五日、岐阜県の古川《ふるかわ》（旧名、吉城郡古川町）に生まれた。ちよの父乙之助は古川で旅館を経営していたが、破産し、高山に出て、そこで小料理店を開いた。ちよが生まれたのは父が旅館を経営していた頃である。だが、その一ヶ月後、親子は古川の町を離れ高山に出た。高山は古川から南に十五キロほどである。高山でちよは、十六年間暮らした。高山町立女子尋常高等小学校の高等科を卒業し、一九三〇年（昭和五）六月、ちよは東洋レーヨン滋賀工場に就職した。ちよは小学校教員になりたかったのだが、その口がなかなか見つからず、ついに工員として就職した。

それから、住田の家族は高山から長野県の諏訪に転居した。父の仕事は定まらず、母は和裁の仕事をしていた。妹のすゞは岡谷の製糸工場に工員見習いとして働いていた。弟の仙蔵は下諏訪町立尋常高等小学校の六年生だった。

ちよは東洋レーヨン滋賀工場に四十五日勤めて、諏訪の家族のもとに帰った。一九三一年（昭和六）一月、片倉製糸下諏訪工場に舎監見習いで就職。妹のすゞも同じ職場で働いた。すゞは十五歳。糸とりの養成工員として入社した。いっぽう、十七歳のちよは舎監見習いである。当時の製糸女子工員はほとんど、十二歳から十五歳前後であった。なぜなら、この年齢を越えると糸とりの技術を身につけるのは難しいと判断されたからである。

そこで、ちよに任された仕事は、「舎監見習い」とはいうものの、実質は雑役婦であった。関口安義の『キューポラのある街　評伝早船ちよ』（新日本出版社　二〇〇六年三月）には、次の記述がある。

　工女になれないちよは、名目は舎監見習いながら、実質は雑役婦である。雑役だから炊事婦から蒲団の仕立て直し、くず繭《まゆ》の選別など、すべて人の嫌がる、いまいうところの3K、――きつい・危険、そして汚い仕事である。特に繭かつぎは重労働であった。ちよは入社早々、その困難な仕事にぶつかるのであった（注1）。

このような辛酸を嘗めた後、一九三三年（昭和八）一月、ちよは下諏訪の父母の宅を離れて上京する。それは雑誌『綴方生活』を出していた小砂丘忠義（本名、笹岡忠義）を頼っての上京である。上京してからのちよは、池袋郊外の小砂丘の家に住み、職探しをする。

しかし、小砂丘の関係する「児童の村小学校」教員や、他の小学校教員の勤め口が見つからず、早稲田大学近辺の食堂で働くことになる。

だが、そんな生活の中、ちよは井野川潔と知り合うことになる。ちよは小砂丘忠義から井野川を紹介される。ちよが上京したその日、小砂丘は新宿駅でちよを迎え、駅前の喫茶店で井野川を紹介した。小砂丘は別に考えがあったわけではない。ただ、自分の同志として紹介したに過ぎない。二度目は小林多喜二の死を悼む「労農葬」の時。この時、築地で警官にじろじろと見られ、詰問されそうになったとき、不意にわきから男が飛び出してきて、ちよの肩を抱くようにして歩き出した。そのようにしてちよの身を守ったのが井野川であった。

この辺のロマンスはちよが後日、自伝小説『ちさ・女の歴史　第6部＝熱い冬』で記している。ちなみにちよはちさに、井野川潔は利根徹郎となっている。

さて、住田ちよが井野川（早船斌男）と結婚し早船ちよとなるのは一九三四年（昭和九）二月である。そして、翌年の一九三五年（昭和十）二月九日、長男茱萸《ぐみお》生が生まれた。以後、一九三七年（昭和十二）六月に次男の槐児郎《かいじろう》、一九四二年（昭和十七）一月に長女の棗《なつめ》、一九四四年（昭和十九）一月に三男の桂《かつら》、と子どもが次々に生まれた。

子どもを育てながらちよは、夫の良きアドバイスを得て教育と文学の勉強を続けていった。日中戦争から太平洋戦争の激しい動きの中、夫婦は苦難を乗り越え、精一杯生き続けた。

早船ちよは、次男の生まれた一九三七年（昭和十二）頃から、小説や童話を書き始める。そして、その成果が現れるのは昭和の戦後期である。

二

早船ちよの昭和戦後期の仕事、その一端を、わたくしの入手した資料をもとに以下、述べる。

『若草』という名の雑誌（発行　寳文館）がある。わたくしが見たのは、その第二十四巻第七号（昭和二十四年七月）。その目次に早船ちよの長篇小説「湖」（二百五十枚）と出ている。これは九十六ページの、比較的薄い雑誌である。中身を見ると、若い読者向きの文学投書雑誌のようである。

『若草』編集人の花村奨が「編集後記」で、次のように書いている。

早船ちよ氏が年余の苦心になる長篇「湖」（二百五十枚）を一挙に掲載した。これは、文芸雑誌一般の売れ行きが、かんばしくないと云われている今日、本誌としても、大変な冒険である。しかし、これの単行本となる時間を待つとすれば、早船氏の労作が世に出るのは、一層遅れるに違いない。埋もれさせておくには如何にも惜しいので、営業上の大きな犠牲となるかもしれないことを忍ぶことにした。

「湖」は、さきに雑誌『文芸首都』に発表して清新な作風を謳われ、横光利一賞の有力な候補作品となった「峠」に続いて早船氏の最も力を注いだ作品であり、新日本文学会の蔵原惟人氏をはじめ推奨する人は既に多い。いま世に出て、本年度文壇の有数の作として必ず問題になるに違いない。この作品を世に送るために冒険をあえてしたことは、もとより欣快であるが、正直なところ、一冊でも多く売れてほしい。こういう企画をしても、雑誌が営利的に成り立つということが、良き読者によって実証されない限り、新しい作家と文学の道が容易に打開されないからである（注2）。

出版社の内情などを盛り込んだ、少し変わった賛辞である。それにしても、編集者の花村が早船ちよ及び作品「湖」の良さを大いに認めていたことは確かである。

作品「湖」の概略を述べると、次のとおり。主人公の杉田ちさは、滋賀県の琵琶湖近くのレーヨン工場（作中では、TYレーヨン石山工場）に勤める十七歳の女工。時は昭和六年八月。三メートルほどの高いコンクリート塀の囲いの中で、他の女工たちと共に暮らしている。

ちさの仲良しに前田せい子がいる。ちさもせい子も寮（名は石竹寮）の部屋で、女学生の延長のようにのんびりとしている。また、高山（岐阜県）の女学校でちさと同じクラスだった葱《ね》俊《ぎ》子もいる。俊子は青い頬にニヒルな笑いを浮かべて「ふふん」と嘲笑する。そして、「どっちじゃっていいいさ」などと言う。

仕事の合間に文学書を読み始めたちさは、当初、ニヒルな性格の俊子に惹かれたが、この寮に入ってからは、明るいせい子に惹かれるようになる。

寮の事務員（寮母）に泉野しん子がいる。しん子は本をよく読んでいるし、知識もある。他の寮母たちよりも女工に好かれ、信用されている。ある時、ちさはしん子から声をかけられる。「ちさちゃん、『女工哀史』を読んだことある？」「そう、あれに書かれてある紡績工場と、この工場とでは、どれだけの違いがあると思う？」などと聞かれる。寮には、いろんな人がいる。そのことをちさは発見した。

また、ここの水はまずい。故郷高山の水はおいしかった。高山が恋しくなる。

そんな中、職場や寮で、いろんな人を見つける。スタンド（工場での立ち仕事）からデスク（椅子に座って机に向かう仕事。いわゆる、事務職）へ「成り上る」ために寮へ帰っても学習室へ入ってそろばんの練習をしている人がいる。荒井貞子がその一人。

ちさがトイレへ行ったら、見慣れない男がびっくりしてその場を離れた。その男は伝単（宣伝ビラ）を貼ろうとしていたのだ。労働組合の男だと後で分かった。

ちさは或る時、せい子にこう語った。お金がなかった小学一年生の時、盗みをしたこと。そして、荒井貞子の話になった。貞子は人の失敗を喜ぶ、それは自分が人より上に行きたいからだ。寮にはいろんな人がいる。そして、寮にいると、生活のいろんな姿が見えてくる。

女工の給料が安いことも、だんだんわかってくる。「私たちがレーヨンを作っているのにレーヨンのアッパッパが買えないっておかしくない？」「それは私たち女工の給料が話にならないほど安いからよ。」

せい子が神経衰弱になる。そして、ちさは今まで自分の体の一部だと思っていた工場を突き放し、冷ややかな目で見るようになる。

女学校の生徒だった時、高山の街をさまよったことを思い出した。ちさはついに、工場を出て京都に行く。せい子の影響もあったし、読んだ本の影響もあった。ルイ・フィリップ（フランスの作家）がパリに愛想をつかしたように自分もここ石山に愛想をつかした。そして、ちさは京都の町をさまよった。心配した寮母の泉野しん子が迎えに来て、ちさは工場に戻った。だが、そこで再び仕事を続ける気はしなかった。そして、ちさの家族はもう高山にはいなかった。小料理店をやめ、長野県諏訪に移住した。

ちさは石山工場をやめた。両親をはじめ家族のいる諏訪に帰った。

三

作品「湖」は早船ちよが高山町立女子尋常高等小学校の高等科を卒業し、一九三〇年（昭和五）六月、東洋レーヨン滋賀工場に就職し、そこで四十日勤めた、その時の体験がもとになっている。しかし、実話がもとになっているとはいえ、小説であるから、実話そのままではない。その辺のところも考慮して読む必要がある。

作品「湖」では主人公の杉田ちさより、むしろ、周りの人物が良く書けている。例えば同じ部屋に住む前田せい子である。

ちさは、女学生の延長のようにのんびりしているせい子が好きだった。食事時間には一番遅れて席につき、汁の実がなくなっていても、瞳の色を濁したことがない。この瞳はいつも、美しいもの、真実なもの、もっと良いものを見るためにだけ見開かれている。

作者は前田せい子をこのように描写している。また、やはり、同じ部屋に住む葱俊子を次のように描いている。

高山の女学校でちさと同じクラスだった葱俊子は青い頬にニヒルな笑みを浮かべて、何にでも一応、ふふんと嘲笑した。——どうだかなあ。——どっちじゃっていいさ。——わしには分らん。決して、断定的な返事をしない性格。ちさはめったに感動したことのない俊子の瞳に、懐疑が凍りついているのを見た。

そして、ちさは、これまで（つまり、高山にいたころまで）ニヒルな俊子の性格に惹かれていた。というのは、一つにはちさの家である小料理屋「板橋楼」が倒産しかかっていたからである。もう一つは、沈滞した空気の中で文学書を読み始めたからである。

ちさは、滋賀県のこの石山工場に来て、また、生活の変化に戸惑っていた。すなわち、その現実生活を肯定しようとする思いと、否定しようとする思いとが衝突する。自分はいったい、どのように生きたらいいのか迷ってしまった。そんなとき、前田せい子に会うと、ちさは救われる。

作者は、次のように書いている。


そんなとき、せい子の底抜けの明るさに出あうと、ちさははっとする。この瞳は、ものの本質を率直にうつしとり、真実を無造作に手づかみにすることのできる知性の瞳だ。

作者は人物の眼（瞳）に注目する。これが特色である。衣服や言葉や仕草などよりも作者が最も注目するのは、人物の瞳である。人物の真贋を判断するのは、瞳である。これがこの作者の特色である。

また、ちさは仕事の合間に上京することを考える。笹川氏や村井氏に頼って小学校教員になることを夢見ている。前田せい子は亡父の友人中垣晋平の話を聞いて、満州へ行く夢を抱く。若い人には夢があるのだ。

前田せい子は同じ職場で働く姉の月子に黙って或る日、工場を脱出する。

その後を追うかのようにして、ちさも汽車に乗る。行き先は京都だ。

ちさは京都の町を、あちらこちらと歩く。前田せい子の家も、叔父（漆塗り師板橋仁三郎）の家も知らなかった。ついに疲れはてて、交番に入る。交番の若い巡査が七条警察署へ連れて行った。警察署の老巡査が額に難しい皺を寄せて、「家出かね。だいぶ身軽のようだが」と声をかける。ちさはパンの袋をかかえていた。

けっきょく、ちさは警察署の待合室で夜を明かした。それから、刑事部屋の片隅で一杯のかけうどんを食べた。昨日の老巡査と話していると、TYレーヨンの泉野先生が迎えに来てくれるという連絡が入った。老巡査によると、昨日、工場へ電話をかけたという。「本人の意志を聞いてからでなきゃ、会わせるわけにいかんと言ったのだが、強情な女で、どうしても会うといってきかなかった」とのこと。

それから、ちさは寮母の泉野しん子と肩を並べて京都の町を歩いた。しん子は「前田せい子さんがあなたのことを心配してましたよ」と言った。実はちさも、前田せい子のことが気になっていたのだ。

「あら、せい子さんが……」とちさが言うと、「そう、元気良く、昨日の夕方、帰って来たわ。あの人、なかなかいいところのある人ね。ゆうべ寮母室で二時間ほど話し合ったのよ。今朝は、あなたを案じて、工場へ出かけていく気がしないって言ってましたよ」と泉野しん子が応えた。それから、しん子はハンドバッグから一枚のハガキを取り出して、ちさに渡した。父からだった。

　こうして、ちさは父母及び妹弟のいる長野県の下諏訪町へ帰っていく。

「先生、これ、お返しします」、そう言ってちさは一冊の本を取り出した。シャルル・ルイ・フィリップ（Charles Louis Philippe　一八七四〜一九〇九）の本であった。『ビュビュ・ド・モンパルナス』『母と子』等を書いた小説家の作品集だった。

「それ、あげましょう。強さと、勇気と、自らの支配者たる意識を――ね、そう、フィリップは言っている。ちさちゃんもそういう誇りを持ってちょうだい。じんせいは、どんな卑小な人の人生であっても卑下しなければならないほど、つまらない、どうでもいいものではないのよ」、しん子はそう言った。泉野しん子はちさには、人生の教師であった。

　作品「湖」の末尾は次のとおり。

夏の明るい開放的な湖は逝《い》ったのだ。ゆくての諏訪の湖にはどんな生活が待ち受けているだろうか。

ちさはもう、何ものをもふりかえって見ようとしなかった。まっすぐに自分の行く手にだけ目を注いだ。たとえ、それがどんなに厳しいものであろうと、そこの湖畔には母がいる。みつ子（*ちさの妹）がいる。肉親へのなつかしさが足踏みしたいほどの待ち遠しさで、進行方向へ向かって自分も駆け出していきたかった。五時間後の現実を、今すぐにも、手元へ引き寄せたいのだった。

この作品「湖」の載った『若草』第二十四巻第七号（昭和二十四年七月）には、作者早船ちよの自作解説「生活と作品」が掲載されている。それによると、このレーヨン工場の生活を「十七歳のとき、四十五日間経験して（いる）」とのこと。また、作品「湖」の後篇「みずうみ——諏訪製糸業地帯」は、下諏訪での三年の生活（*そのうち製糸工場に勤めたのは約一年）を描いたと述べている。しかし、わたくしはこの「みずうみ——諏訪製糸業地帯」を見ていないので何とも言えない。

しかし、前掲の関口安義の『キューポラのある街　評伝早船ちよ』にあったように、諏訪製糸業の工場でちよは、糸とり女工の経験をしなかった。そして、自作解説「生活と作品」（『若草』第二十四巻第七号・昭和二十四年七月）で早船ちよは、次のように書いている。

製糸はレーヨンに比べて一世紀も遅れた工場制度であり、そこでの工場生活は満州事変勃発後の約六ケ月でしたが、思想的には何もつかんでいない文学少女でしかなかった私は、終業後三十分くらい、日記を書いたり詩を書いたりするという、ただそれだけのことで工場をクビになりました（注3）。

このように書いているが、片倉製糸の下諏訪製糸工場に勤めたのは「約六ケ月」というより、もう少し長く、約一年だったのではなかろうか。関口安義の『キューポラのある街　評伝早船ちよ』によると、ちよがこの工場に「舎監見習いの名目」で就職したのは一九三一年（昭和六）一月（同書八五ページ）であり、ここを解雇されたのは「この年の暮れ」（同書九一ページ）となっている。

ともかく、旧姓住田ちよはこうしてレーヨン工場と製糸工場という二つの職場を去って、いよいよ上京する。それは一九三一年（昭和六）の「年の暮れ」（十二月末）ではない。一九三二年（昭和六）の「年の暮れ」には下諏訪の実家に帰っただけである。それから約一年、あちこちで働いた。もちろん、正式社員ではない。今でいう、パート職員である。

それから、住田ちよは一九三三年（昭和八）一月、下諏訪の父母の宅を離れて上京する。これから先のことは既に、この稿の「一」で記したので省略する。

四

埼玉県与野町下落合（現在、さいたま市）から出ていた文芸新聞に『民芸通信』がある。創刊は一九五一年（昭和二十六）二月。発行所は与野町下落合の民芸通信の会。この文芸新聞『民芸通信』は一九五五年（昭和三十）一月の第二十五号まで続いた。第十三号まで月刊、第十四号から第十八号までは隔月刊。第十九号から第二十五号までは不定期刊行。

民芸通信の会は文学運動と社会運動とを統一的に進めることを目的としている。啄木祭（＊石川啄木の仕事を再評価する行事で講演会などを実施）や平和文化祭を開催したり、原水禁国民会議や松川事件裁判に関する支援活動を行ったりしている。『新日本文学』『人民文学』『民情通信』等の紹介を紙面で行っている。

このような『民芸通信』に早船ちよが原稿を寄せている。まず創刊号（一九五一年二月）に、次の詩がある。

Ⅰ

瞬間！
春の風を斬って
はばたきすぎる影
ひゅうっ！
黒い笛の音が
するどく　後をおう

夜ぞら　びりびりと
その金属音にふるえ
胸を斬られた春の
悲鳴
生あたたかい血のしたたり
深夜

ふかぶかとひろがる
はてしない深夜
静寂の底に
鼓動だけが生きている
遠い死よ　灯よ
凍えて
ふるえる瞳

Ⅱ

春あさい　曇り日の夕方です
わすれられた　その墓場に
もみの木の枝ごしに
夕日が　こぼれていました

しめった落ち葉をふむ
こおろぎのすがたも　ない

陸軍中将閣下の卒塔婆《そとうば》が　かしぎ
海軍上等兵護国院殉忠居士の墓石には
おもい石の鉄かぶとが　のっている
故陸軍兵長の土まんじゅうは
くずれているけれど……
ここは遠い過去のせかいです
むかし・むかし
あなたは　きいたことがあるでしょうか
人間が　たたかいをしていたころ
日本にも　いかめしい軍隊というものがあって
心のやさしい人も
あいての胸に
刃《やいば》をつきつけ

なるべく大ぜいの胸に
まっくろい穴をあけることを　誇りにしていた
血は大地を浸《ひた》し
空は濁った炎のいろに
血走っていた……

夕日がうすれ
墓場は
しだいに昏《くら》くなって
ひたひたと闇がおしよせ
ひそひそと
ささやく声
（重いなあ　誰がのっけたんだい
おれはもう何十年も　この石の鉄かぶとをかぶっているんだ）
（しまった　金鵄勲章を　もらってきはぐったため
あいつが　どんなに立派だったか　おれは忘れてしまったわい

おい　従卒……　従卒！）

暮れの靄《もや》がこめる
月がでる
もみの木々の
かっきりと　黒い影

早船ちよの詩「ノートより」である。詩語として未熟なものもあるが、表現力はすばらしい。この詩の後に「五一、一、一〇」と制作時の付記がある。一九五一年（昭和二十六）一月十日の作と判断する。いったい、どこの墓地を描いたのだろうか。川口の戸塚村の墓地であったろうか。死んだ兵士が墓の中で話をしていて、それを聞いたというのは童話的で面白い。しかし、この詩はそのようなホンワカしたところもあるが、鋭い社会性もある。この二つの要素が自然に溶け合っているのが、早船ちよ文学の特徴である。

『民芸通信』に寄せた早船ちよのもう一つの原稿は、第四号（一九五一年五月）に載っているエッセイ「美しい五月の夜道に」である。

ある詩部会に出て思ったことですが、詩の批評が論理的にやられ、論争が熱を帯びて、長引けば長引くほど、本体である詩は、どこか遠くへ逃げて行ってしまい、がさがさした議論や、字句やイデオロギーの詮索のみが、空しく宙に漂って、はたの人たち（わたしもその一人）ものの心を苦しめ、いたずらに疲れさせるということです。

会が果てた帰りの夜道は、星が美しく、鳩ケ谷から戸塚村までの四キロの桜並木は、花々の夜の匂いに満ちていました。

わたしは、澄んだ夜気をいっぱいに吸い込んで、思ったのです。――こんな静かな五月の夜に、持ち寄った自作の詩を朗読し合ったら、どんなに楽しいだろう。詩部会でも、詩論の議論ばかりしていないで、お互いの詩を感じ合う、楽しい詩の言葉と、詩のそうした雰囲気を味わう機会を持ってもいいのじゃないか。

いい音楽の伴奏入りで詩の朗読を聞くのもいいな――何人かの男声、女声の組み合わせでドラマティックに詩の演出効果を考えて朗読し合うのもいいな。

〝民芸〟の詩についても、わたしの言えることは、そのことだけなのです。論理的にぎゅうぎゅう押し詰めて詩を殺してしまうことを避けましょう。索漠とした説明や解説にすぎない詩はイヤです。

〝民芸〟は美しい、楽しい雰囲気を持っています。すぐれたカットの絵や、プリント芸術の高さと、その中におのおのの詩が、おのおのの所を得ながら、しかも、お互いに美しいつながりを持っていること、それらを活《い》かす編集者の詩精神――。わたしは、その美しさを愛します。その楽しい雰囲気を感じられるのは、うれしいことです（注4）。

これは『民芸通信』編集者及び参加者に寄せた苦言であると同時に、励ましのエールでもある。前にも述べたが、早船ちよという文学者は小説も書くし、詩も書く。そのバランスを自身でとっている。また、他者を批評する場合でも、批判するばかりでなく、賛辞も述べる。こうしたバランス感覚が、実にいい。しかも、それが意図的に、わざとそうするのでなく、自然に発露する。だから、わたくしは早船ちよを、天性の文学者だと判断するのである。

このエッセイ「美しい五月の夜道に」は短い文章であるが、早船ちよの本質がよく出ている。しかし、この文章が民芸通信の会に対する訣別の言葉となり、以後、作品は発表しない。それは一つには、民芸通信の会の雰囲気や考え方が自分に合わないと判断したからだともいえる。だが、それだけではない。もう一つは、夫の井野川潔が埼玉県で積極的に文化活動を始めたからである。ちよはそれに深くかかわっていく。その具体例を次に述べる。

五

『さいたま　少年少女』と題する雑誌の創刊号が、一九五三年（昭和二十八）四月に出た。雑誌の表紙は子どもが描いた絵で、理科室で大きな鳥の剥製の前で六人の子どもたちが正面を向いている。印象に残る絵である。これを描いたのは大宮北小学校五年の佐藤洋子。大きな鳥は、鷲か雉であろう。当時は畑や高い木の上に、鷲や雉がいたのであろう。

サイズはA５判で、全部で百九ページ。最終の百九ページに編集後記と奥付が載っている。編集者は井野川潔で、発行者・発行所は埼玉児童教育協会（浦和市仲町二の一一九）。

創刊号（一九五三年四月）は川口の産業である鋳物《いもの》を特集し、川口市の教員九名が鋳物の歴史や、鋳物製品の売買（輸出貿易を含む）、鋳物製品が出来上がるまでの工程、工場の規模と設備などを分担執筆している。社会科の資料や副教材として使える内容である。その他、埼玉県内の「学校めぐり」や、児童の絵や詩を載せている。

予告には、次号の特集は「行田《ぎょうだ》の足袋《たび》」とある。また、第三号には狭山《さやま》の丘陵や茶を特集するとある。

このように井野川が雑誌編集の仕事を始めたので、ちよもそれに協力することになる。『さいたま　少年少女』の創刊号（一九五三年四月）に、早船ちよは連載「鳩と少女たち」第一回を発表する。小学五年生のイサ子と中学一年生のみどりという、この姉妹が中心になって話は進んでいく。二人が家で勉強していると、一羽の鳩が部屋に飛び込んでくる。それは足にアルミ製の通信筒をつけた伝書鳩だった。鳩は初め元気がなかったが、だんだん元気になる。そして、伝書鳩に詳しい鳥飼エミに見せたりする。もしも鳩の持ち主が山で遭難して助けを求めているのだとしたら大変だ、そう思ってイサ子とみどりは、ある日、鳩の足に付いている通信筒を開けてみた。ある母親が田舎のどこかにいる娘に、今度持っていくものを確認した手紙だった。緊急の手紙ではないので、二人はほっとした。

そして、その後、三日たって雨が止んだ。イサ子とみどりは、鳩の入ったバスケットを自転車にのせ、荒川の土手に向かった。


　川は茶色に濁って、水がふくれ上がっていました。大橋の近くで、自転車を降りました。イサ子がバスケットのふたを開けると、みどりは鳩を抱き上げて、土手の見晴らしの利《き》くところに立ちました。

「いい？　放してやるわ」

みどりは白鳩を両手で高くさし上げて、さっと放しました。

鳩は驚いて、羽ばたきながら低く飛んでいましたが、やがて、姿勢を整えると、川を中心にしてぐるぐる、大きな輪を描いて飛んでいましたが、行く先がわかったのでしょう、善光寺の上の空を、すうーっと一直線に飛んでいきます。

木立の榛《はん》の木の梢《こずえ》をかすめ、送電線のずうーっと西南の空へ。真っ白い鳩の姿は小さくなるまで、よく見えます。

「さようなら、さようなら」

「鳩ちゃん、さようなら」

みどりとイサ子は、手を振って、鳩ちゃんの姿が見えなくなるまで見送りました。

「よかったわね。鳩ちゃん、うれしそうね」

「わたしたちのお手紙も、持って行ってくれたのね」

そういう、イサ子の顔だって、とてもうれしそうです（注5）。

鳩の通信筒には自分たちの手紙も入れたのである。鳩の持ち主に、この間の経緯を説明する必要があったからである。「鳩と少女たち」第一回は、ほぼ、これで終わりである。但し、これは連載物であるため、作品の終わりの方に、鳩を逃がすのを見ていた少年（たぶん中学二年生の原田三郎。鳥飼エミのいとこであり、伝書鳩に詳しい人物）が登場する。

末尾は、次のとおり。

赤い縞《しま》の入ったセーターを着て、学生帽をお行儀悪く横っちょに曲げてかぶっています。

——不良みたいだわ……みどりはもう胸がドキドキしてきて、口がきけなくなりました。

「あの白鳩、君たちのものかい？」

「ええ、そうよ」

イサ子は、すました顔で答えました。

「ふうーん」

少年は自転車のハンドルをおさえていた手を放しました。

「ふうーん」

少年はもう一度、うなりました。昨日、エミがうなった時のように、しかつめらしい顔でした。

イサ子とみどりは、フルスピードで自転車を走り出させました（注6）。


この後、どんなドラマが展開するのか、気になるが、それはお楽しみということにしておく。

さて、この『さいたま　少年少女』創刊号（一九五三年四月）には、井野川潔の科学者物語「パスツールと二人の少年」が載っている。三段組みで四ページの短いものであるが、科学に執心していた井野川らしい作品である。

羊飼いの少年ジャンが、村長のペローに連れられて、パリのパスツールの病院へやって来る。犬に両腕をかまれたのである。

ジャンは六日ばかり前、六人の友だちと村の牧場で羊の番をしていた。その時、大きな犬が口からよだれを垂らしながらやって来た。今にも友だちの一人に襲いかかろうとした時、ジャンが前に進み出て犬と戦った。ジャンは木靴で犬を殴りつけた。そして、犬はぐったりと倒れた。しかし、ジャンは腕をひどくかまれた。そして、その犬が狂犬病だったので、ペロー村長はジャンを病院へ連れて来たのである。

病院には、ヨセフという少年がいた。彼は三ケ月ほど前に狂犬にかまれ、この病院で治療を受けた。ヨセフはお母さんに連れられて、この病院に来た。パスツール先生はヨセフのお母さんに言った、「わたしは犬やウサギやサルを使って実験しました。今までのところ、注射は成功しました。だが、人間に試したことはありません。人の命は大切ですから、少しの間違いでも許されません。」そう言って先生はなかなか承知しなかったが、お母さんは涙を流しながら、幾度も頼んだ。そこで、パスツールは友人の医師であるビュルビアン博士とグランシェー博士とに相談した。彼らはこう言った、「この少年は明らかに狂犬病にかかっている。君の方法で早く手当てをしてあげなさい。」そこで、パスツールは決心して、ヨセフに注射をした。十一日間、注射を続けた。そして、ヨセフはすっかり回復し、元気になった。

「君も、先生に注射していただくと、すぐよくなるよ。」

そう言われて、ジャンもパスツール先生の治療を受けた。そして、完全に回復した。

この簡易なパスツール伝は、どこまで内容に信憑性があるか定かでない。多少、作り話めいたところがある。しかし、科学に強く惹かれていた井野川の熱意が伝わってくる。

関口安義の『キューポラのある街　評伝早船ちよ』（二〇〇六年三月）には、井野川が「科学的な見方や科学性」に強く惹かれていたことを指摘している（同書一三七ページ参照）。

早船ちよはもともと、文学的感受性の鋭い面を持っていた。「ちよはもともと詩人の素質の強い作家である」と関口が言うのは、確かにそのとおりである。その彼女が井野川の影響を受けて、自分の小説や児童文学に「科学的な見方や科学性」を徐々に付加していったことは確かである。夫と妻は一緒に住んでいれば、このように影響を受けるのは自然であり、また、当然のことであるといえる。そして、井野川は科学技術史の研究に入っていく。

六

なお、その後の調査で分かったことだが、雑誌『さいたま　少年少女』は創刊号のみで終わった。いわゆる、一号雑誌である。資金面で無理が生じたらしい。残念である。

井野川はその後、一九六二年（昭和三十七）四月、雑誌『新児童文化』を創刊する。この雑誌は第七号（一九七〇年一月）から『子ども世界』と誌名を変更し、続いていく。さらに、『子ども世界』第十号（一九七二年十月）から、けやき書房の発行となる。けやき書房の代表は井野川潔・早船ちよ夫妻の長男である早船ぐみお（本名は茱萸生）が務めた。

こうして、井野川潔・早船ちよが埼玉県で蒔いた児童文化・児童文学の種は芽を出し、花を咲かせたのである。

注

（1）関口安義『キューポラのある街　評伝早船ちよ』（新日本出版社　二〇〇六年三月）八九ページ。
（2）花村奨「編集後記」『若草』第二十四巻第七号（寶文館　昭和二十四年七月）。
（3）早船ちよ「自作解説〈生活と作品〉」（『若草』第二十四巻第七号　寶文館　昭和二十四年七月）。
（4）早船ちよ「美しい五月の夜道に」『民芸通信』第四号（民芸通信の会　一九五一年五月）。
（5）早船ちよ「鳩と少女たち」『さいたま　少年少女』創刊号（埼玉児童教育協会　一九五三年四月）。

（6）前出（5）早船ちよ「鳩と少女たち」。

第五章　瀬田貞二についての講演

一　はじめに

瀬田貞二（一九一六～一九七九）を偲ぶ会は今年が二回めだそうです。今回は私に瀬田貞二さんのことにちなんで話をというご希望でしたので、喜んでこちらに参りました。

昨年は斎藤惇夫さんがお話をされたそうで、その内容を清流《せいりゅう》さんから聞きまして、とても稔りある話をしていただいたと思った次第です。斎藤さんのような、稔りある話ができるかどうか分かりませんが、私なりに考えていることを述べてみたいと思います。

今日は二つの大きな話をしようと思っております。前半は、瀬田貞二さんの生涯に関わることと、伝記と申しますか、それに類するようなことです。具体的に申しますと、俳句に打ち込んだ学生時代から、夜間中学の教師を経て、平凡社で『児童百科事典』を編集し、そして大きな仕事を為《な》し終えて平凡社を退社いたします。ここまでを中心に、瀬田貞二さんはどういう生涯を歩んできて、どんな考えを持っていて、児童文学にどんな思いを抱いていたのかを、お話したいと思います。

それから後半は、キーワードのような感じで、言葉をぽっぽっと挙げますが、まず「児童文学」ということ。それから「空想」ということ。三つめに「空想物語」。ファンタジーという言葉がありますが、それを翻訳して空想物語と瀬田さんは訳しておりますが、その空想物語ということについてです。四つめは「行って帰る」ということです。

これら四つの言葉をキーワードにして、瀬田貞二さんが児童文学をどういうふうに考えていたのかということを私なりに整理して、皆さんの参考資料になればいいなあと、そういう心づもりで後半の話をしたいと思っております。

二　生涯を四つの時期に分ける

伝記的な話は簡略にして、瀬田さんの生涯をまとめて述べてみます。一、二、三、四期と瀬田貞二さんの生涯を見て、このようにまとめました。

第一期は、瀬田貞二さんがお生まれになってから、充電期間の終わりまでです。年譜では、お生まれになってから、「一九四九年、平凡社入社」の前までを第一期とします。第二期は平凡社に入ってから、「一九五七年、平凡社を退社。」までです。平凡社を退社されてから、一九七五年、五十九歳までが第三期です。この時期は『指輪物語』の翻訳を完成されて、イギリスを中心に児童文学の舞台を巡る旅をします。そして、その後、すなわち、一九七五年以後が第四期です。

第一期は、私の言葉で言えば出発期です。これは、特徴としては四つあります。①デュラックのアラビアン・ナイトを見せてもらって、という絵本への開眼、②中村草田男との出会いによって、童話、メルヘンの文学に開眼し、それから、俳句に心血を注いだ。③が、夜間中学の国語教師として文学教育を実践した。④は、人生の充電期に外国の百科事典を読み、児童文化に尽くすことを決意した。これら四つが重要事項です。これが瀬田さんの出発期です。

第二期は、充実期の一です。充実期の一は、平凡社での児童文化の仕事、具体的には『児童百科事典』の完成、それから『北極星文庫』の企画と発刊。これらが充実期の一としての仕事です。

第三期は、充実期の二です。平凡社を退社してから、自宅で瀬田文庫を開設する。川村学園や青山学院女子短大などで、児童文学の講義をします。そして、大作の『指輪物語』の翻訳を完成する。これが第三期の大きな特徴です。

第四期は、晩年期と申しますか、そういうふうな言葉でまとめますと、これは幾つかのトピックがあります。まず、イギリスやドイツなど、児童文学の舞台を訪ねての旅行。それから、児童図書館の講座で話をする。日本の古い児童文化の発掘に向かう、ということがあります。

これは、瀬田さんが前々からお考えになっていたことなんですが、どうも外国の児童文学の翻訳や紹介の仕事ばかりをされて、日本の児童文化のことをお留守にしていたので、ここらあたりで日本の古い児童文化の発掘に向かい、盛んに力を尽くされました。これは晩年期の大きな特徴です。瀬田さんが亡くなられてから、『落穂ひろい』上下二巻の本（福音館書店　一九八二年四月）にまとめられております。体も少し悪くなりまして、ぼちぼち仕事をするという感じですが、古書店巡りをされたり、各地の文庫や美術館を訪ねている。そして、亡くなられるということであります。

大雑把に見ましても、一つ一つ節目をもって生きて来られた方ですから、瀬田貞二さんを通して日本の児童文学、児童文化を考えることが出来ると思います。

三　「児童文学」観

これからの話は「児童文学」ということ、それから「空想」ということ、それから「空想物語」つまりファンタジーのことですね。それから「行って帰る」ということ、この四つについてお話したいと思います。

「児童文学」という一番目のことですが、これにつきましては瀬田さんが編集・執筆された『児童百科事典』の「児童文学」という項目です。

「友だちとしての文学」という、ここです。これを確認することなんですが、「なにかお話をしてちょうだい！」というお話をせがむ子どもの声に応《こた》えることで児童文学は生まれてきたんだということ、これを私たちは忘れてはいけないと思います。

と申しますのは、この頃児童文学は一種のブームの感があります。つまり、昔は児童文学はあまり大人は読まなかった。ところが今の大学生はよく児童文学を読んでいます。私は埼玉大学で学生に卒業論文の指導をしておりますが、卒業論文に児童文学を取り上げる学生がたいへん多いんです。宮澤賢治はもとより、マザー・グースの研究、ファンタジーについての研究など、たくさんあります。ここに持ってきました、私の研究室で出している雑誌『言語と教育の研究』には「児童文学におけるファンタジーの研究」「北原白秋の童謡観」「民話の表現構造についての研究」等の抄録が載っています。これは私の大学にとどまらず、他の大学でも似たような状況だと思います。そして、お母さんやお父さん、親も児童文学を読むようになった。それはたいへん嬉しいことであり、児童文学は子どもだけが読むのではなく、大人も読むのは歓迎すべきことだ思います。

しかし、児童文学は大人が読んでもいいのですが、子どもが読まなくなって大人だけが読んでいるというのは、児童文学の形としては正常ではないと思います。

つまり、子ども不在ですね。子ども不在の児童文学というのはどうなんでしょうか。子どもも読んで、大人も一緒に読んでいける、そういう児童文学が理想ですから。瀬田さんのお書きになっている「お話をせがむ、子どもの声にこたえて」なんです。子どもが読む、子どもも読める児童文学というのを作っていかなければならない。大人だけの、自己陶酔しているような児童文学、または大人が書く、児童文学という名を借りただけの作品、これは好ましくない、本来の児童文学ではないと思います。そんなことがありまして、瀬田さんの「児童文学」という項目を再読しました。

四　「空想」について

二つめは空想ということです。これはその次に問題にします空想物語とも関係する大事なことですが、これもはっきり考えておきたい。つまり私たちは普段から、空想空想と言いますけれども、空想というのは一体どういうことを言うんだろう。空想をどういうふうに定義して考えるかということに興味があるんですが、瀬田さんが編集・執筆された『児童百科事典』によりますと、「空想」というのはこう書かれています。

いったい、空想は、願いから生まれた想像である。想像といえば、心に新しい考えやすがたを思いうかべることなのだから、古い思いにつながる〈記憶〉とはまったくちがうけれども、じつはそうした過去の経験をよびおこす記憶のはたらきがなければ、想像も生まれない。つまり記憶を材料にして、記憶を自由につなぎあわせ、新しく秩序づける働きが、想像なのだ。

想像というのはイマジネーションということですが、こう言っています。「願いから生まれた想像《イマジネーション》」、これが空想なんだというんです。似た言葉に「理想」、それから「妄想」、妄りに想うということですね、それから「空想」という三つの言葉、これらを並べて『児重百科事典』の記述は次のようになっています。

さて、空想は、理想のようにたかいめざしを持たなくてもよいし、妄想のようにうちつづくまちがいのなかに沈んでしまわないものだ。ただ、じっさいの時間や場所をのりこえて、思いのままに（むしろ、ねがいのままに）、自由となぐさめとをもってくる。

つまり、「空想」とは、「理想」のように高いものをめざして背伸びしていくものでないと。また、「妄想」のように、間違いの中に沈んでしまうこともない。「空想」とは、じっさいの時間や場所を乗り越えて、思いのままに自由と慰めとを運んでくるものだ、と言っています。瀬田さんらしい定義のしかただと思います。

「じっさいの時間や場所」という表現は、子ども用の、わかりやすい言葉を選んでいます。つまり、「じっさいの時間」は私たち大人の言葉でいうと、現実的な時間のことです。物理的な時間といってもいい。私たちは時計を持っていて、一秒、一分、一時間と時を刻んでゆきます。これは、何もしないで、ぼけっとしていてもどんどん過ぎていく時間です。これが物理的な時間です。私たちはこういう時間に慣れていて、毎日を生きているわけです。こういう時間を乗り越える、これが「空想」ということです。

「場所」ということも同じで、今ここで私は話をしていますが、この場所を越えてアフリカへ行ってみるとか、または月の世界へ行ってみる、それは別の場所です。現実的な時間や場所から離れる、これが「空想」ということです。当たり前だと言えば当たり前のことなんですが、これはだいじなことだと思います。これがどういう意義を持っているかは、「空想物語」のところでふれたいと思います。

それから、「想像」、つまり、イマジネーションですが、想像というのは、空想と関わってきます。「記憶を自由につなぎあわせ、新しく秩序づける働きが、想像なのだ。」と言っています。「想像《イマジネーション》」には、二つあるといっています。つまり、一つは受動的な想像、受け身的な想像です。もう一つは、能動的な想像です。だから、イマジネーションは受け身にもできるし、自分から作り出すこともできるんだ、と言っています。

「受動的な想像」を決して否定しない。けれども、「受動的な想像」だけにとどまっていると弱いといっています。だから、「受動的な想像」からしだいに「能動的な想像」に発展させるようにしたいと。

また、こういうことも言っています。「空想」の幅をどんどん拡げようと。ただ、「空想」はややもすると「妄想」に陥る。先程言いましたね。「うちつづく間違いの中に沈んでしまう」

と、「妄想」になると。被害妄想という時の妄想ですね。妄想に陥らないようにするためにはどうすればよいかといいますと、そこで必要とされるのは、「構成力」だと言っています。ものを構成する力。ものを新しく秩序づける働きが必要。それがないと、せっかくの「空想」は、「妄想」になってしまう。被害妄想の妄想になってしまうと言っています。

ここは大事なところで、アクセントを付けて読まねばならないと思います。というのは、この「構成力」が、瀬田さんの児童文学の重要な考え方になっていきます。児重文学作品の良し悪しを見分ける時、その作品がしっかりした構成力をもっているかどうかということなんです。これが「空想」という項目の中に入っておりますので、注意しておきたいと思います。

そして最後に、「正しく養われた空想の通行切符を持っていれば、子どもは道に迷うことがない」と述べています。

ところで、「構成力」が児童文学において大事だということを強調されているのは、三木清という哲学者からの影響ではないかと思います。三木清に『構想力の論理』という書物がありますす。これは、瀬田さんらの年代の人々がよく読んだ三木清の哲学書で、おそらく瀬田さんも読んでいたのではないかと思います。瀬田さんは「構成力」と言っていますが、それは三木清のいう「構想力」に近いものだろうと思います。

五　「空想物語」について

三つめは、空想物語ということです。これはもうここでお話するよりも、瀬田さんがいろんな所で説かれていることですから、事々しく申し上げることではないんです。「空想物語の必要なこと」という文章を『日本児童文学』という雑誌に書きまして、日本の児童文学はこれまで童話という言葉を使っていたけれども、童話という言葉は非常にあいまいである。だから、空想物語という言葉に言い替えた方が良いだろう、ということを提案するんです。

これは、非常に戦後の早い時期ですけれど、今日からみると、おそらく瀬田さんの一つの戦略だったと思うんです。つまり、童話というのは小川未明や新美南吉や宮澤賢治や、いろんな日本の児童文学の人達が使ってますね。巌谷小波なんかはおとぎ話と言っている。鈴木三重吉も童話と言っている。ところが、童話という言葉の定義は、分かるようで分からない、あいまいなものです。そこで、瀬田さんは、童話という言葉はやめて、空想物語という言葉を使おうと言ったんです。日本の児童文学の中心・中軸になるのは空想物語であるとはっきりデモンストレーションしたんです。日本の児童文学を空想物語、ファンタジーを中心にする、これが瀬田貞二さんの児童文学に対する考え方でしたから、そこで童話という大きな看板を即、空想物語というものに替えようとした。これは一つの戦略なんです。

と申しますのは、当時は生活童話とかいろんな童話の種類がありまして、千葉省三やいろんな人が書いてましたけど、どうもそういう日本の児童文学というのは非常に線が細い、日本の創作児童文学はこれまでいろいろ見てきたけれども、評価できるのは宮澤賢治ぐらいで、他はあまりたいしたものはない。貧弱である。だから、これから日本の創作児童文学に期待するとすれば、そういう生活童話やなんかのへなちょこなものでなくて、もっと骨太いものにしなければならない。そのためには童話という言葉をやめて、空想物語という言葉に替えてしまおうという戦略なんですね。

瀬田さんがそういうことを仰って、日本にも戦後、本格的な空想物語が出てくることになります。昭和三十年代に、佐藤さとるが書いたコロボックルのシリーズで『だれも知らない小さな国』（講談社）、それから、いぬいとみこの『木かげの家の小人たち』（福音館書店）があります。この二つによって日本の創作児童文学における空想物語のかなりしっかりした作品が出てきた。この線がずっと続いて、日本にも質の良い創作ファンタジーが生まれるようになれば、イギリス・フランス・アメリカ等のファンタジーに劣らないものが出てくるようになる。

瀬田さんは、こういう一つのレールを敷いたんです。『空想物語の必要なこと』という論文で。しかし、いぬいさんや佐藤さんの他に、たくさんの空想物語と称されるものが日本で書かれていますけれど、その二作を越えるような作品は、まだ現れていないようです。

小学校の国語の教科書にファンタジーと称される作品が載っています。しかし、こういう（※いぬい、佐藤の二作を示しながら）長篇のものではないんです。長篇では教科書に載りませんから。私は長篇のファンタジーをじっくり読ませた方が良いように思いますけれども、ファンタジーはこんなものだという例として、短篇のファンタジーが小学校の教科書に載っています。これはこれでいいと思うんです。長篇ではないがファンタジー作品の見本として有意義です。

例えば、あまんきみことという作家の書いた『白いぼうし』（学図、光村、日書などの各四年生用教科書に所収）という作品があります。これは子どもがかぶる白い帽子の中に入っていたチョウチョが女の子に変身して出てくるというファンタジーですが、これを子どもは面白がるんです。子どもはファンタジーの精神や面白さがよく分かるんです。分からないのは学校の先生なんです。「あの『白いぼうし』ってのは、どうも教えにくくて困ります。」というんです。「どうしてですか？」ときくと、「白い帽子をちょこっと動かして、見なかったりするうちに、その中でチョウチョが女の子に化けたりするのは、あれはどうしても信じられないし、あんな嘘のことを子どもに教えて良いものでしょうか？」と言う。

これは先程言った、瀬田貞二さんの空想という定義をもう一度噛み締めていただきたいと思うんです。学校の先生もそうですが、大人というのはやっぱりものの考え方が現実的になっているでしょ。だから、空想というのは有り得ないことと決めつけてしまうのです。時間というものを一つ取ってみましても、我々は現実的な時間というものに縛られています。実はもう一つの時間というものがあります。記憶とか、いろんな形で自分の心の中にもう一つの時間を持っている。それを私は内部的時間、または精神的な時間と言うんです。

例えば、ぼうっとしている時に二十年も昔のことを思いだしたりする、その時は自分を支配している時間が十年も二十年も遡《さかのぼ》って昔の時間になっているし、空間も今から飛んで行って、例えば今日のような暑い日であれば戦争を体験した人であれば、敗戦の時の自分の姿、例えば校庭にいた時の様子、というものを頭の中に浮かべるわけです。そこで想像力が働いているのですが、そういうことの価値が分からない。現実主義の中にいて、金が儲かるとか、時間がもったいないとかで、生きているんです。

大人になると段々ファンタジーからは縁遠くなるんですが、現実的な時間や場所を超えての思いに耽ったり、色んな事を考えたりする楽しさは、どこにあるかというと、やはり人間が生きているということなんです。人間の本質的なものなんです。それがないと、自分の精神的な豊かさも出てこない。現実主義の尺度からみれば、空想物語なんてものは何の役にも立たないものなんです。ところが一方、精神的な価値、自分はどうして生きているんだろうと、自分の仕事の悩み等にぶち当たったりした時に、空想することの意義や価値が新たに浮上してくるんです。

　こう考えてくると、我々人間の生きている世界の中の現実主義的なもの、それは別の言葉で言うと、物理的物質的なものです。そういうものの他に、もう一つ別の世界、つまり、精神的な世界があり、その世界で我々を支えているのが空想的なものなんです。ですから、それと現実的なものとがうまく調和のとれた時に、人間の生き生きとした姿が存在することになると思うのです。

　大人の方ならばそういうことを分かってもらって、空想物語に浸ってもらう。それをやってみると良いと思います。子どもはそんなことを考えないで、空想物語の中にさっと入って行きます。日々お忙しいお父さんやお母さん、また、仕事に忙しい学校の先生、皆さんも、たまには子どもの心になって、空想物語を読むことが必要ではないかと思いまして、その方面の読書をおススメします。

六　「行きて帰りし物語」について

四つめは、行って帰るということです。これは、瀬田貞二さんが『幼い子の文学』（中公新書）の中に述べられていることです。これは、児童文学の構造を考える上で、非常に大事なことだと思います。瀬田さんはこう述べています。

幼い、いちばん年下の子どもたちが喜ぶお話には、一つの形式というか、ごく単純な構造のパターンがあるんじゃなかろうかということを、このあいだうちからだいぶ考えていたもんですから、今日はそのことを話してみたいと思います。で、その構造上のパターンというのは、「行って帰る」ということにつきるのではないか、それがぼくが立てた仮説なんです。（＊中略）

人間というものは、たいがい、行って帰るもんだと思うんです。それは幼児体験のほうに行って戻ったり、さまざまあるでしょうが、小さい子どもの場合は、単純に、自分の体を動かして行って帰るという動作がとても多いわけですね。子どもの遊びを見ても、「花いちもんめ」なんて、こうずっと寄って行っては帰ってくる。そういう型のものが、単純な遊びのなかにはずいぶんあるように思います。

そんなふうに、しょっちゅう体を動かして、行って帰ることをくり返している小さい子どもたちにとって、その発達しようとする頭脳や感情の働きに即した、いちばん受け入れやすい形のお話ということになりますと、ただ一つの所でじっとしているんじゃ、こりゃ話になりません。とにかく何かする、友だちの所へ行ったり冒険したりする。そしてまた帰ってくる。そういう仕組みの話を好むのは、当然じゃないでしょうか。（＊引用は中公新書『幼い子の文学』六〜七ページ）

こう言って、マージョリー・フラックの『アンガスとあひる』（福音館書店）とか、いろんな例を出して、行って帰るという児童文学の基本的な表現構造について、お話をなさってます。これはどういうふうに私たちの分野で応用できるかというと、私たちが子どもに向かって話をする時です。その時にやはりこういう形で、行って帰るという構成を頭の中に浮かべながら子どもたちに話をするのと、そうじゃなくて話をするのとでは違うということです。子どもがお話を聞いていて不安になったり、ちっとも面白くないという顔をしたりするのは、このような話の構成を意識していないからだと思うんです。

瀬田さんがおっしゃっていますが、お話というのはただ一つの所でじっとしているのじゃ話にはならない、確かにそうです。動いていきますね。そうすると子どもは目を輝かせて耳を傾けてきます。だんだんと話が展開していきます、いろいろな冒険や事件が続いて、主人公がピンチに陥ったりして、ずーっと続いて行きます。それで、聞いている人間がハラハラドキドキするんです。ハラハラドキドキさせなければ子どもは満足しません。しかし、ハラハラドキドキして、それで終わりなのかというと、そうじゃなくて、また最初の安全地帯へ戻って来て、すーっと気持ちが落ち着く。心が安らかになって終わります。

日本の昔話で例えば『浦島太郎』の話です。太郎は亀に乗って竜宮城へ行きます。竜宮城は人間世界と違う異次元の世界です。

昔の人は、海の中にそういう世界を空想でこしらえたんです。そこで太郎は乙姫さまに会って、御馳走してもらって、鯛やヒラメの舞い踊りを見て、楽しんで、そこで話が終わったら、どうでしょうか。話としては面白くないんです。その異次元世界から現実の世界に戻って来ないと、どうも話が終わらない気がします。どこか遠くへ行ったら、後には必ず戻ってくる。だから、太郎は元の海岸に戻って来ます。すると、昔知っていた人もいないし、村の様子も前と、ずいぶん変わっている。それで太郎は寂しくなって、ついに、もらってきた玉手箱を開ける。すると、不思議な煙が舞い上がり、太郎には白い髯が生え、太郎はたちまち、お爺さんになってしまった。これは確かに、空間的には元に戻るお話ですが、時間的には元に戻らない。だから、「浦島太郎」の話は単純でない。子どものお話では「行って帰る」はたいてい、空間的なことに限定されています。だから、子どもは振出しに戻って、めでたしめでたしなのです。なぜなら、主人公の子どもは浦島太郎のように、玉手箱を開けてお爺さんになるというような目にあわない。子どもは振出しに戻っても、相変わらず、子どものままですから。そこが、言ってみれば、「浦島太郎」が単純に子ども向きの話だとは言えない根拠だと思います。

日本にも「行って帰る」という構造の昔話はあるわけでして、そんなことを我々、子どもに話をする職業にある人間は、考えていなけりゃいけない。それから、話を作る人も当然そのことを考えていなければならない。大人は児童文学を子どもと同じように読んで、楽しむ。そのことは大事なことだが、たまにはこの作品はどんな構造になっているのかと考えてみるのも面白いと思います。

C・S・ルイスの作品『ナルニア国ものがたり』(岩波書店)があります。これは瀬田さんの翻訳された大きな作品で、全部で七巻あります。これを私も読みました。子どもにもいろいろ感想を聞いています。そうすると印象に残っているのは、それぞれ違いますけれども、最大公約数の印象でわたくしの記憶に残っているのは、次のところです。

一番末っ子のルーシーという女の子が、家の中できょうだいと、かくれんぼをして遊びます。彼女は一人で洋服簞笥の中に隠れる。すると、毛皮のコートやいろんな服がぶら下がっています。子どもですから、やっぱり洋服簞笥の中の天井が高く見える。一軒の家に入ったような感じになりまして、そこで隠れる場所を探すのですが、普通の洋服簞笥ですと仕切りがあるのですが、それがいつの間にかずーっと繋がっていて、ずっと壁が無くて奥へ奥へと入って行けるのです。そして、ふと気がつくと、ガス灯の点《とも》っている道に出てしまった。

挿絵にはガス灯があって、そこに雪が降っている。つまり、そこが不思議の国、ナルニア国の入り口なんです。そこの部分を子どもは、ひじょうによく覚えている。いつも、子どもに聞くと、ガス灯の道のあそこの所を覚えている、と言うんです。

また、作品の最後もそうなんです。今度はルーシーだけでなくて、そのきょうだいや親戚の子や友人たちがナルニア国でいろんな冒険や経験をして、戻ってくるんです。その時に、どこに行くかというと、最終的には洋服簞笥の中に戻って来るんですが、ガス灯の点《つ》いているところの道に、まず出るんです。そうすると読者は、ああこれでいよいよ終わりだなと、いろいろ楽しい冒険や旅行をしてきたけれども、終着駅に近づいたと思って、ほっと胸を撫で下ろす。そして、充実した気持ちになって、本を閉じます。

ファンタジーの作品だけじゃありませんが、児童文学がもっている基本的な構造は、人間の精神的なものと関わっているんじゃないかと思うんです。文学作品は、平坦な道をどこまでも、とことこと歩いていくというようでは、これは文学ではないわけで、お話（語り物）だってそうですが、子どもは面白くありません。私たち大人だって面白くないです。はじめは平坦な道を歩いて行きますが、途中から凸凹《でこぼこ》道に入ったり脇道にそれたり、草ぼうぼうの道に入ったりする。恐いけれども、おそるおそるそこへ入っていく。そういう所があるから、文学なので、そこをくぐり抜けて行ったらどうなるかというと、最後はまた、振出しに戻る。

大人の小説ですと、明確な終わりが無くて、夏目漱石の『それから』や正宗白鳥の『泥人形』なども、これから先、主人公がどうなるか分からない。それで読者は何かもの足りないというか、そういう感じで本を閉じてしまう。そういう作品が多くありますが、児童文学にはそういう作品であってはならないんだと思います。やはり、「行って帰る」という構造を持っている必要がある。それで、読者に心の安定感や安心感がもたらされる。そこが児童文学の基本的な特徴なんです。

しかし、近年の児童文学では、読者が子どもとは限らなくなった。それで、このような基本的なことも崩れてきました。すなわち、大人の小説のような構成で書かれた作品が出現しています。わたくしはそれはそれで、けっこうではないかと考えます。天国に行かれた瀬田さんからは文句を言われるかもしれませんが、時代の流れの必然と見ています。

これからもいろいろな児童文学が書かれていくと思いますが、殊に幼年向きの児童文学、瀬田さんの言葉を借りると、「幼い子の文学」は、やはり、「行って帰る」という構成を意識したほうがよろしいのではないでしょうか。瀬田貞二さんはそれを「僕の立てた仮説なんです」と謙遜しながら述べておられますが、この際、再確認しておいてよいことじゃないかと思いまして取り上げました。

以上、四つのキーワードを掲げまして、瀬田さんの文学観と関わるかたちで、お話をさせていただきました。長い間のご静聴、ありがとうございました。

＊「第二回　瀬田貞二を偲ぶ会」が一九八八年（昭和六十三）八月二十一日（日曜日）、姫路市の正福寺本堂であり、わたくしはそこで「瀬田貞二——児童文学に寄せる思い」と題して講演を行った。本稿はその記録の一部である。

第三部　現代日本児童文学への窓

第一章　太田博也

一

埼玉県の童話作家としてよく知られているのは、石井桃子や打木村治であるが、ここではわたくしのよく知っていた太田博也《おおたひろや》について述べることにする。

太田博也は自身、小川未明の弟子だという。はたして本当であるかどうか定かでないが、太田自身がそう思っていたのは間違いがない。しかし、作風が似ているかどうかなど、検証したことがない。なにしろ、わたくしは太田によく会っていたから、目の前にいる太田自身に興味があった（注1）。

わたくしが太田博也の名を初めて知ったのは、埼玉県立菖蒲高等学校新聞の古い号である。わたくしは一年間、この高校に勤めたことがあり、その時、たまたま高校の図書館で、この新聞を読み、そこに短いエッセイを寄せていた太田を知ったのである。同僚の国語科教員の話では、太田はその時（昭和の太平洋戦争後）しばらく、菖蒲町に住んでいて、その後、久喜に移ったとのことである。

それから、わたくしは太田の住所をいろいろ探したが、案外、近くに住んでいることがわかり、彼としばしば会うことができた。ある時は、駅の雑踏の中で、また、ある時は、八雲結婚式場のロビーで、また、こちらから彼の宅を訪ねたこともある。

太田博也の印象は、きわめて神経が細かい、ということに尽きる。絶えず戦慄している小児のようである。大人としての太田に、こちらが大人として対応しようとすると、太田は狷介《けんかい》そのものである。しかし、こちらが子どもとして接しようとすると、太田はとたんに、愉快な仲間となる。太田は大人になっていても、みずみずしい子ども性を、自分の体内に持ち続けている。

彼はアンナ教の哲学に凝ったり、刑囚友の会の仕事（受刑者救済の仕事）を精力的に推し進めたりしている。一方は観念的神秘的な、それこそ天空を翔《かけ》るような高遠な仕事であり、他方はどろどろした厳しい現実的な仕事である。この二つを一人の人間が統一して行っていることが不思議に思われる。

児童文学作家としての彼の仕事も、このような不思議さの中においてのみ、了解できる。彼の作品はよく、「無国籍童話」と評される。それは日本という狭い領域内での話ではなく、もっと広がりのある、自由な世界をもった作品という意味である。例えば宮澤賢治の作品も、同じような意味で「無国籍童話」と呼ぶことができる。

「無国籍童話」というと、作者が自身の生きている現実生活を無視しているかのように受けとめる人もいる。しかし、そうではない。彼らは自身の生きている現実生活を鋭く見つめ、その問題点を鋭く感じ取っている。ただ、その感じ取ったことや見たことを単純素朴なリアリズムで描こうとはしないのである。この点、宮澤賢治も太田博也も共通している。

それでは、「無国籍童話」は創作方法だけの違いなのだろうか。いや、そうではあるまい。方法の違いだけではなく、作者の世界観や人生観が関与している。今、ここでそれを詳しく述べることはできないが、そう指摘するにとどめておく。

「無国籍童話」と言われつつ、宮澤賢治と太田博也とに違いはないのであろうか。宮澤賢治の作品は無国籍童話でありつつ、ファンタジーの要素が濃い。それに対して太田博也の作品は無国籍童話でありつつ、寓話の要素が濃い。

以下、太田博也の作品に限定して述べる。太田の作品で無国籍童話と呼べるのは、『ドン氏の行列』（文昭社　昭和十六年七月）『ポリコの町』（小峰書店　昭和二十三年十一月）などである。

太田の長篇童話に『風ぐるま』（福音館書店　昭和二十八年）がある。これは無国籍童話ではないが、寓話の要素が濃い作品である。そして、この『風ぐるま』はどちらかというと、「生活童話」と見なされるところがある。風ぐるまを持って走っている二人の少年、啓一と達夫、この二人が板塀の曲がり角で正面衝突した。達夫の風ぐるまの芯棒が啓一の眼に突き刺さり、啓一は手術を受けることになる。啓一の容態はその後も手術をくり返し、そのたびに暗い方へ暗い方へと進んでいく。そして啓一はついに、失明する。このようなショッキングなドラマである。読者は啓一のこの不幸に涙し、彼の父と母に深い同情の念を寄せる。

　啓一とその両親は相手を告発することなく、許す。暗澹たる現実が存在するにもかかわらず、相手を責めずに許すというところに「ある明るさ」が包まれている。感動的な物語である。しかし、この作品の背後には宗教的な信念（キリスト教的な考え方）が潜んでいるとして、警戒する読者も存在する。宗教的な信念といえば、宮澤賢治の法華経信仰を連想する。外国では『黒《ブラ》馬物語《ック・ビューティー》』の作者シュウエルのキリスト教信仰もある。だが、そのような穿った見方で文学作品を見るのはよした方がいい。

　不幸な状況の中に在ってもなお失わぬ希望や、決して隣人を憎まないとする愛について、読者に考えてもらおうとする意図が太田に在ったのかもしれないが、作者の独りよがりと見られる抽象論や冗漫な叙述は、批判されても仕方がない。これは太田の弱点である。それに比べると宮澤賢治における現実処理の方法は見事である。賢治の作品『なめとこ山の熊』は自己犠牲と約束の堅さをモチーフとしているが、そのモチーフが作品の前面に出てこない。作者は物語世界を淡々と語るだけである。こうした作者自身の自己抑制が太田博也にも欲しかった。『ドン氏の行列』や『ポリコの町』では、語りの方法において個性的である。このような系列の作品で太田の「無国籍童話」の新しい世界が開けるのではなかろうか（注2）。

二

太田博也は昭和戦後の一時期、埼玉県の菖蒲町に住んでいた。近年、見ることのできた彼の著書『白い羽の記』（正統社　昭和二十五年五月）の扉（＊はしがき）に、次のように書いてある。

拝啓　おかわりありませんか。白い羽の記一冊お送りしました。ある少年と少女の話ですが、ぜひ大人の方にも読んでいただきたく思っています。大人の方は小説として、年少の方は童話として、この一冊を共通させて下さい。今は夕方、風が吹き出しました。
白い羽ひらひら。六ろべえからもよろしく申しました。敬具
南埼玉、小林村の正眼寺禅堂にて　　博也

ここに出てくる正眼寺というのは、実際に存在するお寺で、南埼玉郡菖蒲町小林四三三九の正眼寺である。野通川のほとりにある禅宗の寺である。

なお、太田の作品『ポリコの町』（小峰書店　昭和二十三年十一月）の「あとがき」にも「正眼寺」の名が出てくるから、太田はここにしばらく住み、静かにものを考え、執筆を行ったらしい。そして、この二つの作品（『ポリコの町』と『白い羽の記』）には、いずれも菖蒲町を思い出させる要素が潜んでいる。

まず『ポリコの町』から見ていこう。洗濯屋のチラチャッパが町長であるグルップの燕尾服を洗濯中に、うっかり穴を開けてしまう。しかも、それは燕尾服の背中の真ん中であるため、直しが効かない。このことでチラチャッパはたくさんのお客を失ってしまう。ポリコの町の人たちはそれから、チラチャッパの所には行かず、ポラテック洗濯店に行く。失意の時を過ごすチラチャッパだが、ある日のこと、何気なく拾った金の匙《さじ》（スプーン）の中から不思議な娘と五匹の牛が現れて、彼を励ます。それからチラチャッパは思い切って洗濯屋を閉じ、以前から得意であったパンづくりを商売にする。渦巻きパンの製造である。これが大当たりして、毎日たくさんのお客がやってくる。そして、県庁備え付けの「町名簿」から除外されそうな目立たない町である「ポリコの町」が、この特産物「渦巻きパン」で一躍、有名になる。そして、サンボルンボ県の知事が秘書官を連れて、試食にやって来る。彼らが泊まったホテルで、秘書官は知事の大切な燕尾服の背中にうっかり、穴を開けてしまう。秘書官はそれを知事に気づかれぬように四苦八苦するが、ポリコの人たちにはわかってしまい、皆は大笑い。彼らはいそいそと車に乗り込み、県庁に帰った。

この話はもちろんフィクションであるが、ここに出てくる「ポリコの町」のモデルは菖蒲町のように思える。県庁備え付けの「町名簿」から除外されそうな目立たない町という描き方が、なるほどと思える。菖蒲町は東北線（※現在は宇都宮線）と高崎線との間にはさまっている。その昔、「陸の孤島」と呼ばれた不便なところであり、自動車が無ければ行くのに困難な土地であった。そういう町での不思議な出来事として太田はこの作品を描いたのである。

児童文学研究者の滑川道夫はこの作品について、登場人物がみな「軽妙に、喜劇的に明るくふるまう人間として描き出されている」が、「にもかかわらず、これらの人間ひとりびとりが、慰められなければならない孤独な影をもって登場している」（「仮象に托す真実の追求」一九八三年三月刊『日本キリスト教児童文学全集9　太田博也集　ポリコの町』「月報Ⅴ」所収）と述べている。

もう一つの作品『白い羽の記』を見てみよう。これは次のような作品である。六ろべえという、勉強はできないが、気立てのよい少年がいる。彼はいつも白いエプロンをかけさせられて家の仕事をさせられている。家の仕事は、掃除と洗濯である。クラスのみんなは、そんな彼をからかい、バカにする。その中で、二六《にろく》という名の少年は六ろべえの家庭の事情をよく理解し、それを級友の陽子に話す。六ろべえに対する級友たちの理解がだんだん深まってきたところで小学校卒業となる。卒業後は、皆てんでんばらばらとなる。戦前の小学校のことだから、中学校は義務制ではない。小学校尋常科（六年制）を終えた後、小学校高等科に進む者もあれば、女学校に進む者もいた。二六は高等科に進み、陽子は女学校に進んだ。二人がばったり出会って、六ろべえのことについて話をする。

六ろべえは小学校尋常科を卒業した後、A町の理髪店で働き、住込みの見習いをしているという。そのことを二六から教えられた陽子はびっくりする。さらに、今まで知らなかった六ろべえの苦しみを陽子は知る。六ろべえにとって、かつて「屈辱のしるし」であった「白いエプロン」を今は「仕事着」に変えていったわけである。そんな六ろべえに感激し、陽子はひそかに彼の働くスズラン理髪店に行く。彼女はその時、女学校卒業後の進路で悩んでいた。勉強一筋でこれまで過ごしてきた彼女には、社会に出て働くということに対して不安ばかりであった。

陽子は六ろべえに髪をバッサリと切ってもらう。そして、これまでの自分と訣別し、新しい自分の姿を作りつつあった。すなわち、彼女は一心に働く六ろべえの姿に啓発され、女学校卒業後の進路を彼女なりに自己決定することができたのである。こうして、六ろべえは我知らず、友人に生きる勇気や自己決定の力を与えることができた。

ところで、この作品『白い羽の記』に出てくる場所で、わたくしの気になった場所がある。

それは、「ゲンゴ池」である。これはどうも、ゲンゴロウ池というのが正確ではないかとも思うが、作品ではゲンゴ池となっているので、このままで述べることにする。

菖蒲町にじっさい、ゲンゴ池という池が存在するのかどうか確かめたことはないが、菖蒲町にはあちこちに、池のような場所がある。作者の太田博也はそれらを眺めているうちに、自然にそれらを作中に取り入れるようになったのではなかろうか。

「ちんじゅさまの裏のゲンゴ池」に六ろべえは、二六や自分の妹（エイ子）や弟と連れだって魚採りに出かけていく。「ひるまから、夕方みたいに薄暗くて、ほとんど人の通らぬ竹やぶ道を少し行くと、まもなく、両がわが桑畑になって、いきなりパッと明るくなり、……」とあり、菖蒲町の自然を実によく描写している。

そして、作品のクライマックスに、このゲンゴ池が使われている。六ろべえが夜、とつぜん家を飛び出し、行方不明となる。読者がハラハラする場面である。六ろべえはいったい、どうしたのであろう？

村の人々が総出で、探し求める。

彼は、やがて発見される。彼は何と、ゲンゴ池のそばに、「白いねまきのまま」たたずんでいた。これは作品ではいともサラリと書かれているが、読者には六ろべえの危機、つまり、自殺未遂を意味している。積もり積もった苦悩に、さすがの六ろべえも破滅寸前だったのである。

ここでわたくしが思い起こすのは、太田博也が語った太宰治のことである。太田はわたくしによく、太宰のことを話した。太宰が小金井公園近くの玉川上水に女性と共に身を投げたのは一九四八年（昭和二十三）六月のことである。

作品『白い羽の記』のこの場面は、家庭的に恵まれない少年の苦悩と不安が、六ろべえと太田博也、そして太宰治の三者の複合体となって表現されているようにも感じられる。

ともあれ、作品の中で六ろべえは、死に至ることはなく、生の現実に還る。

六ろべえは、滑川の言うように「慰められなければならない孤独な影」（前出「仮象に托す真実の追求」）を背負いつつ、自死寸前にまで自分の思いを突き詰めていき、そこから帰還した人間のやさしさを秘めている。わたくしには、そのように思われた（注3）。

注

（1）太田博也は大正六年（一九一七）、東京に生まれた。

（2）太田博也の作品は、『少年少女日本文学全集13　太田博也　那須辰造　福田清人』（講談社　一九七七年二月）、『日本キリスト教児童文学全集9　太田博也集　ポリコの町』（教文館　一九八三年三月）で読むことができる。前者の解説は滑川道夫、後者の解説は高堂要。

（3）太田博也についての論考は滑川道夫や高堂要の他に、乙骨淑子に幾つかある。わたくしが見たのは「太田博也小論——風ぐるまを中心にして——」（『日本児童文学』一九五八年六月号）と「児童文学・人と作品第39回　太田博也」（『週刊読書人』第六九二号　一九六七年九月十八日）の二篇である。

附記

この稿の「二」の初出は『埼玉新聞』一九八九年十月二十四日、文芸欄。初出タイトルは「太田博也の文学世界――菖蒲町にゆかりのある二作品」。本稿は初出原稿に加筆した。

第二章　西沢正太郎

西沢正太郎の肖像
――「ぶっちゃきとあんこだま」『野っぱらクラス』『グーの花　パーの花』――

一

西沢正太郎は一九二三年（大正十二）一月、埼玉県武蔵《むさし》町（現在、入間市）の農家に生まれた。一九四三年（昭和十六）、中央大学の法学科を卒業。間もなく召集を受け、防空兵となる。戦後は会社に勤めたのち、小学校教員となる。日本児童文芸家協会、日本児童文学者協会、ジュニア・ノンフィクション協会などに所属。

作家を志すようになったのは戦後であり、主に福田清人の指導を受けた。同人誌『文芸首都』『文学生活』等に所属して小説の勉強を積んだのち、児童文学の筆を執るようになった。

講談社児童文学作品募集第二回（一九六一年・昭和三十六）に「プリズム村誕生」を応募し、入選。以後、「青いスクラム」で第十五回小学館文学賞を受賞。その後も多くの作品を発表している。

戦時下の体験、及び、戦後の様々な職業体験、さらに、小学校教員としての子どもたちとの交流など、西沢文学には素材の豊富なことが第一の特色である。また、様々な職業体験に基づく「苦労人」としての粘り強さと誠実さが作品に滲み出ている。それが彼の文学の第二の特色である。

表現には所々大まかなところがあり、緻密さに欠けるという批判がある。しかし、わたくしにはそうは感じられない。一分の隙もないような緻密な表現よりも、勘所（要所）をきちんと押さえているので、子ども読者にはかえって読みやすく、わかりやすいのである。

人生経験が豊富であり、苦労人であることとも関係するが、彼の作品には私小説的な要素が多いように見受けられる。私小説的な要素によりかかりすぎると、作品が平板化する。しかし、西沢作品にはそのような平板化は見られない。それは、いったい、なぜなのだろう。

いろいろと考えてみたが、それは西沢作品には大きなロマンが潜んでいるからだろう。ロマンとは、すなわち、夢や理想である。このロマンが作品の各所にちりばめられている。だから、彼の作品は、読んでいて、どこまで行っても平板化しない。

二

西沢の作品に、「ぶっちゃきとあんこだま」と題する小品がある。日本児童文学者協会編『わすれられない友だち』（偕成社　一九七四年三月）所収の一篇である。この作品は昭和初年の子どもたちの遊びと小学校の様子を丁寧に描き出している。

ぼくの友だちタケイくんが教えてくれた遊びが、ぶっちゃきである。どんな遊びかというと、それは川で大きな石を魚の潜んでいそうな石にぶっつけ、びっくりして飛び出してきた魚を捕まえるというもの。このぶっちゃき遊びの面白さ、楽しさが過不足なく描かれている。また、もう一つの遊びは、くじひき。これは、ぼくがタケイくんを楽しませようとして、くじひきに連れていくこと。ぼくは目のよく見えないばあさんに、いつわって「一等だ」と言って一番大きな「あんこだま」をせしめてしまう。あまり褒められるような話ではないが、子どもらしい悪ふざけ（いたずら）が正直に描かれている。

ところで、この話「ぶっちゃきとあんこだま」には、他にこんな事件が描かれている。それは学校で子どもたち同士の大げんかがあり、けんかをしていたタケイくんが、仲裁に入ったナカムラ先生に耳を引っ張られ、耳たぶが切れてしまうという事件である。今なら、先生の介入が良かったのか、正しかったのかが、議論になるような出来事である。しかし、この話はなにしろ短篇なので、深入りせずに幕を閉じてしまっている。物足りない感じは否めないが、それでも学校教員の児童への対応の問題として今日から見ると、強く印象に残る場面である。

西沢正太郎の作品といえば、記憶に深く残る作品は長篇『野っぱらクラス』（盛光社一九六九年・昭和四十四年五月）。これは高度に機械化が進みすぎた文明社会への批判が基調になっていると、わたくしは見た。

舞台は、野っぱら、つまり、原っぱであり、そこを子どもたちは「ジョオンバーラ」と呼ぶ。異国の名のようであるが、ヒメジョオンやハルジョオンという野花が咲き乱れる、美しく、かつ、たくましい野原である。

野っぱらに集まる子どもたちの代表は、村山六《ろく》という男の子と、佐川スカ子という女の子。彼らは野っぱらにすむカブトムシを守ったり、与作じいさんの話を聞いたりして、貴重な自然が破壊されるのを防ごうとしている。初めは彼らに協力的でなかった寺井ノブオは、教育ママである母親に反抗して、ついに六やスカ子の仲間になる。

与作じいさんはある日、ばったりと倒れて、そのまま回復することなく、死んでしまう。だが、じいさんの思いはしっかりと、六やスカ子に受け継がれていく。

野っぱらの子どもたちはアルバイトでお金を貯める。そして、そのお金で「塔ノ峰」へキャンプに出かける。このように、野っぱらの子どもたちは、ヴァイタリティ（活力）にあふれている。作品『野っぱらクラス』は、活力にあふれる一九七〇年代の日本の子どもたちを描き出して、特色を発揮した。

三

一九八〇年に入って西沢正太郎は『グーの花　パーの花』（太平出版社　一九八〇年八月）を刊行する。西沢、五十七歳のときの作品である。

小学三年生で、「おてんばねえちゃん」といわれているクミ、「あまえんぼう」といわれているろっくん（六郎。クミの弟）、やさしくてロマンの心がある「おとうさん」（クミと六郎の父）、この三者がくり広げる、現実と非現実との交錯する話。

クミとろっくんのケンカの仲裁に入ったおとうさんは夜、懐中電灯をクミに持たせ、グーの花を見に行く。すると、どこかから、スズメガ（＊スズメ蛾）のヘリコプターが飛んできて、グーの花の芯《しん》にもぐりこむ。すると、グーの花は急いでパーの花に変わっていった。皆さんは、グー、チョキ、パーって、知っているよね。でも、ここでは、グーとパーだけ。そして、種明かしをすると、「グーの花」「パーの花」っていうのは、カラスウリのこと。

何だ！　こんなことかって思うかもしれないけれど、これは作者の西沢によれば、子どもたちのジャンケンポン遊びから思いついた作品だそうだ。

この後も西沢正太郎は、旺盛な創作活動を続けていく。彼は幼児や小学校低学年の読者に向けた作品も書ける作家である。また、リアリズムのみならず、ファンタジックな作品も書ける作家である。今後の西沢の活躍に大いに期待する。

第三章　安藤美紀夫

安藤美紀夫論――『その旗をまもれ』と『プチコット　村へ行く』――

一

安藤美紀夫（＊本名、安藤一郎）の一九六六年（昭和四十一）から一九七九年（昭和五十四）までの作品、しかも、北海道を舞台とした作品について考察してみる。

安藤美紀夫の作品に関して、わたくしはそれまで『でんでんむしの競馬』（一九七二年）『七人めのいとこ』（一九八二年）『白いリス』（一九六二年）を読んできたが、今一つこの作家の特徴が見えなかった。もちろん、イタリア児童文学の翻訳や研究で卓越した仕事を成し遂げていることは知っていたが、日本語作家としての安藤についてはあまり知らなかった。それがあるとき、機会を得て『ポイヤウンベ物語』（一九六六年）等の北海道を舞台とした作品を読むことになり、この作家の北海道への強い親近感を知った。

本稿で取り上げる作品は、前述したように一九六六年（昭和四十一）から一九七九年（昭和五十四）までの作品である。具体的に言うと、『ポイヤウンベ物語』（一九六六年）『プチコット村へいく』（一九六九年）『その旗をまもれ』（一九六九年）『タケルとサチの森』（一九七三年）『日のかみさまともんれま』（一九七七年）『若い神たちの森』（一九七九年）の六作品である。

二

安藤美紀夫は『若い神たちの森』の「あとがき」で、次のように記している。

私は京都で生まれ、京都で育ちましたが、大学を出たとたん、どういう風の吹きまわしか、北海道へ行きました。一九五四年のことですから、もうずいぶん前のことになります。落ちついたさきは、網走郡津別町といって、ごくおおざっぱにいえば、札幌などとは遠くはなれた、オホーツク海に近いところでした（注1）。

わたくしは京都には詳しいが北海道には行ったことがないので、地図で調べた。網走郡津別町というのは阿寒湖に近い。北見市などにも近い。だが、作品『その旗をまもれ』等に出てくる自衛隊演習場のモデルとなった矢臼別演習場は厚岸町であり、根室市の方である。そして、網走地方は釧路地方や根室地方に近い。網走郡津別町から自動車で行けば、厚岸町の矢臼別演習場は、それほど遠くはないのだろう。

そして今、この辺の土地の様子は安藤が住んでいた頃とは、ずいぶん違っているだろうと思う。安藤は一九五四年、京都大学文学部のイタリア文学科を卒業し、北海道の津別高校に英語教師として着任した。その後、一九六四年、北見北斗高校に転任する。そして一九七二年、北海道から東京の東大和市に移住し、日本女子大学児童学科の講師となった。

すなわち、安藤は一九五四年から約十八年、北海道で過ごしたことになる。その間、彼は何をしていたのだろうか。

高校の英語教員の他に、翻訳や創作の仕事をしたことはもちろん、「教育状況が保守化していくなか、組合運動にも精力的にかかわった」(注2)と彼の息子直樹が記している。

一九五四年から一九七二年の間、日本には次のことがあった。

◉一九五四年(昭和二十九)

一月　中教審が「教育の政治的中立維持」に関して答申
三月　文部省が「偏向教育」の事例を衆議院文部委員会に提出
六月　学校給食法の公布
十一月　防衛庁が少年自衛隊員募集開始

◉一九五五年（昭和三十）
八月　日本民主党が「うれうべき教科書の問題」を発行

◉一九五六年（昭和三十一）
一月　教育委員の公選廃止などを自民党文教制度調査特別委員会が発表
六月　参議院で警官五百人を導入して、地教行政法（＊「地方教育行政の組織および運営に関する法律案」）を強行採決。文教委員長は中間報告のみであった。なお、同時に採決しようとした二つの法案（「教科書法案」と「臨時教育制度審議会設置法案」）は審議未了で廃案。
十月　任命制の教育委員会が発足
十月　教科書調査官を新設

◉一九五七年（昭和三十二）
十月　愛媛県教育委員会が教員の勤務評定を実施

十二月　文部省が省令改正により、教頭を職制化する。
十二月　公立学校教職員の勤務評定試案を全国都道府県教育委員長協議会で了承
十二月　日教組が勤務評定反対の闘争を強化

◉一九五八年（昭和三十三）
三月　文部省、小中学校で行う「道徳」の実施要項を通達。
五月　公立の小中学校での一学級定員を五〇人とする
九月　警官隊に守られて道徳教育指導者講習会を東京で開く（以後、仙台・奈良で）
十一月　文部省の初等中等教育局に教科調査官・視学委員（非常勤）を新設

◉一九五九年（昭和三十四）
十月　教育白書として「わが国の教育水準」を発行

◉一九六〇年（昭和三十五）
四月～七月　新安保条約反対のデモが各地に起こる。東大の学生樺美智子が死亡（六月）。
十一月　遠山啓・銀林浩が水道方式による数学教育の現代化を提唱

◉一九六一年（昭和三十六）
四月　高校生急増対策の計画を発表。一九七〇年度までに全日制高校を二〇〇校増設。
十月　全国一斉学力テスト。中学二、三年生全員が対象。
十一月　高校生急増対策法を公布
十一月　児童扶養手当法を公布。貧困母子家庭の子どもに月八〇〇円を支給。

◉一九六二年（昭和三十七）
四月　高等専門学校を設置。五年制で国立十二校、公私立七校が開校。いずれも工業高等専門学校。
十月　経済審議会が「人的能力政策の基本的方向」に関する答申案を決定
十一月　教育白書として「日本の成長と教育」を発行

◉一九六三年（昭和三十八）
五月　厚生省が初めての児童福祉白書を発行
十二月　公立の小中学校での一学級定員を四五人とする（※一九五八年五月の五〇人を改訂）
十二月　教科書無償措置法を公布。無償と同時に、広域採択制などを規定した。

◉一九六四年（昭和三十九）
一月　養護学校の設置を各都道府県に要請。特殊教育振興方策による。

四月　文部省が家庭教育資料の第一集として『子どもの成長と家庭』を刊行
七月　教育職員養成審議会が教員養成のみを目的とする大学・学部の必要性を強調
九月　全国連合小学校校長会が学力テストの全面中止を要望
十月　文部省は学力テストを六五年度以降、二〇％の抽出調査に改めると発表。
十二月　東北大学評議会は教育学部の教員養成課程を分離することを決議。宮城教育大学の設置となる。

◉一九六五年（昭和四十）

一月　中教審が「期待される人間像」の中間草案を発表
六月　家永三郎が国に対し賠償請求民事訴訟を起こす。教科書裁判開始。
十二月　文部省が在日朝鮮人子弟の学校教育について通達。民族教育を推進する朝鮮人学校の各種学校は認可しない等。

◉一九六六年（昭和四十一）

一月　大学生の精神神経異常者の増加に対して文部省は四つの国立大学に保健管理センターの設置計画を発表
四月　学芸大学・学芸学部の大多数が教育大学・教育学部と名称を変える
七月　東京都教育委員会が都立高校入試制度の改革方針を決定。学校群の新設、三

七月　教科（※入試科目）制、内申書重視など。
　文部省が高校入試制度の改革について通達。全教科試験の原則を撤廃し、内申書を重視。
十月　中教審答申が、高校の多様化を強調。

◉一九六七年（昭和四十二）

一月　琉球の立法院で教公二法（＊地方教育公務員法・教育公務員特例法）が審議されたが、デモ隊に包囲され、十一月に廃案となる。
七月　北海道教育委員会が前年度（昭和四十一年度）、教員の大量異動に関して家庭状況・思想傾向などを調査した事実が発覚し、学者らが憲法違反だとして抗議。
十二月　灘尾文部大臣が記者会見で、国防意識を高める教育の必要を強調。

◉一九六八年（昭和四十三）

一月　東大医学部学生ら医師法改正に反対し、ストライキ（＊東大紛争の発端）。
六月　東京教育大学文学部学生ら、筑波移転反対ストライキ。
九月　日大で機動隊導入。占拠学生を排除。
十一月　東大で学長・全学部長辞任。加藤一郎、学長代行に選出。

◉一九六九年（昭和四十四）
一月　機動隊が学長代行の要請で東大安田講堂など占拠の学生を排除
同月　東大が六九年度入試の中止を決定
二月　日大が機動隊を導入し、全学封鎖を解除。
三月　機動隊が京大の要請なしに構内に出動。機動隊駐留による逆封鎖。
四月　文部省が全国の大学長に、警官の学内立ち入り最終判断は警察にありと通達。
七月　東京教育大学評議会が筑波研究学園都市への移転を決定。文学部評議員は退場。
八月　大学の運営に関する臨時措置法を公布
十月　文部省が高校生の政治活動禁止の見解を配布
十一月　紛争中の都立上野高校がゼミナールの選択制を採用
十二月　紛争中の高校が全国で一〇二校
十二月　文部省が白書を発表……臨時措置法の公布後、機動隊導入の大学は四一校。

◉一九七〇年（昭和四十五）
一月　中教審中間報告……教育と研究の分離、管理職の権限を集中化。
五月　筑波研究学園都市建設法公布

七月　教科書訴訟で杉本判決……検定は教育内容への不当な国の介入
九月　東京教育大学評議会が家永三郎ら三人の教授に辞職勧告

安藤美紀夫が教職員組合の運動にかかわっていったのは一九六五年（昭和四十）頃だという。この年は、前掲の年表で見ると、「期待される人間像」の中間草案が発表されたり、家永三郎の教科書裁判が始まったりした年である。安藤は進歩的な教員だったのだろう。

三

安藤美紀夫が社会問題と取り組んだのは、陸上自衛隊の演習場がある矢臼別《やうすべつ》での出来事である。この出来事について安藤は、次のように記している。

北海道の東部にひろがる根釧《こんせん》台地に矢臼別というところがある。日本一大きな、陸上自衛隊の演習場があるところである。東西三十キロ、南北八キロにおよぶ広い演習場である。

その演習場で、毎年、平和盆おどり大会がひらかれている。もちろん自衛隊が主催してひらくものではない。演習場の中に、立ちのきをことわりつづけて、酪農をつづけている二軒の農家があり、その二軒の農家を中心に、北海道の各地、遠くは本州からもかけつける人があって、大きな集会になる。

わたしは、一昨年、その盆おどりの大会に参加してみて、大きな感動を得た。そして、その大きな感動を、どうしても子どもたちにつたえなければならない義務のようなものを感じた（注3）。

これは『その旗をまもれ』（一九六九年）「あとがき」の一節である。「わたしは、一昨年、その盆おどりの大会に参加してみて」と述べている「一昨年」はたぶん、一九六七年であろう。安藤はその頃、北海道で組合運動に参加していた。

彼の姿勢はそもそも、「平和な原野が失われる」ことへの抵抗だった。平和な原野が買収されて自衛隊の演習場になる。自衛隊の演習場でなくても、例えば大きな工場ができる場合でも、彼は反対であっただろう。北海道の自然が「人間の手で小さくされていく」ことに反対であった。この点では、イギリスのビアトリクス・ポッターと似ている。しかし、ポッターのように、自然を守るために広大な土地を買い取ることなどできなかった。

『その旗をまもれ』は、子どもたちが自分たちの住むオンネナイ原野の中で一番高い「一円銅貨の丘」に旗を立て、その遊び場を奪おうとする大人たちから、その土地を守ろうとする物語である。

子どもたちはテツヤという少年（＊小学三年生～五年生の時期）、その友だちのタモツ（同前。但し、五年生の一学期で転校）、そして、リン子（二年生～四年生）。大人の登場人物は彼らの親と小学校のサオリ先生。これらが主要人物。

一円銅貨の丘というのは、オンネナイ原野を子どもたちが駆け回っていた時、リン子が草のしげみの奥から古い一円銅貨を見つけ、それを丘の土に埋めたことから、子どもたちが名付けた。そして、そこに「オンネナイ原野探検隊」と黒いマジックで書いた、黄色い旗を立てた。だが、その後、「オンネナイ原野を荒らしに来る奴は、どんな奴だって許さねえぞ。」と言っていたタモツが五年生一学期の終わりに町へ引っ越すことになり、その「さよなら」を言うとき、テツヤは「うらぎりもん！」と鋭い声で叫ぶ。これが作品の冒頭部であり、この物語の続きは、過去へとさかのぼる。

まず、担任のサオリ先生が小学校に赴任してきた三年前である。この小学校は全校で児童数二十人ほどの小規模校で、一年と二年を合わせてサオリ先生が担当する。そして、二年生のリン子はサオリ先生の後にくっついて、いろんな所へ行く。まるで先生の助手のようである。

リン子が三年生になりテツヤが四年生になった時、サオリ先生は三、四年生の担任になった。この地帯の農家は牛を飼っていた。初め牛を怖がっていたサオリ先生はもう怖がることはなく、自分から牛のそばにしゃがみこんで乳しぼりをするようになった。また、網走の学校から校長先生がやって来て、その息子アキラがテツヤたちのクラスに入った。アキラは郷土博物館や水族館の話をして、みんなをうらやましがらせた。タモツもテツヤも、そんなアキラを「いやな奴」と思った。だが、サオリ先生はアキラの話ばかり聞いている。そんなサオリ先生に彼らは反感を抱いた。「校長先生の子どもだから」って「おべっか」を使ってるんだ、タモツの友だちのミツルがそう言った。

それから、ある夏の日、子どもたちは、「一円銅貨の丘」に出かけた。そして、そこに「オンネナイ原野探検隊」の黄色い旗を立てた。テツヤ、タモツ、リン子、ミツルの四人が勢ぞろいしていた。

探検隊に新しい仲間が加わった。小学校の前にある商店の子どもゲンジと、校長の息子アキラである。それから、子どもたちはある日、タモツの兄が作った筏に乗ることになった。タモツの兄は中学を出て釧路へ働きに出たので、この筏を使わなくなった。川下の橋を渡る代わりに、オンネナイ沼を筏で横切ると早く着けるのだった。オンネナイ沼は周りが五、六〇〇メートルあり、川となって流れ出すところもあった。タモツは大声で叫んだ、「乗るやつは早く来い！」「乗せてえ」と真っ先に跳んできたのはリン子。その後、ミツル、ヒロム（＊ミツルの弟）が乗った。

その後、この筏は「オンネナイ丸」と名付けられ、テツヤたちも乗るようになった。

こうしたのどかな日々は長くは続かなかった。運動会が終わってから、自衛隊誘致の問題が発生したからである。村議会がオンネナイ原野に自衛隊の誘致を賛成多数で決定した。


このあたりの農家で、借金のない農家は、まずないといってよかった。どこの家でも、数十万円から百万円、あるいはそれ以上を、農協から借りていた。

（中略）そこへ、日本一大きな酪農の村をつくるのぞみが、ふってわいたようにおこってきた。みんなは、催眠術にかかったように、いまにも貧乏と借金のくらしからぬけだせそうな気がしたのだった。（中略）ところが、そんなくらしは、一か月待っても、一年待っても、二年待っても、きそうになかった。

（中略）そこへ持ちあがってきたのが、こんどの自衛隊問題であった。酪農の中心地から自衛隊の演習場へと話がまったくかわってしまって、みんなが、これからさきどうなることかと、とまどい、いらだち、さんせい、反対にわかれて、部落の空気がとげとげしくなった（注4）。

オンネナイ原野が防衛庁に高い値段で買い上げてもらうというので、村の大人たちは心が動揺し始めた。テツヤ・タモツ・リン子・ミツル、彼らのどの家も買収に賛成でなかった。そして、校長の息子のアキラと、商店の子どもゲンジの二人は、「オンネナイ原野探検隊」から離れて行った。アキラは中立の立場をとるという父の立場を本能的に知っているかのようであった。

タモツの父は、防衛庁の係官に対して食って掛かって、大暴れした。そうした父のいらだちをタモツは教室の中に持ち込んで、だれかれ構わず、「おめえのうちは、どうなんだ。離農するのか、しねえのか」と詰め寄った。サオリ先生はタモツを呼んで、わけを聞こうとしたが、彼は黙ったまま、先生をにらみつけるだけ。テツヤらはタモツに弱い者いじめをするなと言ったが、先生の質問には一切《いっさい》答えなかった。タモツやテツヤから何も聞けないサオリ先生の寂しそうな様子を見てリン子はテツヤに、「サオリ先生、なんだか、このごろひとりぼっちみたいで、かわいそう」と言った。このリン子の言葉に対してテツヤのいう言葉には重みがある。

その箇所を次に引用する。

テツヤは、しばらくだまっていた。それから、つぶやくように、いった。

「しようがねえよ。アキラだって、サオリ先生だって、農家じゃねえんだからな。」(注5)

このテツヤの言葉はそれぞれの人間が背負う状況のどうしようもない現実を如実に言い当てている。

それから、さらに事件が起こる。それはそんなにまで移転に反対したタモツの一家が、とつぜん村を去ることになったからである。テツヤの父と、リン子の父は、共にびっくりする。農協で聞いた情報によると、先に立ち退いていった連中よりも三、四十万よけいにもらって立ち退《の》くらしい。そして、タモツは学校へ姿を見せない。大人たちの話を聞いたテツヤは、リン子やミツル、ヒロムと共に「オンネナイ原野探検隊」の旗を持って、タモツの家に向かう。

> テツヤたちが黄色い探検旗をおし立ててやってくるのを見たとき、家の前の庭のポンプで足をあらっていたタモツの父は、ちょっとけしきばんで顔をあげ、テツヤたちをにらみつけた。そして、敵の侵入をふせぐように、あわててゴムぞうりをつっかけると、家の戸口に立った。
>
> テツヤは、タモツの父の表情に、いつもとちがうものがあるのを見て、ちょっとたじろいだ。手にした旗がいかにも大げさな気がして、やり場にこまった。そして、すぐとなりにいたミツルにわたすと、ミツルは、ふいうちをくらったねこのようにきょとんとして、

あわてて、それをリン子にわたした。リン子は、それをうけとると、気がるに、

「おじさん、タモッちゃん、いないの。」

ときいた。

「さあ、いま、そこにいたんだがな。どこへいったかな。」

タモツの父も、リン子の気がるさにすくわれたように、かたい表情をはじめてくずした。

しかし、テツヤが、それにさそわれて、

「おじさん、ひっこしをするって、ほんとうかい。」

ときいたことから、また、さっと顔をこわばらせ、そのまま、くるりと背をむけて、家の中へはいってしまった（注6）。


ここには、タモツの父の表情の犯罪者らしい様子が、実によく描かれている。「後ろめたいこと」をやってしまった大人の姿である。この人は前に見たように、防衛庁の係官に対して食って掛かって、大暴れした。そのように移転に対して、強固反対の人であった。その人がお金に目がくらんだのか、へなへなと頭を垂れて、自ら移転を承知したのである。では、その人の子どもであるタモツはどうなのであろうか。タモツはなかなか、姿を見せない。そのような親を持った恥ずかしさから、友だちの前に姿を見せたくないのであろう。

テツヤたちは当初、タモツを「うらぎりもん！」と呼んで腹を立てたが、その後、「あんなひどいことをいわなきゃよかった」と反省し、次の日の朝、タモツの家へ行ってみると、家は空き家になっていた。庭にはトラックの車輪の跡が残っていた。

この後、子どもたちは有刺鉄線の張り巡らされた「立入禁止」の立札を見る。そして、有刺鉄線の隙間から中に入る。なぜなら、有刺鉄線の間からオンネナイ沼とタモツの家が見えたからである。彼らはそれに近づこうとしたのだ。

まず、テツヤが動き出す。有刺鉄線の向こうに見える「オンネナイ原野探検隊」の旗をどうしても取り返さねばならないと思った。テツヤは、リン子とミツルにその話をした。リン子は初め躊躇した。立入禁止になっているし、前に見た大勢の自衛隊員がのったジープやトラックを思い出したからである。だが、霧の濃い日に行けば見つからないだろうというテツヤとミツルの言葉に同意した。

そして、彼らの待っていた霧の濃い日が、ついにやって来た。彼らは懐中電灯をともして「一円銅貨の丘」の頂上へ上がった。ミツルの弟のヒロムもいた。「オンネナイ原野探検隊」の旗は霧の水分を吸い取って重そうに垂れ下がっていた。テツヤが旗を持って先頭に立ち、その後ろ一列になって丘を下りた。それから有刺鉄線をくぐりぬけ、オンネナイ沼に向かった。オンネナイ沼はやはり、霧が濃かった。筏のオンネナイ丸は健在だった。テツヤは旗をリン子にわたし、竿で筏を動かした。筏は、ゆらゆらと岸を離れた。霧がますます濃くなった。その時、「おうい、おうい」「おうい、ここだよう。たすけてくれえ」という声が筏のすぐそばから聞こえてきた。何と、それはコロボックルの声だった。気づいたリン子は「あっ、コロボックル！」と叫んで船べりを指さした。

小さな筏の上に小人が数人立っていた。小さな筏が転覆しそうになったのでリン子が筏の上で腹ばいになって、コロボックルの小さな筏を両手ですくい上げ、オンネナイ丸に乗せた。

小人たちはみんなで五人だった。その中の四人は、弓矢や手槍をたずさえ、腰に山刀《やまがたな》をさげていた。後の一人は娘で、美しい渦巻き模様の着物を着ていた。一番年上らしい「白いひげの小人」は、「この人は二輪草の花の女神だ」「わしたちのコタンは、この女神のおかげで、二輪草の花の咲き乱れる美しいコタンだった」と言った。それから、子どもたちがいろいろと尋ねると、小人たちは「一つ目の魔神の手下ども」に村を滅ぼされ、「もう帰るコタンがないのだ」と寂しく言った。さらに子どもたちが話を聞くと、この原野の歴史を知ることになった。アイヌがたくさんいたころはコロボックルも同じくらいたくさんいて、魔神もうかつな手出しができなかった。だが、アイヌの数が少なくなると、魔神たちはこれぞとばかりに暴れ始めた。そして、二輪草の花の女神はコロボックルが「しあわせにくらせる土地」を求めて旅をするのに従って、旅を続けて、やっと十何年か前に、この原野のはずれに落ち着いた。しかし、そこもまた、魔神に襲われた。旅を続けるうちにたくさんの小人が命を落とし、また、ある者はどこかへ連れ去られた。そして、このオンネナイ沼にたどり着いたのは、この五人だけ。

このような話を聞いて、テツヤが言った。「だいじょうぶだよ。そんな魔神の手下くらい、おれがやっつけてやるよ。なあ、ミツル。」

そのうち、筏に乗った彼らは、鷹の一族とされるノスリという鳥の一団に襲われる。彼らは旗を振り回したり、筏の細いマストを振り回したりして戦った。すると、ノスリたちは攻撃をあきらめて、霧の向こうへ消えて行った。次にやって来たのは、オンネナイ沼にすむ「ばけもの魚」（おおきな鯇鱒《あめます》）。この魚が筏にぶつかってきて、小人たちは霧の中へはね飛ばされ、テツヤたちは沼の水中に落ち込んだ。

彼らは家に帰って、二輪草の花の女神や魔神がオンネナイ沼に現われたという話をするが、大人たちは信用しない。リン子は風邪をひいて寝込んでしまう。

冬になり、二月の終わり、農民組合の支部結成会が開かれた。演習場の中に残るのは、テツヤ、リン子、ミツルの三軒だけとなったが、励ましの声が大きくなった。「一円銅貨の丘」に立つ黄色い探検旗を見に行って、「おまえたち、あの旗をおろすなよ」とテツヤたちに言う大人もいた。また、ミツルの家には衣料品、食料品などの物資のほか、子どもたちを励ます手紙も届いた。

「オンネナイ原野探検隊」の旗が今では、「原野をまもる旗」として、テツヤたちだけのものではなくなった。

しかし、寂しい別れもあった。サオリ先生が学年末に、転勤することになった。そして、新学期となったが、サオリ先生の後任は来なかった。一年生から六年生まで通してクラスが一つとなり、先生が一人余ることになったから。噂では来年は廃校になるだろうということである。学校が、がらんとした感じになった。

そして、ある日、自衛隊員が「一円銅貨の丘」に入った。「オンネナイ原野探検隊」の旗は取られてはなるまいと、テツヤが丘へ駆け上がろうとしたら隊員に連れ戻された。その時、みんなの脇をすり抜けるようにして、ミツル・リン子・ヒロムの三人がさっと丘を駆け上がり、旗竿を土から抜き、埋めてあった一円銅貨を掘り出して、外に出た。

それから、平和盆踊りの日が近づく。この日、思いがけず、サオリ先生がやって来た。子どもたちは大喜び。そして、あのタモツもやって来た。しかし、会場のどこを探してもタモツの姿が見えない。その時、リン子が言った、「先生、タモッちゃん、きっと、オンネナイ沼へ行ったんだわ。わたしたちも、行ってみましょう。」それからサオリ先生は子どもたちを誘ってオンネナイ沼に向かった。

さて、タモツがいよいよ登場する。この長い物語も終わりとなる。その箇所は次のとおり。

タモツは、リン子が考えたとおり、オンネナイ沼の見える、有刺鉄線のさくのところにいた。

オンネナイ沼は、月のない夜のむこうで、そこだけが、しらしらと光って見えた。タモツは、みんながやってきたのを知ると、まるで、敵に立ちむかうような目で、みんなを見た。しかし、

「タモツ!」

と、テツヤによばれると、きゅうに、くるりと背をむけて、なきだした。

「おれのうち、おれのうちは……。」

タモツがなにをいおうとしているのか、テツヤには、よくわかった。

「タモツちゃんのうちは、あの沼のむこうにあるの。いまでも、あるのね。」

サオリ先生がいった。

みんなが、しんとした。

そのみんなのうしろから、平和盆踊りの太鼓と、どよめきのような歌声とが、風にはこばれて、きこえてきた。

「いこう、タモツ。いって、みんなといっしょに、おどろう。」

テツヤがいった。

「そうだ。ひょっとしたら、今夜は、二輪草の女神のコタンのコロボックルも、みんなといっしょにおどってるかもしれない。タモッちゃん、いこう。」

リン子も明るくはずむような声で、いった。

サオリ先生がだまってうなずいた（注7）。

テツヤは、持っていた旗をタモツの手に渡す。タモツは旗を握りながら、泣きそうな顔になる。「よし、出発だ」テツヤの声で、子どもたちは動き出す。

子どもたちの旗は、まだ遠い原野の夜あけをむかえにいくように、ゆっくりと進みはじめていた（注8）。

こうしてこの長い物語も終焉を迎える。読者はテツヤら、この旗を守ってこの土地を離れなかった子どもたちと、親の都合で離れざるを得なかったタモツ、この両者の和解で幕が閉じられると、ほっとする。しかし、この物語の弱点にも目が行く。それは途中で、二輪草の女神のコタンのコロボックルが登場する所である。この箇所は、原野を守り抜く子どもたちの化身とも言えるものの登場だが、大人たちだけの戦いでなく、子どもたちが自分たちの世界や自然を守るための戦いであったことを印象づける。そのような設定の上から必要であったことは理解できる。しかし、この物語はもともと現実味を帯びた、生々しい話であり、突如、こうしたファンタジックな筋や場面が挿入されると、読者は大いに戸惑ってしまう。そして、戸惑うばかりでなく、こうした緊張感のある生々しい現実がどこか遠くへふっ飛んでいったような虚しさを覚える。はたして、このリアリスティックな物語にコロボックルを登場させる必要はあったのだろうか。

コロボックルの登場する話といえば、まず、佐藤さとるの『だれも知らない小さな国』を思い浮かべる。この話は、コロボックルたちを主体とした物語であるので、そこに多少、現実的な事件が入って来ても、読者はそれほど違和感を感じなくて読み進めることができる。しかし、安藤のこの作品『その旗をまもれ』は物語のほぼ全体が現実的な事件の連続で進行する。その途中で、ぽっかりと穴が開いたようにして、コロボックルの話が挿入されている。よって、違和感が強く感じられたのである。

しかし、こうした社会性のある問題に挑戦したのは大いに賛成であり、児童文学作品としての有意義さを強く感じる。

四

安藤の作品『プチコット　村へいく』（一九六九年）をみておこう。この作品を読んでいてわたくしは時々、『ピノッキオの冒険』を想起した。

プチコットは大きな蕗の葉の茂る深い谷あいに住んでいた小人である。父はバルカコットといい、母はピルカコットという。いずれも年取った父母である。そして、彼らはこの辺で最後の生き残りの小人である。それは開発が進み、小人はだんだん住む場所を奪われてしまったからである。この点、作品『その旗をまもれ』（一九六九年）に登場するコロボックルと似ている。

プチコットは「あそんで。あそんで。」と言って親の後を追いかけるが、父も母も仕事が忙しく相手になることができない。しかし、父と母は呪文を知っていて、それをとなえてプチコットを喜ばす。母はアゲハ蝶に呪文を唱えると、それは母の髪飾りになった。また、父が木の枝にとまっていたシマフクロウに呪文を唱えると、それは小さな起き上がりこぼしになった。プチコットは「ぼくにも、おしえてよう。」とせがみ、魔法の呪文を教えてもらう。

覚えのいいプチコットはわずか一年で、呪文を覚えた。

それから、プチコットは山の向こうにある、人間の村に旅立つ。「人間に会いたがるのは、しょうがない。」「ほかの世界を見ておくのも悪いことじゃない。」両親はそう言って旅に出るのを許した。

プチコットは乳しぼりの娘さんのところへ行って、呪文を唱えた。すると、牛は小さな瀬戸物の牛になった。娘さんはびっくりすると同時に、困ってしまった。プチコットはケラケラ笑いながら、「どうだ。まいったか。」と言う。「あんたなのね。ひねりつぶしてやりたいわ。」「どうぞ、どうぞ。でも、ぼくをひねりつぶしたら、そいつは、もとへはもどらないよ。」それからプチコットは娘さんの願いを聞き入れて、牛を元の大きさに戻した。

他にもプチコットはこの村でいろんないたずらをした。

学校へ行ったプチコットは授業のじゃまをして、先生に怒鳴られたりするが、子どもたちには大人気。授業が終わって家に帰るとき、誰もがプチコットを家に連れて行きたがったが、彼はユリちゃんの家に行く。ユリちゃんはボール紙で小さなベッドを作り、また、きれいなモールでランドセルを作ってやった。

こうしてプチコットは村じゅうで有名になった。村長がプチコットに注目した。それは近々行われる選挙に貧乏な百姓がプチコットを利用したら自分が選挙に負けるかもしれないと考えたからだ。そして、村長はロクゾーのところへ行った。ロクゾーはユリのおじいさんだ。おじいさんのところにプチコットはいる。幾らかお金をロクゾーに渡してプチコットを引き取ろうという計画を立てた。村長がロクゾーじいさんのところへ行くと、じいさんの話ではおまえさんよりも先に何人かの議員がプチコットを買い取りに来たという。だが、じいさんはプチコットを誰にも売らない、もともと売るなど考えたこともないのだ。村長は、じいさんに水をぶっかけられる前に慌てて逃げ帰った。

それから、村長と村議会の議長はプチコットを村から追い出す計画を考え始めた。そんな時、村長にとって都合のいいことが起こった。それは村のはずれにある軍隊の演習場を広げるために、村の半分を軍隊に譲り渡すという話である。軍隊では今度、大きなロケット大砲を打つ練習をすることになり、これまでの演習場よりもっと広い演習場が必要になったからである。

村の半分を軍隊に譲り渡すということが、村議会で議論された。軍隊が欲しいと言ってきた土地は、もともと開拓地であり、土地の質が良くなかった。それに、そこには貧乏な百姓がたくさん住んでいた。また、村議会の議員のほとんどが開拓地とは別の方向にある、良い土地に住んでいた。それで村議会では、あっさり賛成となった。

しかし、村議会で賛成となったとはいえ、開拓地に住む人々は怒りだした。ロクゾーじいさんを先頭にたくさんの村人が、村長のところへ抗議に行った。「こんなばかなことがあるか。わしたちは、ぜったいに、村を出んぞ。あんたも、村長なら、村長らしく、すぐ、軍隊へ行って、こんなひどいことは、やめさせてこい。」（注9）

村長のところへ行っても、「議会でちゃんと決めたことですから。」と言って、逃げるばかり。それで、ロクゾーじいさんたちは、軍隊の演習場へ押しかけた。しかし、隊長に会えるどころか、門のところで兵隊たちに追い払われてしまった。

そうこうするうちに、演習場には大砲や戦車が運び込まれ、夜も昼も戦争のけいこばかり。

ドッドッドッドッ　ドカン！　ドカン！

空には、キュルキュル　バタバタ！　ヘリコプターのやかましい音が絶え間なし。

演習場の近くにある農場では、牛がびくびくおびえて乳を出さなくなり、ニワトリがおどおどして卵をうまなくなった。畑の馬は驚いて跳びはね、豚は痩せていく。ユリが世話をしている山羊は、いつの間にか頬がこけ落ちて、目だけがぎょろぎょろしている。

そのうえ、大砲の弾丸が畑へ落ちたりする。「こまった。こんなことでは、わたしたちのくらしは、あがったりだぞ。」村の人々は眠い目をこすり、青い顔をして、溜息をつく。

ユリはそんな村の人たちの様子を見て、「わたしたち、村をでていかなきゃならないのかしら。」とつぶやく。

プチコットには、そんな村の変化がよく理解できなかった。ある日、空を見上げていると、太陽がこう言った、「ぐんたいのえんしゅうじょうへいってみな、あそこなら、いくらいたずらをしても、しきれないほど、いたずらができるぞ。おまけに、村の人も、ユリちゃんもよろこぶようないたずらがな。」

演習場では、ドカン！　ドカン！　パチ、パチ　ゴー、ゴー　ドシン　とすさまじい音。「なるほど、こいつは、おもしろそうだ。」

それから、プチコットは魔法を使って、次々に武器や戦車やジープをおもちゃのように小さくしていく。隊長や隊員は、その変わりようを見て、びっくりする。

しかし、隊長や隊員はいつまでも、ブリキの戦車を動かしたり、プラスチックの鉄砲を撃ちあったりしている。なぜなら、彼らはどんなことがあっても、戦争のけいこをやめてはいけないからだ。それを見た村人たちは大喜びで、拍手した。

その後、このへんてこなことをやったのがプチコットだとわかると、隊長や隊員は仕返しをしてきた。「あんたの村にすむ、こびとのために、ぐんたいは、たいへんなそんがいをうけた。」と隊長は村長に言う。

それから、ある日の夜、みんなが寝静まった頃、兵隊たちがロクゾーじいさんの家を取り囲む。だが、プチコットはその前に別の人の家に移っていた。こうしてプチコットは追われる身となった。

プチコット一人では大勢の敵と戦えないので、ロクゾーじいさんはあちこちにいる小人に応援を頼んだ。また、プチコットの声を太陽は、彼の父母バルカコットとピルカコットに伝えた。

小人たちはツバメやハチやトンボに乗ったりして、応援に駆けつけた。そして、彼らはそれぞれ大きな声で元気よく、呪文の言葉を唱えた。すると、軍隊の頑丈な倉庫の中の弾丸まで、プラスチックのおもちゃに変わった。

こうして村には、再び静けさが戻った。村の人々は小人たちを囲んで、祝福の踊りの会を開いた。村長も踊りの会にやって来た。村長はプチコットがユリちゃんにウインクしているのを見て、自分も真似してプチコットにウインクを送った。だが、彼から戻って来たのは、長い舌を出したアカンベエ。そして、村のはずれの演習場では、兵隊たちが相変わらず、戦争のけいこをしていた。

以上が、作品『プチコット　村へいく』の初読感想と梗概である。

五

長い舌を出してアカンベエをするプチコットの姿は、まさにピノッキオである。いたずら小僧ピノッキオがもし、魔法を使えたら、こんなことをしたかもしれないとわたくしは考えた。この話『プチコット　村へいく』は見てきたとおり、『その旗をまもれ』の幼年版である。のんきなピノッキオが旅をするのと異なり、プチコットは村へ行き、様々ないたずらをするが、そのうちに問題の事件（軍隊の演習場設置）に巻き込まれる。それは親しくなった少女ユリの家に住むロクゾーじいさんと関係する。すなわち、この物語は初めは幼年の何気ないファンタジーのようだが、だんだん読み進めていくと、それが社会性を帯びたファンタジーに変貌していくのである。

この変貌ぶりは、ある程度滑らかに進んでいるように見えるが、途中から村長や村議会のことが出てきて、子どもの読者は戸惑うのではなかろうか。なぜなら、この問題は奥が深く、単純に善玉悪玉と決めかねるところがあるからである。それに、最後の祝福の踊りの会であるが、これでめでたしめでたし、はい終わりとするには、読者にはまだすっきりしないものが残る。それは作者も承知していて、作品の終わりに、村のはずれの演習場では兵隊たちが相変わらず戦争のけいこをしていたという叙述を入れている。幼年の物語であっても、「めでたしめでたし、はい終わり」でない終わり方があってもいいとする作者の考えがうかがえる。

それはそれとして、こうして二つの作品『プチコット　村へいく』『その旗をまもれ』を並べて読むと、作者の大きな体験や、その比重の重さがよくわかる。『プチコット　村へいく』を最初に読んだとき、軽やかな最初の書きぶりからこれはピノッキオ物語の現代版かなと思った。しかし、読み進むにつれ、この素材はこうした幼年物よりもっと年長の読者を想定した作品の方が好いのではないかと思うようになった。そして、次に出会ったのが『その旗をまもれ』である。これは年長の読者向きであり、しかも長篇である。作品の長さとしては、このくらいで決着がつけられそうな素材ではある。そして、『プチコット　村へいく』で物足らなかった部分や、作者にとって書きにくかった部分がこの作品『その旗をまもれ』では充分書けたのではないだろうか。

『その旗をまもれ』にはプチコットのような万能人物は登場しないが、彼に一番近い人物はテツヤ。そして、ユリはリン子だ。ロクゾーじいさんの人物像は解体されて、テツヤやリン子やミツルら三人の親たちとなった。プチコットの父母バルカコットとピルカコットにそっくりの人物は登場しないが、サオリ先生のキャラクターがそれに似ている。

このような比較をしてもあまり面白くないが、それにしてもこの二つの作品、『プチコット村へいく』と『その旗をまもれ』は類似している。すなわち、作品の素材やテーマは共通していて、作品の広がり（奥行き）が異なるのである。そして、作者が、類似した二つの作品を続けて書いたのは、それだけ、素材のもととなった作者の体験が生々しく巨大であったということである。

ところで、作者の体験した社会的事件は、大人の小説などでも取り上げてしかるべきものである。児童文学で取り上げる素材ではないと言い張る論者も存在するであろう。しかし、わたくしはそれには反対である。大いに取り上げてもらいたい。

だが、問題も見えてきた。それは表現方法の上での問題である。社会的事件を取り上げる場合、おおむねリアリズムでいく。これは一般的であり、妥当な方法である。ただ、随所に空想的な部分（ファンタジー）を盛り込む。それも賛成である。しかし、その盛り込み方が問題になる。

つまり、どこの部分に盛り込むか、また、盛り込んだ空想的な部分が作品全体の中でどのような意味を持つかである。単なるお飾り（装飾）としての挿入であるのなら、むしろ挿入しない方が好い。盛り込んだ空想的な部分が作品全体の中で、かなり重要な意味を持つのでなければならない。

こうした見地から『その旗をまもれ』の挿入部分（＊コロボックルの登場する部分）を点検してみると、その活動・動きは弱いと言わざるを得ない。リン子が二輪草の花の女神をいたわるのと、『プチコット　村へいく』でユリがプチコットをかわいがるのとが相似形になって、わたくしには見える。リン子もユリも共に大舞台に立って大活躍するというのではない。彼女らの活躍は細々としていて、目立たない。つまり、単なるお飾り（装飾）としての挿入にとどまっている。しかし、よく考えてみるとリン子もユリも目立たないが、印象に残る重要な役割をはたしている。山椒は小粒でもぴりりと辛いのたとえのように、いい味を出している。

ところで本稿の一で、取り上げる作品として六作品としたが、紙数に限りがあるのと、一九五四年から七二年までの年表事項が拡大したのと二つの理由で六作品全てを取り上げることができなかった。取り上げることができたのは『その旗をまもれ』と『プチコット　村へいく』の二作品であった。前言を守れなかったこと、おわび申し上げる。

注

（1）安藤美紀夫『若い神たちの森』（小学館　一九七九年五月初版第一刷）「あとがき」。同書一三九ページ。
（2）安藤直樹「安藤美紀夫略年譜」（『日本児童文学』一九九〇年九月号）より。
（3）安藤美紀夫『その旗をまもれ』（講談社　一九六九年十二月第一刷）一七二〜一七三ページ。
（4）前出（3）『その旗をまもれ』四九〜五〇ページ。
（5）前出（3）『その旗をまもれ』七四ページ。
（6）前出（3）『その旗をまもれ』八六〜八八ページ。
（7）前出（3）『その旗をまもれ』一七〇〜一七一ページ。
（8）前出（3）『その旗をまもれ』一七一ページ。
（9）安藤美紀夫『プチコット　村へいく』（新日本出版社　一九六九年九月第一刷）六七ページ。

安藤美紀夫著作リスト　＊本稿で言及した作品に限定

『白いリス』（一九六二年）＊講談社の青い鳥文庫で一九八〇年十一月刊行
『ポイヤウンベ物語』（福音館書店　一九六六年二月初版）

『プチコット　村へいく』（新日本出版社　一九六九年九月第一刷）
『その旗をまもれ』（講談社　一九六九年十二月第一刷）
『でんでんむしの競馬』（偕成社　一九七二年八月第一刷）＊偕成社文庫で一九七五年十一月第一刷
『タケルとサチの森』（童心社　一九七三年三月初版）
『日のかみさまともんれま』（あかね書房　一九七七年六月第一刷）
『若い神たちの森』（小学館　一九七九年五月初版第一刷）
『七人めのいとこ』（偕成社　一九八二年九月第一刷）

附記

この論稿に挿入の年表は岩波書店編集部編『近代日本総合年表』（一九六八年）及び山住正己著『日本教育小史――近・現代――』（岩波新書　一九八七年）所収の年表を参照して作成した。

第四章　中野みち子

中野みち子論――『海辺のマーチ』と『先生のおとおりだい！』――

一

中野みち子（＊当初は中野美智子）は、井野川潔・早船ちよらの「児童文化の会」に所属する作家。「児童文化の会」は作品発表の機関誌『新児童文化』を刊行し、年刊作品集も刊行している。

中野の作品「海べのマーチ」（＊初出タイトルは「海べのマーチ」。のち、単行本では『海辺のマーチ』）は児童文化の会の『新児童文化　年刊作品集6』（一九六九年・昭和四十四年十月三十日）に発表された。画は関根宮夫。

中野は「海べのマーチ」以前、「ミヨロとメトロ」（『新児童文化　年刊作品集4』一九六八年）

「イシの人形」（『新児童文化　年刊作品集5』一九六九年春）等の作品を発表している。

「イシの人形」は読者からの反響が大きかった。『新児童文化　年刊作品集6』の「編集者のノート①」には、次のように記されている。

まえの号（＊引用者注記　『新児童文化　年刊作品集5』）に、中野さんが青森県の八戸《はちのへ》へんの方言《ことば》で「イシの人形」という童話をかきました。それを、青森の二つの小学校の三年生と四年生の学級の子が読んで、クラスぜんたいの子が、かんそうをおくってくれました。青森のことばで書いた童話を、青森の子が読んでくれたということは、とてもうれしいことでした。たくさん、手がみをおくってもらった中野さんは、これからも、青森べんの童話を、いくつも書いてみたいといっています。

この「編集者のノート①」は、いったい誰が書いたのかわからないが、とても味のある文章で、わたくしは感激した。それはともかく、この『新児童文化　年刊作品集6』には「「イシの人形」を読んで」と題し、小学生五人の感想文が載っている。ただ、残念なのは子どもたちの感想文が抄出であることだ。雑誌のスペースの関係だろうが、抄出でなく、全文掲載してほしかった。

ところで、中野みち子といえば、やはり「海べのマーチ」であるが、この作品が突然登場したのではなく、既に見たような執筆の着実な足取りの延長線上に出てきたことを確認しておきたい。

また中野は、作家としての活動のみならず、「いぬいとみこ論」のような評論活動や、「一年生の童話教室」のような教育者としての活動も行っている。このような幅広い活動が、作家中野みち子にたくさんの養分を与えていることを明記しておきたい。

二

さて、作品「海べのマーチ」であるが、わたくしはこれを一読して、うなってしまった。まず、着想の斬新さに驚いた。

主人公は中学二年生の佐原まき。彼女の父佐原良造《りょうぞう》は、東京の営林局から北海道の春内《しゅんない》営林署へ転勤となる。良造は管理官である。家族は妻の光子（まきにとっては母）、娘のまき、息子の裕一《ゆういち》（小学一年生。まきにとっては弟）がいる。父は一足先に赴任し、家族三人は子どもたちが一学期を終了した後、北海道へ行く。

この作品は北海道の山村が舞台である。そういえば前作「イシの人形」は青森が舞台であった。両作品とも北方と縁が深い。作者の原体験の空間として、北方が色濃く存在するのかもしれない。作者は主人公まきの眼を通して、かつての都会暮らし（東京での生活）と対比させて、北海道の「海に面した」山村の暮らしぶりをくっきりと浮かび上がらせている。

ところで、先に着想の斬新さということを述べたが、それはまきの父の職業に関係している。営林署の管理者として着任した良造の仕事は、労働組合の力をおさえ、「乱れた職場」を「正常に戻し」、職員を「がっちり働かせる」ようにすることだった。ここの労働組合は結束力が強く、前の署長を転任にまで追い込んだ。まきの父良造はいちおう、管理者であったが、最高位の管理者（署長）ではなかった。いわゆる、中間管理者（管理官）である。

労働組合の力をおさえ、「乱れた職場」を「正常に戻し」、職員を「がっちり働かせる」ようにするというのは、良造には上司（署長）からの「内意」であり、彼自身には組合の力をおさえてどうこうするという考えはなかった。両者の敵対した関係をなくし、署長たち管理者と組合員との間に「橋を架けよう」と努力している。

しかし、組合員とその家族は、そのような良造の「真意」を見ようとせず、彼を管理者側の人間と見る。さらに、彼らはまきたちにも白い眼を向ける。「坊主にくけりゃ、袈裟《けさ》までにくい」のたとえどおり、光子、まき、裕一は、村の人たちから冷たくされる。

まきたちが北海道の春内に着いた時から、彼らは白い眼と鋭い視線に見つめられる。具体的な箇所をあげると、次のとおり。まきは村の中を歩いていた時、体じゅうに濡れた昆布の束を巻きつけるようにして担いで歩いていた男の子と出合う。その子とまきは、ぶつかりそうになる。「ごめんなさい。」と言って、まきはあわててよける。男の子は返事もせず、きらきらしたするどい目」でちらっと見ただけで去っていく。まきは射すくめられたようで、身が縮んだ。

この後、まきは転入先の春内中学校で、この少年と会う。少年の名は外山文司《そとやまぶんじ》。文司は相変らず、まきに対して素っ気ない。なぜなのだろう? さらに、文司はあの時、なぜ、あのような鋭い視線を自分に向けたのだろう? そんなことをまきは考える。

また、自分に対して素っ気ないのは文司だけではない。組合員の家族すべてが自分たち(母や弟)に対して素っ気ない。いや、素っ気ないどころか、時には意地の悪いいたずらもする。だが、まきはくじけない。何とかして彼らの胸と自分の胸との間に橋を架けようと行動する。音楽クラブの友だちに辻恵美がいる。彼女と一緒に、学校を休んだ文司の家を訪ねる。

文司の暮らしぶりを、つぶさに、この眼で見る。それはそれは大変苦労の多い暮らしぶりだった。こうして彼らの暮らしぶりを見、組合員の生活の苦しさを知ることによって、まきの気持ちや考えが少しずつ変化していく。

ところで、まきの父の良造も同じ努力をしていた。

この作品「海べのマーチ」は、『新児童文化　年刊作品集6』に発表した後、増補改訂し、理論社から単行本『海辺のマーチ』（一九七一年初版　絵＝篠原勝之）として刊行される。主人公の佐原まきが北海道の海辺の小さな村で、いろんな人と出合い、いろんな人の生きる姿を知っていく物語である。

外山文司の家と親しくしている、やはり外山という家があり、そこに桂子《けいこ》という女の子がいる。桂子の母よね子は、造林飯場《はんば》の炊事係として働いているが、過労がたたって流産するという悲しい出来事が起こる。また、文司と桂子はいとこ同士であるが、文司の母たけが他所《よそ》からもらってきた子どもが文司であり、彼の母はアイヌだという。こうした複雑な身の上を背負っている文司の行く末も気にかかる。

いずれにせよ、壮大なスケールの長篇児童文学である。読みごたえは充分あると言える。リアリズムの手法による、手堅い作品である。細部の描写は生き生きとしていて、中野みち子の出発期を飾るにふさわしい作品ということができる。

三

中野みち子の『先生のおとおりだい！』（理論社　一九七三年）は、連作短篇を集めた作品集である。連作短篇には、ほり先生という女性の先生と一年四組の子どもたちとの日常が綴られている。だが、先生の登場や活躍が主ではない。先生の役割はほとんどが補助的であり、主役は子どもたちである。そのことを象徴的に示しているのは、この作品の最初から始まる、「ゆびわ」と題する話（＊第一話）である。

「ゆびわ」はこうちゃんという男の子が好感を持つさっちゃんに、ゆびわをプレゼントする話である。そのゆびわは何万円もする高価なルビーの指輪ではなく、甘太郎やのおばさんから買ったおもちゃの赤いゆびわだった。それをもらったさっちゃんは、学校で友だちの前ではめて見せた。こうちゃんのポケットから、次々に赤いゆびわは出てくる。さっちゃんはゆびわがあまりにもたくさんなので、手だけでなく足の指に一つずつ赤いゆびわをはめてもらった。

ちょっとおませな話のようにも思えるが、子どもたちの心情がよく表現されている。

ほり先生が登場するのは「どいてよどいてよ　おとおりだい」と題する話（＊第二話）である。学校の廊下での出来事である。妊娠中のほり先生のおなかに、かずちゃん（＊かずゆき）という男の子の足がぶつかった。「いたい！」と叫んで先生はおなかをおさえて、しゃがみ込む。

かずちゃんはこわくなって教室に駆け込み、机の下にもぐりこむ。その後、数日たってから、先生は「あかちゃんふく《マタニティドレス》」を着て教室にやって来る。子どもたちは先生のおなかに赤ちゃんがいることに気づく。かずちゃんは先生にしがみつくようにして耳を押し付け、おなかの赤ちゃんのトッコトッコという音を聞く。それから、かずちゃんは学校の玄関で、ほり先生を待っている。先生の姿を見つけると、かずちゃんは走っていく。

「ぼく、ハンドバッグ　持ってやる。」

かずちゃんは、先生の黒い大きいバッグを持った。保健室の前まで来たら、六年生が大勢、ダダダダと階段を駆け下りてきた。かずちゃんは、さっと先生の前に出て行った。

「ぶつからないでよ。ぶつからないでよ。どいてよ。赤ちゃんのおとおりだよ。」

かずちゃんは大きい声でどなりながら、手を広げて先に立つ。ほり先生の目に涙がいっぱいになった。でも、かずちゃんは、気が付かない。

「どいてよ。どいてよ。赤ちゃんのおとおりだよ。」（※原文の平仮名は適宜、漢字に改めた。以下同様）

妊娠中の先生を、悪ガキが自分の罪滅ぼしのような気持ちで「守る」という、西洋の騎士道精神《スピリット》のような話で、ホッとする。『二十四の瞳』（壺井栄・作）の中にも、こんな場面があったかなと想像するが、たぶんなかったと思う。子どもたちがふざけ半分に落とし穴を作って、そこに先生が落ちて足を痛める。松葉杖をついて先生が学校へやって来る。それを見て子どもたちが大泣きする。こんな場面があったかもしれない。いずれにしても、子どもの純粋さの発露が我々を大いに感動させるのである。

第三話は「はなまる　ちょうだい」で、子どもならだれでもが欲しがる花マルのはなし。たんちゃんという男の子（＊ふかだ・たびと）は、先生に宿題を見てもらって花マルをもらうのを楽しみにしている。しかし、宿題を先生に見せると、先生は「あら、たんちゃん、こんなにらんぼうにかいてきては、はなまるにはなれないわ。」といって、小さい一マルをつけた。平仮名書写の「た」や「せ」が、じょうずに書けていないのだ。たんちゃんは一年生になってから花マルをもらったのは、たったの二回だけ。たんちゃんは花マルをもらいたくてしかたがない。だが、先生はなかなかくれない。たんちゃんはいらいらして、友だちにいたずらをして不満を晴らそうとする。しかし、そうしているうちに、花マルはどんどん自分から離れていくみたいだ。ある時、たんちゃんは運動場で、三年生の男の子と出合う。その子は縄跳びの練習をしていた。足の病気で、なかなか跳べない様子だった。たんちゃんは縄を回して、その子の練習に付き合った。男の子はまたぐのがちょっとだけ早くなった。たんちゃんは男の子に見せるため、自分で縄跳びを始めた。すると、不思議なことに、いつの間にか、体が弾んで、どんどん跳べるようになった。そこへ、りかちゃんと、けいこちゃんが走ってきた。「たんちゃん、三十とんだら、花マルよ。数えてあげるね。」そうやって練習を続けているうちに、たんちゃんは三十跳べるようになった。

そして、たんちゃんは先生の前で三十、跳んでみせた。花マルをもらった。「ぼく、へんだな。どうして、とべたのかな。」三年生の男の子に、たんちゃんは言った。「こんどは、きみがとべるようになるよね。ぼく、てつだうもの。」

この話は、書写や体育の苦手なたんちゃんが、足に障害をもつ三年生の男の子の縄跳び練習に付き合っているうちに縄跳びができるようになり、幾らか自信を持つようになったという話である。どこか遠くにいる花マルがたんちゃんを応援しているようなファンタジックな雰囲気が面白い。花マルは、たんちゃんを氷山の水面下で応援している先生のように思える。

最終の第四話は「パン・ツウ・〇・〇・〇」。エロティックな話のようにも見えるが、子どもの世界の自然で素朴な話である。一年四組の教室の天井に、ペタ、ペタ、ペタリと五つもくっついている緑の丸いものがあった。何かと思ったら、粘土だった。たっちゃんが、おのくんの粘土を取って、投げたものだという。

一メートルの物差しを振り上げても、天井までは届かない。それで、ほり先生は「けいこちゃん、わるいけど、おつくえにのらして。」と言って、赤いサンダルを脱いで、けいこちゃんの机に上がった。

蛍光灯の脇のも、このまま届くかしら。先生は精一杯伸びあがって、手を伸ばす。

「もう少し。」

「あと、ちょっと。」

みんなが下から応援する。ほり先生は机の上でバレーを踊ってるみたいに伸びあがって、物差しを振り回す。

（中略）

その時、ぱちんと誰かが手をたたいた。きくちくんだ。続けてチョキを出したと思ったら、父さん指と母さん指でマルを作った。それから、両手を丸めて眼鏡だよ。

ほり先生がみんなの手真似に気がついて、机の上から声をかけた。

「それ何のこと？　いけだくん、教えて。」

いけだくんは、

「みろ。」と言って、笑っているばかり。（※原文の平仮名は適宜、漢字に改めた。以下同様）

この後、ほり先生は赤い顔になって、ぱっと机から飛び降りた。そして、「あんたたちったら、もう、しらないから。」と言って、廊下へ出て行った。

状況は、よくわかる。他にも、五年生の女の子がたんちゃん（＊ふかだ・たびと）の前で、スカートをひらりとさせて、鉄棒の逆上《さかあ》がりに挑戦する。

「へたっぴい。パン　ツウ　まるみえだぞう。パン　ツウ　まるみえ。」

たんちゃんは、歌いながら手真似した。

「いやらしいね。エッチちび。向こうへ行っちゃえ。」

女の子は怒って、追いかけてきた。

さて、それから数日後、学校で体重測定があった。たんちゃんは友だちのおのくんがパンツをはいてないのを知り、自分のパンツをあげてしまう。

ほり先生はたんちゃんに「ズボンは、脱いでください」と言う。たんちゃんは「いや」「脱ぎたくない」「脱げない」「脱ぐと、笑うもん」と、先生と押し問答の末、「笑いませんよ。ねえ、みんな。」という、ほり先生の言葉に、たんちゃんは「じゃ、脱ぐ。」と言って、ズボンを脱いだ。小さなお尻が丸出しになった。保健室が割れるほど、みんなは笑った。

それから、先生も笑いながら、「たんちゃん、ズボンはいてて。まゆみちゃん、戸棚にパンツの入ってる袋があるから取って来てよ。」

そして、おのくんの体重を先にはかる。そのとき、先生の助手をしていたみゆきちゃんが、「あ、おのくんのパンツにたんちゃんの名前がかいてある。」と言う。本当にゴムのところに「ふかだ　たびと」と書いてあった。「しっ。みゆきちゃん、黙って。」ほり先生がこわい顔をして、口の前に一本指を立てた。どうして、たんちゃんがパンツをはいてないのかが、ほり先生にわかった。みゆきちゃんにもわかった。

「先生、これ?」まゆみちゃんが茶色の袋を持ってきた。「たんちゃん、このパンツ、はいてね。」

これで話はおしまいかと思いきや、そうでなかった。続きを見てみよう。

たんちゃんは、おてあらいに行って、一番奥の台にのった。ズボンの窓を開けて、たんちゃんは、「あっ。」と言った。水玉パンツは、前が開いていないんだよ。おしっこは、もう出ようとしてくるし、たんちゃんはあわてた。（中略）

「おしっこ、できないよ。おしっこ、できないよ。」

にくらしい水玉パンツ。

ほり先生はわかっていたのだろうか。たんちゃんをこらしめるために、女の子用のパンツを渡したのだろうか。いや、それは考えすぎである。ほり先生にはたぶん、わかっていなかった。妙な言い方だが、たんちゃんが五年生の女の子に対して、「へたっぴい。パン　ツウ　まるみえだぞう。パン　ツウ　まるみえ。」と言ってからかったことへの天罰である。

そんな時、たんちゃんに救いの手を差し伸べたのは、おのくんだった。

「たんちゃん、ズボンぬいじゃえばいいんだよ。持っててやるから。」

おのくんが言った。

「そうだ、そうだ。」

たんちゃんはズボンをぬいだ。パンツだけなら、かんたん。たんちゃんは、ひらひらかざりのとこを引っ張って、ゆっくりとおしっこをした。

こうして、たんちゃんはピンチを切り抜けた。

第三話の「はなまる　ちょうだい」と第四話の「パン・ツウ・○・○・○」は共に、たんちゃんが主人公の話である。元気で乱暴もするが、やさしいところのある男の子である。

要するに、この作家中野みち子は『先生のおとおりだい！』では、たんちゃんやこうちゃんや、かずちゃんといった男の子のもつやさしさを丁寧に描いている。

既に見た『海辺のマーチ』は女の子が主人公で、しかも中学生という年齢であったのに対して、この作品『先生のおとおりだい！』は小学一年生の男の子が主人公になっている。中野みち子は少年少女小説も書けるし、幼年童話も書ける器用な作家である。それは師である早船ちよが『キューポラのある街』を書きつつ幼年童話を書いたのと、よく似ている。しかし、早船と中野の違うところは、中野には小学校教員としての経歴があり、その経歴をふまえての作品創造が存在するということである。小学校教員を続けながら作品を書くことは容易ではない。それは教育者として生きるということを考えると、作品を書くことがどこか遠くにあるように思えてしまうからである。灰谷健次郎という小学校教員出身の作家がいたが、彼は児童文学作家となってから教員をやめた。わたくしは中野みち子における教員生活と作家生活とのバランスのとり方をよく知らないが、ともかく粘り強く作品を書き続けていることに敬意を表する。

附記

＊　中野みち子は一九二九年（昭和四）、埼玉県熊谷に生まれる。単行本作品は『海辺のマーチ』（理論社　一九七一年）『森とみずうみのうた』（国土社　一九七二年）『先生のおとおりだい！』（理論社　一九七三年）

等がある。

＊　初出「海べのマーチ」（一九六九年）と単行本『海辺のマーチ』（一九七一年）には部分的に本文に相違がある。初出の方が具体的であって優れていると判断できる箇所もあるが、ここでは単行本の方を主にして作品のストーリー（筋）を記述した。

第五章　皿海達哉

皿海達哉論――『チッチゼミ鳴く木の下で』と『堤防のプラネタリウム』――

一

皿海達哉の『チッチゼミ鳴く木の下で』（一九七六年）を久しぶりに再読した。相変わらず、読みごたえがある。主人公の少年、井上進の名が最初に出てくるので、映画や演劇の幕開きの調子と、ずいぶん違っている。映画や演劇では主人公（主役）はもう少し後に出てくるのに、この作品では冒頭から「井上進は、四年の二学期に、はじめて手紙を書いた。」である。これには驚いたが、作者のストレートな物言いや気質が表れていると感じた。

ストーリーを手短に言うと、こうである。井上進は、四年の二学期に担任の先生から、クラスの誰か一人を選んで、その人に手紙を書きなさいという課題を出された。彼は誰に書こうかと思案した末、黒江昌一を選んだ。黒江君は進たちの学校の校長先生の息子だった。黒江君は目立たない子どもで鉄棒が苦手だった。他に変わったことがない普通の子どもだったが、クラスのみんなは黒江君を敬遠していた。校長先生の息子に「おべんちゃらしている」と思われるのがいやだったからだ。しかし、井上進は「自分にくる手紙があるかどうかの心配」も忘れて黒江君あてに手紙を書いた。

その後、クラスでは大騒ぎ。手紙をもらった子が返事を書くという時間に、五通も六通ももらった子は返事が書ききれないというし、一通ももらわなかった女の子は泣き出した。これは「クラスのなかでだれとだれがなかがよく、だれとだれとはなかがわるいのかをしらべるテスト」だった。ソシオグラム＝テストというものだ。

進は二学期が始まった時、黒江君が夏休みの宿題として昆虫採集の標本を持ってきていたことを思い出し、「あのセミは、なんという名前のセミですか。あのセミは、どんなところにすんでいて、どんな声で鳴くのですか」という手紙を書いた。それから数日後、先生を通して黒江君の返事が届いた。「ごしつもんのセミの名前は、チッチゼミ。あまり人のこない松林なかにすんでいて、チッチ、チッチって鳴きます。」それを見て進はふざけてるな、とても信じられないと反感を抱いた。

それから、進は五年生になった。夏休みのある日、進に小包が届いた。差出人は黒江君で、中にチッチゼミが二匹入っていた。全校登校日に進はチッチゼミの入った箱を持っていき、クラスの違う黒江君にお礼を言おうとした。だが、その前にクラスの友だちに「見せて！」などと言われて、紙の箱は壊れ、標本も駄目になってしまった。進は泣きたくなった。

進は黒江君にお詫びの手紙を書こうとしたが、うまく書けない。それで、自分の作ったグライダーを持って黒江君の家に向かった。グライダーをあげるつもりだった。しかし、黒江君は留守で、お母さんだけがいた。お母さんの話では、黒江君はお父さんと一緒に大阪の親戚の家に行き、甲子園で高校野球を見ているのだろうということだった。それで進は黒江君のお母さんと別れ、近くの丘に上り、そこからグライダーを飛ばした。グライダーははるか遠くまで飛んでいき、稲田に落ちた。進はもうそれを取りに行く力がなかった。手ぶらで自転車をこいで家に帰った。

九月の新学期が始まった。給食当番の進が廊下を歩いていたら、偶然、給食当番の黒江君に会った。「ぼく、きみのグライダーもってるよ」と黒江君から言われて、進はびっくりした。「うちの母さんが、きみが裏山にのぼってグライダー飛ばすの、見てたんだ」という。そして、黒江君は探しに行ってグライダーを見つけたのだ。それから黒江君は裏山の奥に入るとまだチッチゼミがいるから取りに行こうと誘った。進は黒江君と仲直りができてうれしかった。

それから、学校で進はチッチゼミ狩りの話を得意になってしゃべった。すると、「ぼくも行く」「私も行く」と大勢の友だち（男三人、女三人）が言いだした。さらに、おしゃべりの橋本新吾がふれまわったので、六年生一人、中学生二人が参加することになった。総勢十人が黒江君の家の前に集まった。「こんにちは、黒江君！」「あたしたちも、よろしくね！」みんなはそう言ったが、黒江君はちらっと進の顔を見ただけで、何も言わずに前を向いてずんずん歩いて行く。

「黒江くうん、もすこしゆっくり歩いてよう」「チッチゼミのいるところ、まだずっと遠いの？」そんな声に応じず、黒江君はずんずん歩いて行く。すると、きれいな池のあるところに出た。「これ、中畑の健ちゃんがおぼれて死んだ池だ」今まで黙っていた黒江君がぼそっとつぶやいた。それでみんなは中畑健一のことを思い出した。中畑健一は進より一年下の学年だった。去年の夏、この池（名は新濘池《しんみょう》）で溺れ死んだ。そのことを去年の登校日の時、校長先生の話で知った。中畑健一の妹が、その池の近くの家で一人遊んでいた。「あそこが中畑くんちなんだ。あの女の子は中畑くんの妹なんだ」と黒江君が説明した。進と同学年の少女たち（太田ミチル、厚沢春子、佐藤裕子）は恐ろしそうな顔で池を見おろしていた。

やっと、チッチゼミのいるところに到着した。黒江君は神妙な手つきでチッチゼミをつかまえようとする。彼は網などを用いない。素手でつかまえようとするのだ。それにはまず、セミのいる木を揺さぶってセミを驚かし、気絶させるという方法らしい。とても原始的な方法であり、川の魚をつかまえる時、びっくりさせて、気絶したところをつかまえるのとよく似ている。

しかし、何回やってみても今日はうまくいかない。それで、黒江君はセミ取りをやめて、「ぼくの作った原始火おこし器で火をおこす」のを見るかいと言い出した。だが、この火おこしもなかなか、うまくいかない。黒江君は汗びっしょりになって、火おこし器の棒を懸命になってこすり続けるのだが、木が湿っているのか定かでないが、いくらやっても火がつかない。少し煙らしきものが出たが、それもすぐに消えてしまった。見ているみんなはがっかりして帰り出した。それに夜が近づいて、あたりは薄暗くなってきた。残ったのは黒江君と進だけ。

進は最後まで残っていた橋本新吾（五年生）と水野君（六年生）を見送ってから、ぼんやりと遠くを見た。福山市に行く「ニコニコバス」が、いつものように白い埃を立てて通り過ぎて行った。それから進は黒江君と交代して、原始火おこし器で火をおこし始めた。黒江君はまた、チッチゼミをつかまえに行くといって出かけた。黒江君が帰って来るまでにぜったいに火をおこしてみせるぞと進は張り切った。しかし、いくらやっても火はおこらなかった。そんな時、遠くから「チッチゼミ、つかまえたぞう」という黒江君の声が聞こえてきた。「よかったなあ！　ぼくのほうも、ちょうどいま、火がついたとこだようっ！」進はそう言うと、ウサギがとぶように洞穴（黒江君の隠れ場所で、マッチの大箱やその他、いろんな道具が置いてある）の中に飛び込み、マッチの大箱をつかみ、震える手で火をつけた。そして、原始火おこし器のそばにあったススキの穂に近づけた。それから急いで、マッチの大箱を元に戻し、黒江君の声がした方へ走って行った。

黒江君はへたへたになって坐っていた。黒松の大木に背中をあずけて、へたばっていた。それでも黒江君は左のこぶしを進の方に突き出し、白い歯を見せて笑った。左のこぶしの中にはチッチゼミがいた。黒江君と進は、顔を見合わせて笑った。

それから、「井上君、よく、火、ついたね」と黒江君が言った。進はどきっとして、黒江君の顔をまともに見ることができなかった。それでも進はなんとかうまく切り抜けた。

「チッチゼミをつかまえる方法は、黒江君が考えたの？」と進が何気なくたずねると、黒江君は「そのヒントは、中畑の健ちゃんからもらったんだ」と答えた。ここでも進は亡くなった中畑健一のことを思い出した。

そして二人は家へ帰ることにした。しばらく林の中を歩いた後、黒江君が急に「あれ、何だろう?」と言った。林の斜め下から多くの煙が流れていた。「たいへんだ！」進は青ざめた顔で、叫んだ。「火おこし器の火が燃え移ったんだ！」それから二人は現場に駆けつけ、必死になって火を消そうとした。しかし、火の勢いは弱まるどころか、どんどん強くなった。そのうち、半鐘が鳴り出し、消防ポンプが駆けつける。

翌朝の五時頃、やっと鎮火《ちんか》した。雑木林と県有林、それに三軒の家が燃えた。三軒の家の中には、あの中畑健一の家があった。それから、警察署や消防署の人たちから、いろいろ調べられた。黒江君と進は未成年ということで、両親の付き添いのもとで調べられた。

黒江君のお父さんは校長をやめるといって辞表を提出したが、辞表は受け入れられなかった。そして、黒江君は大阪の親戚の家に行き、そこから新しい学校へ通うことになった。ショックが静まるのを待つためということだった。町のうわさでは火事の原因を作ったのは黒江君ということになっているらしかった。進はほっとすると同時に、悲しかった。

それから時間がたち、進は六年生になった。黒江君のことが気になるが、彼からは何の便りもなかった。黒江君の左のこぶしの中にあったチッチゼミはどうなっただろうかなどと気になる。焼けた三軒の家は、もとのものよりずっときれいに建て直された。町はいつもの生活を取り戻した。ただ、「ニコニコバス」は中国地方の名を使って「中国バス」となった。しかし、あいも変わらず、白い砂埃をあげて、元気よく走っている。

学校ではもう誰も、黒江君のことを口にしなくなった。進は黒江君にもらったチッチゼミの標本を時々取り出して、眺めることがある。そして、チッチゼミの鳴く木の下で起こったことを、思い出す。そんな時、進は、たまらなくなって涙を流す。

だが、いつの間にか進は、泣かないですむ「強さのようなもの」を身につけるようになった。心が強くなったというのか、雑事に紛れて忘れるようになったのか、はっきりしないが、ともかく、そういう自分に気づくことがまた、悲しかった。

二

短くまとめようと思った粗筋が、思いのほか長くなった。これも仕方あるまい。お許し願いたい。

さて、この作品『チッチゼミ鳴く木の下で』の眼目（中心となるもの）はいったい、何であろうか。

それは、ごく普通の少年が友だちのことを温かく思ったり、また、意外な状態の中でズルをしようとしたりすることである。その結果、思いも寄らぬ大事件になったりする。この物語では井上進が友だちの黒江君のためにやったことが裏目に出て大火事となる。だが、真犯人の井上進は騒がれず、一緒にいた黒江君ばかりに世間の鋭い眼と光が当てられる。黒江君はついにこの土地を離れ、親戚の家に預けられる。井上進は名乗り出しもせず、ひっそりとしていて、中学校に進む。何か後味の悪さが残る物語だが、これが何とも言えない「真実らしい」事実の結末であり、読者には一応の納得がいく。

それに、もう一つ、井上進が自分だけの出来事としてすましておきたいことが、どういうわけか友だちの間にどんどん広がっていく「拡大の悲劇」がある。この悲劇の受難者は井上進である。井上進がチッチゼミを探しに行くということを橋本新吾らに話したら、どんどん人数が増えていった。井上進も黒江君も、二人だけで行くという考えであったのだろうが、しかし、井上進は人数が増えてしまっても断り切れないという「弱さ」（逆に言えば、人の好さ、寛大さ）がある。黒江君は井上進と二人だけで行くという考えであったから、大勢の人数に驚いて躊躇するが、仕方がないとあきらめて彼らを先導する。ここで黒江君は井上進に文句を言ってもよかったのに、何も言わず黙々と彼らの前を歩く。ここに、おとなしい黒江君の性格がよく出ている。また、その黒江君のおとなしい性格に寄りかかっている井上進の厚かましさがよく出ている。

また、それ以前、井上進が五年生の夏休みの登校日にチッチゼミの入った箱を持っていき、クラスの違う黒江君にお礼を言おうとした。だが、その前にクラスの友だちに「見せて！」などと言われて、紙の箱は壊れ、標本も駄目になってしまった。こういう出来事があった。ここでも「拡大の悲劇」がある。井上進はこの日、チッチゼミの入った箱を学校へ持っていく必要はなかった。クラスの違う黒江君のいるところへ行ってお礼を言えばよかった。それをわざわざ持って行ったのは、友だちに見せたかったからだろう。井上進の見栄が災いしている。したがって、この事件も井上進は黒江君に迷惑をかけている。

このように見てくると、この作品『チッチゼミ鳴く木の下で』は「模範少年」黒江君に迷惑ばかりかけている「ダメ少年」井上進の懺悔録ということになる。しかし、それだからこそ、現代の児童文学作品として価値がある。作品の読者は、ある時は黒江君の立場に立って読み、また、ある時は井上進の立場に立って読む。そして、最終的には井上進に同化したり異化したりしながら読み進め、ある種の感動を得る。その感動が具体的にどのようなものであるかは読者個々によって異なる。

さねとうあきらは、「解説…子どもが見あげた空の広さ」で、次のように書いている。

> 皿海さんは、〈人間の弱さ〉というものを大きく肯定したうえで、それをことばのうえだけでのりこえるのではなく、そういう弱さをにないながら生きていく、ある面からみれば、弱さにへこたれない強さというものに温かい目を注いでいます。(中略)親友を裏切った〈負い目〉を背負いながらも少年は成長し、しかもその成長にともなう痛みにもたえて、自分ひとりしかかかわることのできない人生を生きぬいていくのです(注1)。

この作品が現代の児童文学作品として価値があるのは、これまでの(つまり、近代の)友情物語と一線を画す点にある。例えばこの作品で言えば、黒江君と井上進が互いに相手のことを思い合い、信頼を抱き、ベタベタするくらいに密着していることである。それが、これまでの友情物語であった。しかし、この作品はそうではない。黒江君の方はともかく、井上進は黒江君の思いを踏みにじるような残酷なことを考えたり、卑怯であり卑劣な行いをしたりする。ドライといえばそれまでであるが、現代っ子らしい性格を帯びている。つまり、善良であるだけの少年ではない。そのような少年像を造形したところに新しさがある。

三

皿海達哉にはたくさんの作品がある。これまで読んだのは『少年のしるし』（理論社　一九七三年五月）『なかまはずれ町はずれ』（ポプラ社　一九七六年六月）『チッチゼミ鳴く木の下で』（講談社　一九七六年九月）『坂をのぼれば』（PHP研究所　一九七八年三月）『雪の日のりんご』（金の星社　一九八一年三月）『野口くんの勉強べや』（偕成社　一九八一年五月）『堤防のプラネタリウム』（あかね書房　一九八三年七月初版）『海のメダカ』（偕成社　一九八七年九月）等である。

皿海は自身の文学的水脈を一歩一歩、確実に深めている。そして、『海のメダカ』で日本児童文学者協会賞を受賞した。彼は時代の特徴的な事件を凝視し、そこに自身との緊張状態を出現させ、創作の新しい面を切り拓いてきた。

ここでは『堤防のプラネタリウム』を取り上げて、彼の作品の特徴を捉えてみる。この作品は、一九八〇年代の少年少女の世界を巨視的に又、時には微視的に捉えている。石井邦也《くにや》という小学六年生の少年が主役であり、彼の眼から眺めた世界が次々に描かれていく。石井邦也には妹の恭子（小学五年生）、父の捷一《しょういち》（天文学専門の都立高校教員、四十五歳）という家族がいる。長尾やよいという同級生、少年野球のコーチ、不良の高校生（＊オートバイを乗り回す）などが登場する。

物語は石井邦也のやさしい母が子宮ガンで死ぬところから始まり、邦也がやっている少年野球、恭子がやっているタッチフットベースボール（＊ソフトボールとドッジボールとをいっしょにしたようなもの）の話が続く。

それから、恭子の万引き、父の退職というふうに暗い事件が続く。その中に、星空を仰ぐ美しい話が挿入される。ハレー彗星が地球に接近するのである。この辺りは科学読み物を読んでいるような気分になる。天文学的な知識を与えられ、読者は星空に興味を抱くだろう。

だが、何といってもこの作品の中心事項は、母亡き後の石井一家の生活状況である。恭子は友だちから誘われて悪の道にはまりそうになる。恭子は五年生の友だちや六年生の上級生ら四、五人で万引きをする。彼女らは三軒の店で靴、靴下、下着類、化粧品などを盗んだ。連れて行かれた警察署で彼女らは泣いたが、恭子だけは泣かなかった。それに恭子が盗んだのは、ブラジャーだった。それを聞いて邦也は、びっくりした。

父の捷一は勉学意欲のない高校生に愛想が尽きているが、市民のために夜開かれる「天文教室」（＊天文について講義の後、夜空の星を眺める）の講師をつとめる時は意欲的だ。そして、捷一はいつの間にか邦也と恭子に内緒で教員をやめ、中華料理店のコックさんになる。

長尾やよいという邦也の同級生は、彼にとって母亡き後、たいへん頼りになる女性である。邦也は八月六日の全校登校日の翌日、渋谷の五島プラネタリウム（＊東急文化会館の八階にある）へ行った。その時、参観の希望者は邦也と長尾やよいの二人だけだった。それから、邦也は長尾やよいと親しくなった。彼女の父母はパチンコ屋をやっている。もともとはマージャン屋をやっていたのだが、その後、パチンコ屋も始めたのだ。やよいは、恭子にとって頼りになる、姉のような存在となる。

石井捷一が講師をつとめる「天文教室」は、中川放水路の水門近くの堤防で開かれる。すなわち、堤防の広場で夜空の星を眺める「天文教室」が開かれるのだ。そこには三十人ほどの人が集まったが、中には七十歳を過ぎた「ご隠居」もいた。このご隠居は近くの「安行《あんぎょう》慈林《じりん》」（＊埼玉県川口市にある地名。植木で有名）によく出かけるので、それがあだ名になっている。この「天文教室」には小学校の田中先生と山岸先生も来ている。

　邦也は所属していた野球チーム「四つ木ジャイアンツ」をやめた。「人間がなんとなくずるく、ひきょうになるような」気がしたからだ。対抗試合で先発メンバーを命じられていたのに、やめたのだ。「表面だけいっしょうけんめいにやってるように見せかけながら」監督やコーチに気に入られようと、「どこかでぺこぺこしている」自分がいやだった。そして、サッカーのクラブに入った。このクラブの練習は厳しかったが、「どこかのんびりしたところ」があって、「四つ木ジャイアンツ」のように「ぎすぎすしたところ」がなかった。

　それから、妹の恭子は長尾やよいが時々訪ねてくるようになってから、ずいぶん明るくなった。恭子はタッチフットベースボールのクラブをやめ、バトントワリングのクラブに入った。

　邦也は学校の勉強にも力を入れ出した。それから邦也はある日、恭子と連れ立って、父の勤めている中華料理店まで行く。二人はこっそりと店の中を見る。


　お父さんは、見られているとも知らず、キャベツをきざんだり、ジャガイモの皮をむいたり、皿やどんぶりを洗ったり、いっしょうけんめい与えられた仕事をしていた。うすくなった頭にねじりはちまきをしているときなど、おかしくもあったが、かわいそうでもあった。

ときには、店の親方や先輩――年はお父さんよりずっと若い先輩――に、しかられたりしていた。

「お父さん、おとといは外の通りを通るデモ行進を長く見すぎていてしかられ、きょうは、コショウをびんにつめかえるのに、ぬれた手でしたって、しかられてたでしょう。」

恭子は、だまって見ていたことをかくしきれず、そんなことをいって、お父さんに恥をかかせるのを楽しんでいた（注2）。

石井邦也は歩きなれた中川放水路の堤防のそばを、父の捷一、妹の恭子と共に歩いて行く。堤防は長いし、薄暗いし、昼間は話しづらいこともここでは話せる。「何か困ったことや悲しいこと、考えなければならない大切なことがあったら」ここへ来て考えよう、邦也はそう思う。そして、恭子は「見えないバトン」を空高く投げ上げて、バトントワリングの練習をしてみせる。手のひらをくるくるとまわしながら歩いて行く恭子の姿は、まるで女神のようであるが、そのバトンは「しばしば邦也やお父さんにぶつかりそうに」なる。

この結末の表現は、読者であるわたくしにはうれしくもあり、また、不安でもある。なぜなら、一難去って、また、一難来《きた》るの感がぬぐいきれないから。すなわち、夏目漱石の作品『門』の末尾で宗助の言うことば「うん、しかしまたじき冬になるよ」を想起せざるを得ない。恭子は石井の家にとって明るい光をもたらす女神でもあるが、また、災難をもたらすゴルゴン、メドゥーサでもある。つまり、双面神（＊二つの対立する面をもつ神）なのである。
わたくしはその昔、この作品『堤防のプラネタリウム』を論じて次のように記した。

不安で仕方がない邦也であるが、長尾やよいがやって来て、ようやく光明が見い出せる。彼女は、死んだお母さんの代わりをつとめてくれる。彼女こそ、あのはるかな宇宙からやって来た〝救いの使者〟であるのかもしれない。つまり、ハレー彗星長尾やよいであり、地球は石井一家ということになる（注3）。

ストーリー展開の妙味もさることながら、描写の巧みさに感動する。特に堤防のそばで開かれた「天文教室」の様子、野原で突然初潮をみる恭子とそれを見守る邦也の様子、中華料理店でいっしんに働く父の様子、ムカデの夢の暗示に悩む邦也の様子、マドンナ長尾やよいのふくよかな姿と小鹿のような敏捷さなど、圧巻である。
作者皿海は、混沌とした一九八〇年代の暗雲の世相に、ささやかではあるが、星屑の夢を出現させたかったのだろう。

注

（1）皿海達哉『チッチゼミ鳴く木の下で』（講談社＊青い鳥文庫　一九八一年七月第一刷）一八九ページ。
（2）皿海達哉『堤防のプラネタリウム』（あかね書房　一九八三年七月初版）二三六～二三七ページ。
（3）拙著『児童文学の表現構造』（教育出版センター　一九八六年四月）所収「表現構造の分析方法　その2『堤防のプラネタリウム』」。引用は同書六八ページ。

取り上げた作品

・『チッチゼミ鳴く木の下で』
（1）講談社＊児童文学創作シリーズ　一九七六年九月第一刷　絵＝長尾みのる
（2）講談社＊青い鳥文庫　一九八一年七月第一刷　絵＝長尾みのる
・『堤防のプラネタリウム』（あかね書房　一九八三年七月初版）絵＝小林与志

第六章　日比茂樹

日比茂樹論――『カツオドリ飛ぶ海』と『白いパン』――

一

カツオドリとは、少なからぬなじみがあった。カツオドリとは、オオミズナギドリの通称で、伊豆諸島ではこの鳥がカツオの群れを探す良い目印になることから、そのように呼ばれるらしい。

本書『カツオドリ飛ぶ海』では、一郎の家の風呂場に飛び込んできた鳥として、一五二～一五六ページに詳しい説明がなされている。

実は本書を読む少し前（八月十二日、木曜日の夕方）、テレビでオオミズナギドリのことを見た矢先であった。日本海の若狭湾に浮かぶ無人島・冠島《かんむりじま》には、オオミズナギドリが約二十万羽も群生しているそうだが、その生態を岸田秀（和光大学教授・精神分析学）氏が三十分にわたって報告していた。地面に穴をほって巣を作ったり、また、一本の大木に地面からよちよちと登り、その先端に達してから飛び立つなどといった、ちょっと風変わりな生態が、テレビカメラでよくとらえられていた。そして私は、ユーモラスな鳥、エネルギッシュで生命力にあふれた鳥、という印象を得たのである。

ところで、こうしたわたくしの印象と、本書で描かれたオオミズナギドリとは、ぴったり一致したわけではない。しかし、どこか似ているようでもあり、オオミズナギドリの出てくる本書に、ある親しみを感じた。そのことをまず述べておく（注1）。

二

あらすじをいちいち述べることは差し控えるとして、内容についての問題に入る。

その一つは、生き物に対する子どもの心情の描き方に不十分なものがあるのではないかということである。生き物に対する子どもの心情を描くに際し、あまりにも一面的すぎはしないだろうか。つまり、あまりにも大人の感覚に寄りかかり過ぎてはいないか、ということである。

具体的に言うと、次のようになる。

ニワトリの卵をかえし、ヒヨコを育てる。その行為をする大森武志《たけし》や早坂満男《みつお》たちの心情が描かれている。それに対し、卵からかえったヒヨコをヤキトリにして食べてしまう学校の先生たちのことが描かれている。そのような先生たちは、当の子どもたちやPTA、外部の人たちから非難される。だが、主人公の満男は「みんなといっしょに先生がたにこうぎする気にはなれなかった」（二一三ページ）のである。それはなぜか。満男は次のことを考えていた。

① 自分たちでヒヨコの面倒を見ることをせず、学校の飼育小屋へ入れて知らん顔をしていた自分たちにも非はある。

② 何の罪もない猫のミーをさんざんいじめたあげく、川に放り込み石をぶっつけて殺した永沼などが、皆の尻馬にのって先生たちを責め立てている。

①と②の理由から、満男は単純に考えることができない。また、クラスには田之上明美《たのうえあけみ》という女の子がいて、彼女は「生き物や生命に対して」敏感であり、リーダー性をもった優秀児童である。

作者は、他人の尻馬に乗らず、問題を自分のこととして受けとめ、真剣に考えようとしている満男のような子どもに注目し、その内面を描こうとしている。その着眼は良いと思うが、考慮すべき点もある。

①は、満男の殊勝な自己反省である。しかし、これを大人の示唆によって行ったというのであれば、根は深い。本当に、心から自己反省したというのであれば、すばらしい。

②に関しては、満男はヒヨコをヤキトリにして食べた先生たちを責めるグループの中に永沼がいるから先生たちを責めないという考えである。つまり、これは人間不信に根ざす不参加行動である。子どもの世界のみならず、大人の世界にもよくある行動である。

しかし、わたくしはこんなことを考えた。子どもたちの中には「良い子」ばかりではない。問題児もいる。多数の子どもがニワトリの卵をかえすのに一生懸命になっているのに、ちっとも協力しない子。また、何の罪もない生き物を平気でいじめる子。そして、そのような子どもが、ある時ふと自分の犯したこと（悪行）を忘れて他者を攻撃する。自分のことを棚に上げておいて、他者を責め立てる。永沼という少年はまさに、このような子どもである。だが、さらに言うと、この永沼もいつか、自己反省するかもしれない。

永沼のことが、わたくしには気になって仕方がなかった。だから、満男は永沼を一時期、人間不信の目で眺めたにせよ、いつかは、手を握り合う友になる。私はそのような希望を抱きつつ、本を読み進めた。

文中に「子どものなかにも、おとな以上にざんこくで無神経なのがいるように思えるのだ」（一一六ページ）とあるのは満男の述懐でなく、作者の述懐だと判断する。

ところで、ヒヨコをヤキトリにして食うということを子どもはどのように考えるであろうか。卵からかえったヒヨコに対して、また、足を痛めたカツオドリに対して、子どもたちは大変な愛情を示す。一方、ウズワ（魚の一種。地曳網を引いた武志はウズワを一本もらった。）やトビウオを刺身にして、こだわりもなく食べる。作者はその様子を描いている。（注2）

魚も鳥と同じ、生き物である。子どもたちは魚を食べることに対して、何のこだわりもなかった。この作品では、かわいがっていたヒヨコをヤキトリにして平気で食うという問題が出されていただけに、釈然としないものを感じた。その辺を工夫して書いてほしかった。

生き物を食うという問題は、突き詰めていくと、深刻なものにぶち当たる。人間が自分自身、生きていくためには、生き物を食べなければならない。生存の宿命である。生物学では「食物連鎖」という言葉で説明しているが、文学では大きな問題である。心情的なものが関与してくるから。例えば宮澤賢治は、「ビジテリアン大祭」「なめとこ山の熊」等でこの問題を扱っている。（注2）

三

栃原さとるという足の不自由な少年が登場する。また、さとるの親が離婚する。こうした現代的な問題を扱っていて、意欲的である。但し、これらは深く掘り下げられることはなく、中心話題の背景として提出されているのは残念である。子どもたちの「生き物を食うという問題」と関わらせて重層的に描いたら、読者の印象に強く残ると思う。

非常にうまく書けていて、感動を受けた箇所は次のとおり。

〈A〉満男と武志がいっしょうけんめい気を使って、ニワトリの卵をヒヨコにかえす箇所。
〈B〉幸子《さちこ》（満男の妹）を中心に、傷ついたカツオドリの世話を子どもたちが行う箇所。
〈C〉それまで泳ぎに自信のなかった満男が足の不自由なさとると一緒に遠泳をし、完全に泳ぎきる箇所。

これらの箇所は実に圧巻である。読んでいて目がしらが、じーんと熱くなった。しかし、少し時間をおいて考えてみると、センチになり過ぎている自分を感じた。だが、それは読者であるわたくし自身の問題であり、作者が責められる問題ではない。

作者はほのぼのとした、庶民的な人間性の温かさを描くことにおいて、非常に力のある作家である。ただ、その資質にもたれかかっていると、匂いが鼻についてくる。その危惧も抱いた。そのことを正直に告白しておく。

この作品の末尾は、次のとおりである。すなわち、栃原さとるの一家が「夜逃げ同然」のようにして、姿を見せなくなり、満男・武志・明美の三人組は彼らを探す。だが、なかなか見つからない。学校の帰り、校門を出ると明美が言う、「ね、元気だそうよ。あきらめるのはまだ早いわ。わたし、これから区役所へいってみる。そこできけばなにかわかるかもしれないもの。」

また、栃原さとるの弟（真治《しんじ》）や妹（かおる）、母（ユキ）の所在を探そうとして武志や満男も奔走する。武志は言う、「おれはうちに帰って東京じゅうの小学校に電話するぞ。『栃原真治くんという子がいませんか。』って。」

そして、満男は栃原きょうだいの母・ユキが勤めていたという会社へ行くことになる。それから三人は、それぞれの方向に分かれる。満男は、どうしたのだろう。以下、引用する。

ひとりになると、満男はいつのまにか走りだしていた。なんだか、とても歩いてなどいられない気持ちで、あせがつるつる顔や腹をすべり、頭がぼうっとかすんでくるのもかまわずに、地下鉄東西線「南砂町駅」までの約一キロを走りとおした。

走りながら、（近いうちにかならず永沼をぶんなぐってやる。）というへんな決意をした。どうしてこんなことがとつぜん頭にうかんできたのか、満男にもわからなかったが、決意すると、きゅうに心がわくわくしてきた。

（一発でいいんだ。一発、思いきってぶんなぐってやれば、それでいい。）

永沼のおどろきひるむ顔、おこってなぐりかかってくる顔、何十倍もぶんなぐられて気絶する自分のすがた……などがつぎつぎに頭をかけめぐり、もうだまっていられなくなった満男は、「うおうっ。」と、けもののようにさけびながら、暗い地下につづく駅の階段を、だっだだっとかけおりていった。

この部分の満男は、生気に満ち満ちており、何事にも突進していくようだ。これまで臆病だった満男の大変身である。この大変身が大げさで、唐突な印象を与える。しかし、また、読みようによっては、ユーモラスな印象も与える。読者は満男のこの大変身を、笑いながら歓迎し、受容するとしたら、作品は大成功である。私は大人の読者だから、ここはひとつ、子どもの読者に感想を聞きたい。

それはともかく、この最後の箇所は長篇物語を書き上げた作者のほっと解放された気分が揺曳している。そして、読み手であるわたくしもその気分を追体験してほっとし、思わず笑みがこぼれた。だから、この箇所での笑いは、緊張から解放された、爽快な笑いであった。

この作品は全体的に見て、作者の力技でどんどん続けて行き、そしてやっと最後に辿り着いたという感じである。だから、エネルギッシュな作品である。作者の汗と力とが、作品の節々で感じられた。

本書末尾の〈著者紹介〉によると、作者は一九六七年、東京学芸大学を卒業後、すぐ三宅島伊豆小学校に赴任したとのことである。この三宅島での生活と見聞が、本書で活用されている。また、その後の転任地である東京都江東区の小学校での体験や見聞が盛り込まれている。教員という仕事はなかなか困難なものだが、子どもとの関わり合いの中で、子どもを見つめつつ、自己を見つめる機会ともなったと言えるのではなかろうか。

四

日比茂樹の作品には思想がある。だが、その思想はなにがしかのイズムでもなく、また、個性的なものでもない。それは極めて一般的であり、平均的である。殆ど大衆的とさえ言い得るものである。彼の作品がその大衆的な思想に支えられていることが彼の作品が多くの読者に受け入れられる主たる理由である。

作者は対象とする事柄に関して明確な見方や考え方をもっていなければならない。それがここでいう「思想」であり、その「思想」の大衆的・平均的なることが日比の特徴である。しかし、作者の抱いている「思想」がそのままの形で作品の主題となることはない。なぜなら、作者の「思想」がそのままの形で作品世界に現われることはほとんどないからである。作者の「思想」は作者が作品を構想した時、作者の脳中において、核的な「表象」に変形する。この核的な「表象」は、作者の「思想」をイメージ化したものであり、作品の中における個々の部分的イメージを統括するものとなる。

例えば日比の作品『カツオドリ飛ぶ海』(一九七八年)では、子どもたちにとって隣人のように親しいヒヨコを大人が焼き鳥にして食うという問題から端を発し、この世における食物連鎖の宿命にぶつかる。ヒヨコを食ったといって大人たちを批判する子どもたちも、一方ではトビウオを刺身にして食べている。こうして子どもたちは宮澤賢治のビジテリアン思想に直面する。これは作品の中では中心的な問題ではない。しかし、このような問題をちらつかせているところに、作者の「思想」が出ているのではないだろうか。それは何ら特別な「思想」ではなく、一般的平均的な「思想」であり、もっと極端な言い方をすれば大衆的な「思想」であるとも言い得る。

ところで、日比の別の作品『白いパン』（一九八三年）であるが、この作品は時間を一九四五年八月の終戦直後に、場所を長野県のある寒村に設定している。戦後の食糧難の時代であり、人と人との衝突や葛藤、及び、そのような中での温かい心の交流を丁寧に描いている。

主人公は敏之《としゆき》という名の小学五年の少年であり、副主人公は澄子《すみこ》という名の小学三年の少女である。いずれも東京からの疎開っ子。

進駐軍が列車から投げるパンを夢中で拾う子どもたちの姿が詳細に描かれている。初めはパンを拾うのは子どもだけではなかった。大人も拾っていた。飢えを感じるのは子どもも大人も変わらなかった。だが、そのうち村役場から「みっともないからやめなさい」という通達が出る。大概の大人たちはそれに従ったが、子どもたちは飢えに耐え切れず、こっそりと拾いに行く。そして、それを隠れ家にしまっておいた。隠れ家は子どもたちにとってユートピアだった。しかし、それもやがて大人たちに見つかり、彼らはこっぴどく処罰される。そのうち、大人たちの間からパンを拾うのは個人の自由意志ではないかという声が上がり、その考えが広がり、パンを拾うのは自由となった。こうして子どもたちのユートピアは消えてしまい残念なことになったが、村にはこれまでにない「真の自由」がもたらされることになった。

一九四七年ごろの疎開地での食糧難の出来事を、一九八〇年代の飽食社会を見据えて作者は痛烈に描いている。一九八〇年代の飽食社会に対する痛烈な批判である。それがわかるのは作品の組み立て方による。すなわち、この作品『白いパン』のプロローグ（序章）とエピローグ（終章）は一九八〇年代の飽食社会の様子を描いており、その間の全十章が疎開地での食糧難の出来事を描いている（注3）。この作品構成は実に見事であり、効果的である。読者は単に過去の食糧難の出来事を知り追体験するのみならず、今の自分の飽食生活を知り反省し考えることになる。

他に印象に残った所を上げると、まず、作品の冒頭で新聞の投書を用いていることである。「捨てられるパンに思う」という投書である。この投書を書いた人は、「戦後まもなく、進駐軍が列車から投げるパンを夢中で拾った」澄子であった。彼女は今四十五歳であり、東京で小学校の教員をしている。また、第七章以降で、少年の敏之が少女の澄子と一緒にたきぎ集めに行き、その途中でパンの隠してある隠れ家に行くところがスリリングである。

敏之は学童疎開で長野県のある寒村に友だちや先生と一緒にやって来た。東京に母と兄がいる。時々、こっそりと東京へ帰りたくなる。澄子はやはり疎開児童であり、川のそばの水車小屋を改造した小さな家に母親と一緒に住んでいた。澄子の母親は村の暮らしに慣れず、また、村の人たちとも馴染めず孤立していた。そのような状況の中で敏之はある日、澄子をパンの隠してある隠れ家に連れて行く。それは、たきぎ拾いに山へ行った時、澄子が意識もうろうとして倒れてしまったからである。彼女は母親が町へ出かけていて、何日も食事らしい食事をしていなかったのだ。そして、敏之は澄子を隠れ家へ連れて行った。澄子はパンを四枚食べた。それから沢におりて水を飲んだ。「冷たくて、いい気持！」

その時の様子を作者は、次のように描いている。

木立をぬって差しこむ陽の光が、澄子の顔の水滴に当たってはねている。その顔は、ついさっきまでの死人のような顔とうってかわって、あきらかに命のよみがえった顔だった。しかし、ぼくの頭の中には、澄子を救ってやったという満足感も思いあがりもなかった。

（九九ページ）

敏之は友だちの和雄や亮二に内緒で、澄子を隠れ家に連れて行った。彼らに見つからないだろうかとハラハラドキドキしながらの行動だった。

このような場面が強く印象に残った。

『カツオドリ飛ぶ海』では三宅島での海の暮らしを描き、『白いパン』では長野県での山の暮らしを描き、どちらも子どもたちの生き生きした姿が読者には浮かんでくる。これら作品の背後には、作者日比茂樹の原体験が存在する。それらを活かして物語を創作した日比の力強いエネルギーに脱帽する。

注

（1）『カツオドリ飛ぶ海』は東京学芸大学児童文学研究部の夏季合宿（檜原《ひのはら》村人里《へんぼり》）に参加するその日に読み始め、合宿の帰途、読み終えた。

（2）子どもと海や川・湖との関わり合い、魚釣りの体験などをモチーフとした児童文学作品は多い。例えば高橋秀雄の『ぼくのヒメマス記念日』（国土社　二〇〇六年十一月）は、その佳品である。小学四年生のノブは、父の会社の先輩である「岡村のおじちゃん」に連れられて、「湯の湖《こ》」（栃木県日光市の日光湯元にある）へマスを釣りに行く。いろは坂、中禅寺湖、戦場ヶ原など関東地方に住む子どもたちにとってなじみのある地名が出てくるので、どんどん読み進んでいく。マスにもいろいろあって、ニジマス、カワマス、ヒメマスなどマスの種類もいろいろある。それに、「オランダ釣《づ》り」という言葉の意味（五三ページ参照）や、「釣り師のけじめの意味」（一一一ページ参照）など、釣り好きの子どもたちにとって様々な知識が得られる。こうした知識が何となく得られるのも、児童文学書を読む効能である。

（3）『白いパン』のエピローグ（終章）では、大人になった敏之（「私」）が新聞の投書を見て谷村澄子の家を訪ねて行く。路地を一つ曲がったところで、少女と出合う。名札に「谷村静《しずか》」とあった。小学三年生だった。澄子の子どもである。敏之は澄子の子どもに会っただけで満足して帰っていく。「静ちゃんとその母親のしあわせ」を祈りながら。

『白いパン』は一篇の投書記事から戦時下の食糧難、疎開先での出来事というふうに過去にさかのぼり、また、現在に戻るという、時間軸でいえば「行って帰る」構成である。

取り上げた作品

・日比茂樹『カツオドリ飛ぶ海』
（講談社＊児童文学創作シリーズ　一九七八年八月十日第一刷）絵＝西村保史郎

・日比茂樹『白いパン』
（小学館＊創作児童文学〈高学年以上〉　一九八三年十二月二十八日第一刷）絵＝宮本忠夫

発表覚え書き

この文章の初出は、雑誌『あかべこ』（東京学芸大学児童文学研究部機関誌）第五一号（一九八二年十一月二十六日）一四二〜一四七ページ。掲載時のタイトルは、「〈批評の散歩道（1）〉日比茂樹『カツオドリ飛ぶ海』」を読む」。また、『児童文学の表現構造』（教育出版センター　一九八六年四月）所収「表現構造の分析方法6　日比茂樹『白いパン』」。これら二つの初出文章に加筆修正を加えた。

第七章　高橋秀雄

高橋秀雄論――『やぶ坂に吹く風』『やぶ坂からの出発《たびだち》』『地をはう風のように』――

一

高橋秀雄の作品を列挙すると、『じいちゃんのいる囲炉裏ばた』（小峰書店　二〇〇四年十一月）『父ちゃん』（小峰書店　二〇〇六年九月）『ぼくのヒメマス記念日』（国土社　二〇〇六年十一月）『ぼくの友だち』（文研出版　二〇〇八年一月）『やぶ坂に吹く風』（小峰書店　二〇〇八年十月）『やぶ坂からの出発《たびだち》』（小峰書店　二〇〇九年十一月）『ひみつのゆびきりげんまん』（文研出版　二〇一一年三月）『地をはう風のように』（福音館書店　二〇一一年四月）等である。

わたくしが読んだのはこれらの中のいくつかの作品であるが、まず気になったのは『やぶ坂からの出発《たびだち》』の後記「あとがきにかえて　囲炉裏って何だろう？」である。その中で作者は次のように書いている。

私が一九六〇年代を書くとき、作品には必ずといっていいくらいに囲炉裏が登場する。当時は家族や近隣の人々、行商にきた人とさえ、囲炉裏ばたで話をした。囲炉裏はその家の生活や地域の噂話や歴史までをも語られる空間としても、無くてはならないものだった。だから、意識しなくても当然のように囲炉裏が描かされてきたのかもしれない。（二〇九ページ）

高橋がこのように書いているのを読んで、わたくしは昔読んだ柳田國男（民俗学者　一八七五〜一九六二）や西尾実（国語教育学者　一八八九〜一九七九）のことを思い出した。柳田の著書はよく知られているが、西尾のことはあまり知られていないようなので西尾の最晩年の書『帯川《おびかわ》の話』（私家版　一九七八年十二月）を引いてみる。

西尾の生まれ育った帯川は、長野県下伊那郡豊《ゆたか》村和合帯川《わごうおびかわ》（現、阿南町）という農村で彼は豊村の村立和合尋常小学校の帯川分教場の尋常科一年に一八九五年（明治二十八）四月、入学した。その少年が九十歳を越えた回顧録の中で、「わたしのふるさと帯川」は「原始共産社会の遺跡ともいっていいような、八戸の農家から成り立っていた農村共同体であった」と述べている。そして、その生活の基盤は「囲炉裏を囲む生活空間」であった。すなわち、生活の中心に囲炉裏があって、囲炉裏には赤々と火が燃えている。囲炉裏の火を守り、火を囲んで話を交わし、自在鉤にかけた大きな鉄鍋で大根などをぐつぐつ煮こんでいる。時々、煮え具合いを見るために箸でつつく。外は吹雪である。年寄りは子どもたちに昔の言い伝えや昔話を聞かせる。父は藁仕事、母は古着のつくろい。

西尾はこのような囲炉裏の思い出を、四郎八《しろうはち》老人の「炉」についてふれている。また、『帯川の話』では、子ども時代の次のような話も紹介されている。

そのころのわたしの郷里でホンヤリと呼ばれていた「どんど焼き」の日は、朝から青年たちが集まって各戸の庭先に立てられていた松飾りをすべて集める。夕方帯川の入口の道端に近い酒屋の竹藪に続く河原に、高い松や薪のような松飾りに使った棒杭や十二月と書いた割木を村中から寄せ集めて、高いやぐらを組み、薪などを加えて、火をつける。それが盛《さかん》に燃えあがったころ、村中の人たちが集まり、その火で餅を焼いて食べたり、書き初めの紙をその燃え盛《さか》る火に投げ入れて、高く舞い上がると、字が上手になるといって喜び、その高いやぐらの火が燃えしずまるまで、その焔《ほのお》に顔をほてらせながら、喜びあう。その日の最後まで止《とど》まって、全部後始末をするのは、青年たちの夜を徹しての仕事であった。

（十三〜十四ページ）

西尾は単純な近代主義者でなかった。日本の「近代」という時代、「近代」という社会に生きながら、ある部分では日本の「前近代」を色濃く引きずっていた。日本の「前近代」は、人間の「自我」を抑圧し、個人の「主体」形成を阻むというマイナスの要素も含んでいた。しかし、他方、「生のほの温《あたた》かさを湛《たた》えた、ある親密さの空間」を生み出すというプラスの要素を含んでいた。雑木を燃やし、寄り添うようにして暖をとった「囲炉裏端の風景」や、老若男女が寄り集い、大空に向って燃え盛る火を眺めた「どんど焼きの風景」に象徴されるように、この農村共同体の連帯は「人間らしさ」の価値を秘めている。

そのような次第で、わたくしは高橋秀雄の作品を読みながら、郷愁のようなものを感じた。

二

しかし、高橋秀雄の作品を読みながら同時に感じたのは、一九六〇年代の子どもたちの姿が今に続いているという印象である。確かに、作品の中に描かれている風景、例えばやぶ坂や、魚がいっぱい釣れる川、井上良夫（『やぶ坂に吹く風』等の主人公少年）が通う小学校の様子などは今と違って、ずいぶん昔の風景だと感じるが、その環境の中で行動する子どもたちの姿は今も変わらない。そこに、作品の価値がある。すなわち、単なる郷愁《ノスタルジー》でない。

それは作者が登場人物の子どもの心そのものに接近しているからだ。そして、さらに高橋秀雄作品の特徴を言うと、父親の姿が実によく描けていることである。『やぶ坂に吹く風』『やぶ坂からの出発《たびだち》』に登場する悟一（＊井上良夫の父）の人となりが実によく描けている。悟一は良夫の実の父ではない。良夫の父が病死して、母の年子が再婚して迎えた夫である。井上家には年子の母（＊良夫にとっては祖母）ツネがいる。井上家は女系家族のような感じがして、女性が要《かなめ》のようである。しかし、それを支えるようにして、余り出しゃばらず、しっかりと支えているのが婿の悟一である。ツネや年子は、悟一に対してけっこうきついことも言うが、悟一はさらりとかわして、笑いでおさめる。そして、悟一は良夫を、年下の友だちのようにして温かく接する。良夫は悟一を「父《とう》ちゃん」と呼ぶが、じつは「あんちゃん」（お兄さん）ではなかろうかと、読者は錯覚するくらいだ。このようなキャラクターを創造したのが、この一連の作品の大きな魅力である。

良夫は井戸端の洗い桶に食器を沈めながら、悟一のことを、悟一がいたという証拠を思い出そうとした。朝に晩に、必ず囲炉裏端で悟一を見ていた。悟一は囲炉裏が好きで、仕事のように火をいじっていた。囲炉裏のふちに焼酎のコップのあとまで残っている。たいした会話はなかったが、話した言葉も声もすぐによみがえってきた。

（『やぶ坂に吹く風』四六～四七ページ）

これは土方の仕事で足にけがをして入院した悟一のことを、良夫が家で手伝いの食器洗いをしていて思い出す場面である。悟一と囲炉裏端とを結び付けて良夫が思い出すという設定であるが、ここに作者の特質が出ているると、わたくしは判断し、思わず、にっこりとほほ笑んだ。

作品では、良夫が四年生の時、悟一が婿になってやって来たとある。

悟一は早く退院したくて、まだ十分足が治っていないのに退院してきてツネや年子に文句を言われる。金銭的な迷惑をかけず、早く退院し、みんなのために働きたいという気持が先行している。悟一は、そのような人物である。

作品には、いろんな人物が登場する。大隈さんという人がいる。醤油をたくさん飲んで兵隊検査で不合格となって戦争に行かなかった人である。この人のことを村の人は「国あげて戦ってときによ。自分だけ逃げるっちゃなかんべや。日本国民ならそんなことできぬわけだ。」（『やぶ坂に吹く風』一三〇ページ）と批判する。しかし、ある日、良夫は悟一とリヤカーを引きながら萱場《かや》（※屋根をふくのに使う萱がはえている場所）に行き、そこで大隈さんに出会う。大隈さんは彼らより先に萱場に来ていて、チガヤを刈り取っていた。

「どうも、いつもいろいろすみません」

大隈さんは悟一の方に向き直り、麦わら帽子を取って丁寧に頭を下げている。

「いやあ、こっちこそ、助けてもらっているようなもんだがら」

悟一も麦わら帽子を取った。

二人の挨拶は、何のことか良夫にはわからなかった。でも大隈さんと悟一が親しい付き合いをしているような気がした。良夫は二人の顔を代わる代わる眺めた。

（『やぶ坂に吹く風』一五三ページ）

それから大隈さんは悟一としばらく会話を交わした後、「リヤカーの道作り」だと言ってチガヤを刈り始め、刈り取った束を彼ら（悟一と良夫）の刈り取った「山」（＊チガヤを積み上げた山）に混ぜてくれた。

「もう、おら家もたくさんだわ、なあ」

悟一は良夫にいうみたいにして、まだ奥の方に向かおうとする大隈さんを止めた。

「そうですね、帰り道も大変そうだし……」

おしまいにしますかと、大隈さんは黒い顔の中に白い歯を見せて、腰の手ぬぐいを抜いた。汗が本当に滝のように流れている。他の人のことなのに一生懸命頑張った汗なのだと思うと、良夫の胸が熱くなった。汗を拭く黒い顔がさわやかに見えた。


（『やぶ坂に吹く風』一五六ページ）


大隈さんは帰るとき、チガヤの一束を担いで、やって来た。そして、「豆腐屋さん、いつも何にもお礼ができなかったから、これ、お礼の気持ちです」と言って彼らのリヤカーに積み込んだ。良夫は何のことかよくわからなかった。大隈さんが帰った後、良夫は悟一に尋ねた。すると、大隈さんが言った「お礼の気持ち」という意味が理解できた。それは田植えの頃、悟一はあの近くに豆腐や生《なま》揚げを売りに行き、その帰り、おからを山に棄てようかと思ったが、気の毒な大隈さんのことを思い出し、おからを大隈さんの家に持って行ったのだ。すると大隈さんは「珍しい」とか「栄養がある」と言って喜んでくれた。悟一は三回ほど持って行ったという。

その話をして悟一は「あんまり人に聞かせる話じゃなかんべ」と言って照れていた。だが良夫は胸が熱くなった。「捨ててしまうようなおからと、取る人もいなくなってしまったチガヤが、つながっていることがうれしかった。」（『やぶ坂に吹く風』一六〇ページ）

兵役を拒否して醤油を息子に飲ませたという母親の話を、わたくしは埼玉県の農村で聞いたことがある。夫を病気で亡くしたその女性は、息子を戦争で死なせてしまったら、自分の家はどうなるのだろうと心配したのである。この話の大隈さんは兵役を拒否して自分で醤油を飲んだのかもしれないが、このような話は当時の日本に幾つかあったと思う。

三

高橋秀雄の作品を読んでいると、昔の日本の「子ども風土記」を読んでいるような気持ちになる（注1）。例えば『やぶ坂からの出発《たびだち》』に登場する旅芝居一座の子どもたちである。彼らは年に一度、村にやって来る。そして、村人の前で越後獅子の踊りを披露する。観客は喜んで、おひねりを投げる。次の部分を見てみよう。

子どもたち三人が転がりでるように舞台に現れた。腹のところに太鼓を持った獅子の格好をしている。みんな白く顔を塗っているので、昨日の顔とは違って見えた。男の子も女の子もわからないくらいだ。背の高さでゴウタロウが真ん中、サクラが右側、アヤメが左側なのがわかった。

三人がかわいらしく踊りだす。でもきちんと三人が揃っている。良夫はそれがうれしかった。一生懸命さが伝わってくる。悲しくもないのに、涙まで流れてきた。良夫も目を凝《こ》らして見続けた。

（『やぶ坂からの出発《たびだち》』一一八ページ）

このような風景も確かに存在した。また、もう一つ、次の風景である。

「それではこれから、故斉藤五平――」

コウゾウには、世話役の人の挨拶を最後まで聞いている余裕はなかった。参列者たちの前に出て、花かごの近くにしゃがみこんだ。挨拶が終わるとすぐ、花かごが揺さぶられ、紙に包んだ小銭がまかれる。

見れば敏夫や、近所の小さい子までが稔《みのる》の後に続いている。花かごは二本あるのに、一本のほうに集まる敏夫たちの考えのなさに、コウゾウはあきれ返った。

「向こっかわへ行ぐぞ」

小声で稔に言い、二人はすぐに場所を移した。

「——参列下さいまして、まことにありがとうございました」

世話役の人が深々と頭を下げる。

「やっていいんかな」

花かごを持った一人が、もう一本の花かごの人にきいている。

「ああ、いいぞ、もう」

気がついた世話役の人が言った。

そうれとかけ声がかかって、花かごが空に突き上げられ、上下に揺さぶられた。ぽとぽとと白い包みの小銭が地面に落ちてくる。

コウゾウはすぐ二つの包みを拾った。三つめをお婆さんと取り合いになった。放さないで引っ張ったら、中身の十円玉だけがコウゾウの手に残った。

花かごは揺さぶられながら、葬列の前をゆっくりと墓場へ進んでいく。コウゾウも稔も敏夫たちも、かがんだままついて行った。

(『地をはう風のように』九〇〜九二ページ)

これは村の葬儀の場面である。花かごに入った白い包みがばらまかれるというのも、懐かしい風景である。

こうした風景が、いつごろから無くなったのだろうか。

たぶん、家の中から囲炉裏が無くなったのと同じ頃だろう。

そして、さらにこの作品『地をはう風のように』と『やぶ坂からの出発《たびだち》』を重ねて読むと、不思議なことに気が付く。

『やぶ坂からの出発《たびだち》』の前掲引用箇所（越後獅子の踊りを披露した子どもたちの動き）の続きである。


曲は四番まで続いた。子どもたちはずっと投げられたおひねりなど気にしないで踊っている。手の動き、顔の表情がうっとりするほどきれいで、おひねりを投げる間合いが見つけられなかった。

曲が終わり、良夫がおひねりを投げようとしたときだった。ゴウタロウもサクラもアヤメも、取りあうように落ちていたおひねりを拾い始めた。

良夫は、あっといってそのまま固まってしまった。ゴウタロウたちがおひねりを拾う姿に驚いた。目の前で起きていることが信じられなかった。見たくない姿だった。

拾い始めるとまた投げる人がいた。子どもたちがおひねりの落ちた辺りへ駆けだす。それが繰り返された。ゴウタロウもサクラもアヤメも、お客などそっちのけで拾っている。良夫はたまらなかった。顔が熱くなった。ゴウタロウもサクラも、アヤメも早く引っこんでもらいたかった。おひねりに夢中になっている姿なんか見たくなかった。

（『やぶ坂からの出発《たびだち》』一二〇～一二一ページ）


良夫は越後獅子の踊りを披露した三人の子どもたち（ゴウタロウ、サクラ、アヤメ）がおひねりを拾う姿をなぜ見たくなかったのだろう？　そこでわたくしはふと、『地をはう風のように』の中の前掲箇所（コウゾウ、稔、敏夫らが白い包みの小銭を拾う場面）を思い出した。片方は地方を巡回する劇団の出し物終了の場面であり、片方は田舎の葬式終了の場面である。どちらもフィナーレの場面としては共通している。喜びの催しも悲しみの催しも終わりは花火をあげるように、ぱあっとはなやかに行う。そこで参加者は演技者に、あるいは、主催者が参列者に金銭をばらまく。観客は演技者に、拍手の意を込めて金銭を投げる。また、葬儀の主催者は故人に成り代わって参列者に、「ありがとう」の意を込めて金銭を投げる。いずれも嫌みのない、すっきりとした所業である。

しかし、無邪気な子ども時代から脱け出そうとする思春期の子どもは、葬儀で小銭を拾ったりするのを恥ずかしく思うのだろう。『地をはう風のように』の子どもたち（コウゾウら）は何の頓着もなく、お金を拾う。だが、『やぶ坂からの出発《たびだち》』の良夫は小学六年生である。羞恥心がわきおこったのである。また、かつての自分の姿を思い出したのかもしれない。すなわち、自分もかつては彼らのようにお金を拾ったと。「おひねりに夢中になっている姿なんか見たくなかった。」というのは、それだけ思春期にさしかかった少年の心理をみごとに表現している。

ところで、良夫の次の反応を見てみよう。

そんなときだ。

「かわいそう」

という客席の後ろから聞こえた声で、後ろを振りかえった。体を後ろにひいて、眉間にしわを寄せた女の人が真後ろにいた。一目でその人がいったとわかった。

違うと思った。

――かわいそうじゃない。かわいそうなんかじゃない。

口の中で何度も叫んだ。そして、ポケットの中の十円玉を摑《つか》んだ。急いでちり紙に包む。おひねりを握り、手を高く上げてゴウタロウの姿を目で追った。

――かわいそうじゃない。ゴウタロウは一生懸命踊ったんだ。

良夫は立ち上がった。ゴウタロウの目の前を狙って投げた。ゴウタロウの前に落ちた。

（『やぶ坂からの出発《たびだち》』一二一～一二二ページ）

良夫と同じくらいの年のゴウタロウは、やはり思春期にさしかかった少年である。ゴウタロウは、良夫の投げたおひねりを拾うだろうか？　ハラハラドキドキする良夫だが、ゴウタロウはちゃんとそれを拾ってくれた。そして、すました顔で良夫を見た。良夫はゴウタロウと友だちになったような気がして、「もう一度会いたい」と思った。

羞恥心を感じ始める思春期の少年であっても、「きみの演技、良かったよ！」「また、がんばれよ！」などといった励ましの声を「おひねり」に込めているということがわかれば、うれしくなる。

「ほれ、これでも持っていけ！」とさげすんだり、「かわいそう！」とあわれんだりしてお金を投げる人もいるだろう。しかし、良夫には、みじんもそのような気持ちはなかった。「眉間にしわを寄せた女の人」が言った「かわいそう」は、見当はずれの発言だった。

四

『やぶ坂からの出発《たびだち》』には、学校を休んで家で炊事《すいじ》をしたり子守をしたりしている長田《おさだ》京子という女の子が登場する。京子は良夫と同じ小学六年だと後で分かるのだが、学校にほとんど出てこない。良夫は「カエル屋敷」（＊家の近くにカエルのたくさんいる池があるから、そう呼んでいる）に住んでいる京子たちに、ある日、注文の豆腐と生《なま》揚げを届けに行く。

京子は弟二人の子守をしながら、家事をしている。手にはあかぎれがある。良夫は「四十五円です」と代金を請求したが、「銭《ぜに》は母ちゃんがいるときに、してもらいたいんだげど……」と下を向いた。京子の「すまなそうな様子」に良夫は帰るしかないと思い、「はい、わかりました」と言って、カエル屋敷をあとにした。

家に帰ってから良夫は、父と母の会話からカエル屋敷のことを耳にする。京子の父と母は篠《しの》井《い》の鉱山で住み込み働きをしているという。母は後妻で、子どもたちには一銭も金を渡さない。それから、悟一から長田京子は六年生で、今年卒業だと知らされる。

「何、ほんじゃ、学校へいってなかったんか」

悟一はよほど驚いたようだった。

「誰が、学校いってなかったたって」

明日の米を研いでいた年子が囲炉裏にもどってきた。

「道雄さんとこの長女だんべ。あの後妻の嫁さん、継母だから、継っ子を学校にもいかせなかったんだ」

ツネがかまどの前から怒ったようにいった。

「なるほどな」

悟一が大きなため息をついて、タバコを火の中に投げ捨てた。ひどくがっかりしている。良夫もため息をついた。そして、悟一も小学校にきちんと通っていなかったことを思いだした。あの頃そんな子どもはいくらでもいたと悟一は気楽にいっていたが、あのねえやんのことが辛《つら》く思えるらしい。

(『やぶ坂からの出発《たびだち》』一八八～一八九ページ)

そして、作品はいよいよフィナーレを迎える。良夫の卒業式である。この卒業式に、どういうわけか、悟一が出席することになる。

父母会にはいつも年子が出席していたから良夫は卒業式も年子が出席するものと思っていた。だが、今度は少し空気が違っていた。「良夫、卒業式まで、あと何日だや」とか「良夫の卒業式、誰が行くんだや」とか、悟一が言う。それで、ついに年子が「自分で行きてえがら、うるさくいってたんだな。ほんなら行ったらいがんべ」と言って、悟一が行くことになる。

良夫の通う小学校には講堂も体育館もない。四年生の教室三つの間仕切りの壁を取り払って一時的な講堂にする。

良夫は講堂に足を踏み入れ、悟一はどこにいるのだろうと気になるが、きょろきょろするわけにはいかない。たぶんどこかにいて自分を見てくれているのだろう。そして、卒業式の気分を味わっているのだろう。すると、卒業証書授与の時間となった。担任の先生が児童の名前を次々に呼んでいく。「井上良夫」と呼ばれたので、大きな声で返事をした。

聞きなれた名前が、どんどん呼ばれていく。そして、とつぜん、「長田京子」という名前が呼ばれた。あの「ねえやん」の名前だ。


返事はなかった。しーんとした講堂に小さなざわめきが起きた。ほんの一瞬のことだった。次の加藤美代子の名前が呼ばれると、ざわめきは静まった。

良夫の息は止まっていた。同じクラスだったんだ。長田京子の名前が耳の中で木霊《こだま》している。あの雨上がりに初めて会ったねえやん、長田京子。良夫は息苦しくなって、周りに聞こえるほど大きな息を吐いた。

(『やぶ坂からの出発《たびだち》』二〇六ページ)

あの長田京子がここにいないということが良夫には寂しかったのだろう。同じ年齢の人間がどうしてここにいることができないのか、そう思うと良夫は悔しい思いがしたのだ。続きを見てみよう。

金色の縁取《ふちど》りがある布の掛かった演壇を見つめながら、今ごろ長田京子は何をしているのだろうと思った。すると、あのつるべ井戸が浮かんできて、小さな子の面倒をみながら、洗濯をしているねえやんの姿が浮かんだ。

「ねえやん」

小さな男の子が長田京子を呼んでいる。そんな声が聞こえたような気がした。窓の外に目をやる。青空の下、外には暖かそうな春の陽《ひ》が射していた。それがわけのわからない悲しみになった。

知らないうちにこぶしを握り締めていた。悲しみは怒りになり、怒りは何も知らなかった自分にむいていた。何も知らないことが初めて恥ずかしく思えた。

来賓の一人が、卒業のことを出発といった。旅立ちだともいった。

——たびだち。

良夫は何もわからない遠い明日を見据えようと、また青い空に目を移した。ねえやんの姿が青空に浮かんで見えた。

(『やぶ坂からの出発《たびだち》』二〇六〜二〇七ページ)

この作品のラストが、ねえやん(長田京子)のことで締め括られるとは予想しなかった。思いの外のラストシーンである。良夫はそれほど言葉も交わさなかったし、長田京子の姿を何度も見たことがない。それなのになぜ、これほどまでに良夫の眼と心に焼き付いているのだろう。それは自分よりもっと悲惨な境遇にいる同級生を見出して、驚くと同時に、彼女を何とかして救い出したいという思いが募ったからではないだろうか。「何も知らないことが初めて恥ずかしく思えた」というのは、まさにこのことではないだろうか。

ねえやんを、あの状況から解放してやりたい、そんな思いが湧いてきたのだと思う。少年らしい熱い心である。

人間は一人では生きていけない。協同して生きていく。この稿の冒頭でふれた囲炉裏をかこむ風景が象徴しているように、肩を寄せ合い助け合って生きていくのだ。世の中に「ねえやん」のような人がいたら、進んで声をかけ、救いの手を差し伸べてあげたい。

高橋秀雄の作品は、家族相互の「助け合い」(協同)の心理がその中核に描かれているが、その周縁には他者への「温かい」視線が注がれている。特にわたくしが感じたのは、前に取り上げた「大隈さん」であり、また、この「ねえやん」である。このような人とまさに「友愛の心」で接していきたい。読後、わたくしの心にむくむくと湧き上がって来たのは、このような感情である。

注

（1）日本の昔の「子ども風土記」のことを思い出したのは、柳田國男の著書『こども風土記』。この本の初出は、日本が国を挙げて太平洋戦争に向かっていく最中の新聞連載である。わたくしが読んだのは戦後の角川文庫『こども風土記』（一九六〇年七月）である。

取り上げた作品

・高橋秀雄『やぶ坂からの出発《たびだち》』（小峰書店　二〇〇九年十一月）絵＝宮本忠夫
・西尾実『帯川《おびかわ》の話』（私家版　一九七八年十二月）
・高橋秀雄『やぶ坂に吹く風』（小峰書店　二〇〇八年十月）絵＝宮本忠夫
・高橋秀雄『地をはう風のように』（福音館書店　二〇一一年四月）画＝森英二郎

第八章　さくらももこと竹下文子

一

さくらももこは一九六五年（昭和四十）五月八日、静岡県清水市（現在、静岡市清水区）に生まれ、二〇一八年（平成三十）八月十五日、亡くなった。享年五十三歳。若すぎる死である。本人の気持ちはわからないが、死は早かったと思う。インターネットで彼女の写真を見たが、顔立ちはどこかかちびまる子に似ている。

マンガ家について何か書く機会があり、いつか彼女について書こうと思っていたが、生前の彼女について書けなかったのは残念である。わたくしは児童文学の作家についてこれまで多くの文章を書いてきたが、いつか子どもたちの愛読書であるマンガについて書こうと思っていた。その時、まず頭に浮かんだのは、さくらももこである。

二

『永沢君』という作品がある。これは小学館発行の雑誌『ビッグコミック　スピリッツ』に一九九三年から一九九五年に連載された漫画である。そして、一九九五年六月に単行本『永沢君』（＊スピリッツボンバーコミックス）として小学館から刊行された。

永沢君はマンガの中で「少しいじわるな男子」として紹介されている、玉ねぎのような頭をした男の子である。『永沢君』では彼らは中学生（清水市立桜中学校の生徒）になっている。そして、この作品では、まる子やまる子の家族は登場しない。題名から明らかである如く、主人公は永沢君で、他に登場するのは花輪クン、藤木クン、小杉クン、平井クン（不良ぽい）、城ケ崎姫子（美人）、平岡くさよ、ヒデじい（花輪クンの付き人）、倉田クン、野口さん（無口だがお笑いが好き）など。

この作品のクライマックスは、わたくしの見るところ、修学旅行で関西に行くことである。グループ行動をする班編成で永沢は、小杉、平井、野口と組むことになる。

平井が言う、「オレと野口と永沢と小杉⁉　チッ、くっだらねェメンバーだな、面白くねぇ。」小杉が言う、「永沢君、まもなく京都に着くぞっ。」　すると、永沢が言う、「うるさいなあ、小杉君はうれしそうだけど、こんな班なのにいやだと思わないのかなあ。」

　全員が京都で下車した。それから、次の日、野口はひとり旅館にとどまり、彼らとは別行動で大阪の花月へ漫才を見に行く。小杉と永沢は京都で三十三間堂へ行き、仏像を見ている。永沢が言う、「三十三間堂の仏像って自分に似てる顔が一体はあるんだってね。」そして二人は仏像の顔を次々に見て行き、「これは平井だ」、「これはボク（小杉）だ」、「あれは野口だ」などと言い合う。そんな時、野口は花月で漫才を見ている。

　そして、その夜、四人は京都の新京極をぶらぶら歩く。平井が万引きをする。盗んだのはお地蔵さまの形をしたキーホルダーである。「見たぞっ！」と小杉が言う。すると、平井が小杉を殴りとばす。野口はそれを見て、花月で見た漫才の一場面を思い出す。野口がぶつぶつ独り言を言うのを聞いて永沢は、もしかと思う。そして、永沢は、一人でつぶやく、「この四人の中で花月へ行った人などはひとりもいない」「みんな一番の思い出は小杉君だ」。

　このマンガ『永沢君』を読んで、わたくしはキャラクターが実によく描けていると感心した。主人公の永沢君をはじめとして、小杉、平井、野口など、印象に強く残った。

三

さくらももこ原作のテレビアニメがたくさんある。わたくしが特に好きなのは『まる子　子ねこをひろうの巻』（金の星社　二〇〇九年十月）『イタリアから来た少年』（金の星社　二〇一六年三月）の二作品である。

『まる子　子ねこをひろうの巻』には「まる子　子ねこをひろう」と「おじいちゃんの　照れ屋の友人」「春の巴川《ともえがわ》の一日」の三つが収められている。

「まる子　子ねこをひろう」はまる子がひろった「捨て猫」のチビについての話であり、まる子はチビを膝の上にのせて「チビあそこに見えるのは、富士山だよ。」と言う。この場面がとても印象的だ。

チビは、小川をおよぐカエルを見ました。それから、空をじざいにとびまわるトンボも見ました。チビは広い草原を、また、とことこと歩き、まる子はそのうしろをゆっくりとついていきました。

何の変哲もない自然な文章だが、チビに対する愛情が読者にひしひしと伝わって来る。

だが、チビはいつの間にか元気が無くなり、ミルクをあまり飲まなくなる。まる子とお姉ちゃんは心配そうに箱の中のチビを見る。

そんな時、友だちのたまちゃんから電話がかかって来る。たまちゃんのお父さんが撮ってくれた写真が出来上がったというのだ。早速見せてもらいに行くと、どの写真にも、まる子とチビが写っていた。

そして、写真をもらって、家に帰った。すると、玄関口でお姉ちゃんがじっとまる子の顔を見つめた。まる子にはお姉ちゃんの顔が少しゆがんでいるように見えた。「チビが……死んじゃった……」

「さっき、箱の中を見たら、動かなくなってたの……」

まる子の手から写真が落ちて、むざんにちらばった。

四

『イタリアから来た少年』は、外国から六人の子どもたちが清水の町にやって来て、ホームステイするという話である。北アメリカからマーク、ハワイからネプ、ブラジルからジュリア、香港からシンニー、インドからシン、イタリアからアンドレアという六人の少年少女の中から、アンドレアという少年がまる子の家にホームスティすることになる。

まる子は小学三年生で、お姉ちゃんは六年生である。

まる子はアンドレアに自己紹介する。「わたしは、さくらももこです。あだ名はまる子です。」ここを読んで少し驚いた。まる子って、あだ名だったんだ。本名は、さくらももことなると、自伝マンガってことになるのかなあ。確かに、そういうこともあるのだろうとわたくしは思った。

ところで、先のように、まる子が自己紹介すると、アンドレアが言う、「マルコ？　キミ、マルコですか？　ボクは、マルコがスキです！」

片言まじりの日本語で、アンドレアがこう言った。

それから、この後、アンドレアがまる子の家でなぜ自分が日本に来たのかを述べる。アンドレアは自分のおじいちゃんから日本語を教わった。「おじいちゃんは、日本が大好きで、昔、日本に来ていました。カメラマンで、マルコという名前です。」

ここで、アンドレアが前に「ボクは、マルコがスキです！」と言った謎が解明される。また、この時、まる子のお父さんが、「それで、うちのまる子に興味をもったんだな。」と言う。

さて、この話『イタリアから来た少年』はアンドレアがおじいちゃん（マルコ）の日本滞在時の日々を掘り起こすことになり、その仕事の手助けをまる子とおじいちゃん（さくら友蔵《ともぞう》）が行うことになる。アンドレアのおじいちゃん（マルコ）は既に故人である。

ホームスティの子どもたちを連れて関西に行くことになった。旅行は一泊だけで、京都行きと大阪行きの二チームに分かれることになった。

アンドレアは大阪に行きたいと言う。それは、昔、おじいちゃんが知り合った夫婦が大阪にいるから、会いたいのだと。その夫婦の住所はわからない。道頓堀の、のん気屋のんべえという店だという。

旅行の日の朝、まる子たちは静岡駅に集まった。京都チームは、花輪クンとマーク、たまちゃんとシンニー、はまじとシン。いっぽう、大阪チームは、野口さんとジュリア、小杉くんとネプ、そして、まる子とアンドレア。また、京都チームの引率は、ヒデじいと、たまちゃんのお父さん。大阪チームの引率は、野口さんのおじいさんと、まる子のおじいちゃん。

それから、京都チームの面々は京都駅で降り、大阪チームの面々は新大阪駅で降りた。

大阪チームは道頓堀へ行く前に、野口さんの希望で、なんば花月でお笑いの演芸を見た。ここでも、野口さんの花月愛好が顕著である。詳しくは前掲の『永沢君』を見るとよい。

まる子たちは道頓堀で、のん気屋のんべえを探そうとしたが、店が多くて探し当てるのに苦労する。道頓堀の裏通りにあるお好み焼屋に入って、尋ねると、のん気屋のんべえはりょうさんとチエさんという夫婦の店で、二十年ほど前に東京へ引っ越したとのことだった。さらに、いろいろと話を聞くと、東京の上野でスパゲッティ屋をやると言っていたという。だが、その店の住所や名前もわからない。

次の日、まる子たちは新幹線に乗って静岡へ帰った。それから、巴川での灯ろう流しがあり、アンドレアの帰る日が近づいた。

帰るその日、皆でバスに乗り羽田空港に向かった。アンドレアの乗る飛行機は午後六時発だ。バスが羽田に着いたのは午前九時だった。ブラジルのジュリアが午前十時三十分発の飛行機で飛び立った。アンドレアの出発までには、充分時間がある。まる子がアンドレアに言った、「空港で待ってるだけなら、上野に行って、いちかばちか、のん気屋の夫婦をさがしてみようよ！」

こうして、まる子とおじいちゃんとアンドレアは、羽田空港に荷物を置いて、上野に向かった。午後五時までには必ず戻って来ると、ヒデじいに約束した。

それから、上野の町をいろいろと探し回った。三人が歩き疲れて、へとへとになった時、アンドレアが急に足を止めた。「あっ、もしかして、あの店！」　路地の奥に店があり、看板に「スパゲッティ　マルコ」と書いてあった。

こうして三人は店の中に入り、いろんな人と会う。店の奥から出てきた年配の男の人に、アンドレアは、持っていた栓抜きを見せた。その人が言った、「これは、たしかにマルコにあげた栓抜きだよ、よく会いに来てくれた。ありがとう。」

それから、アンドレアは、マルコが半年前に亡くなったことを話した。「また会おうって約束したのに……」りょうさんがそう言うと、となりにいたチエさんがすすり泣きを始めた。

こうしてアンドレアは、念願だったおじいちゃん（マルコ）の知人、りょうさんとチエさんに会うことができた。マルコの孫のアンドレアがおじいちゃんの代理人として「知り合い」に会うというのは、不思議な巡り合わせである。孫が自分のおじいちゃんの足跡を尋ね、おじいちゃんの「知り合い」に会うというのは、孫がそれだけおじいちゃんのことに関心を持っていたからである。自分自身のルーツを探すのと少し違うが、孫がそれだけ祖父のことに関心を持ち、祖父を慕っていたからである。実に人間らしい所業である。

ところで、この作品『イタリアから来た少年』は、マンガではなく、一ページごとに上半分が絵、下半分が文章という形の絵物語である。

先に取り上げた『まる子　子ねこをひろうの巻』も同じスタイルの絵物語である。

しかし、その後、わたくしが調べたところ、りぼんマスコットコミックスというシリーズで『ちびまる子ちゃん　キミをわすれないよ』（集英社　二〇一五年十二月）が出ている。そして、「映画原作特別描き下ろし」という但し書きもついている。なお、この作品は単行本で出版される前に雑誌『りぼん』で平成二十七年（二〇一五）十月号から翌年一月号にかけて掲載されたという。すると、アニメ版『イタリアから来た少年』はこの後（二〇一六年三月）に出版されたことになる。

『ちびまる子ちゃん　キミをわすれないよ』（二〇一五年十二月）は「出会い編」「大阪編」「灯ろう流し編」「お別れ編」の四部で構成されている。なお、これらはすべてマンガである。絵物語ではない。

なお、このマンガ『ちびまる子ちゃん　キミをわすれないよ』の末尾に、作者自身が「あとがき」を書いている。

（前略）私は映画にはあんまり乗り気じゃありませんでした。あんまり乗り気じゃないけれど、よその国の子供達がまる子達の家にやってくるというビジョンが浮かびました。もしも映画になるのなら、日常的だけど少し日常よりも特別感もあった方がいいなと思ったのです。

その辺から「あらら」という間に映画の話は進みました。私もああだこうだと言っているヒマもないくらいの早さで脚本に取り組みました。イタリア人のアンドレアのおじいちゃんがマルコという名前とか、のん気屋の夫婦のこと等、思いつくたびに涙をふいたりしました。

それで脚本は出来たのですが、それを漫画にしようかどうしようか…というのでまた悩みました。映画は高木監督をはじめ、アニメスタッフががんばってくれますが、漫画を描くとなると自分と、あと昔からのアシスタントの藤谷さんだけです。映画も大変だけど、漫画は「やらないどこ」と自分が決めればやめてもいいのです。

…かなり悩みましたが、漫画も描きたいなと思って描くことにしました。（後略）

ここには、マンガよりも先に映画の話があったことが示されている。この時、作者は「うーん」と頭を抱えて悩んだそうである。映画になるのは二十三年ぶりで、三本目だった。「ちびまる子ちゃんというのは、あんまり映画には向いていないんじゃないか…と常々思っていたのです。」と作者は言う。その理由は、このマンガは特別な世界を描いたものではなく、「日常の、すったもんだを楽しみ、時には涙するという普通の生活を長年描いてきただけなのです。」と、サザエさんのような日常性のマンガだったからである。しかし、マンガの愛好者は様々である。主人公が異次元の世界に行って再び帰って来るというドラえもんのような漫画もあれば、サザエさんのような日常性のマンガもあり、どちらも多数の愛好者が存在する。マンガのちびまる子ちゃんはどちらかというと、サザエさんのような日常性マンガである。

そして、作品『ちびまる子ちゃん　キミをわすれないよ』は作者が幾らか日常性の枠を外して、少し冒険を試みた作品だった。日本に外国から六人の子どもがやって来るという設定をした。いわゆる、異文化交流である。外国から来た六人の子どもたちに京都と大阪を見せて案内するという話である。しかし、今度は日本の子ども六人が外国へ行って、その土地の代表的都市や名所を案内してもらい、そこにもう一つ別のドラマが発生するというストーリーも考えられる。さくらももこが健在であれば、このようなマンガができたかもしれない。

それはともかく、『ちびまる子ちゃん　キミをわすれないよ』がマンガからアニメ本『イタリアから来た少年』になり、さらに映画になったことは、大きな収穫であり、成果である。笑いあり、涙ありのドラマになった。これからも多くの読者、観客がこの作品に感動するだろうと思う。

五

竹下文子（たけした・ふみこ）は一九五七年（昭和三十二）二月十八日、福岡県門司市（現在、北九州市門司区）に生まれた。少女時代は神戸、東京に住む。東京学芸大学在学中、ファンタジーの作品を書き、野間児童文芸推奨作品賞を受ける。のち、多くの作品を書き続けている。

一九七七年（昭和五十二）、日本童話会より賞を受ける。

東京学芸大学の幼稚園教育科で学んだという。若くして童話作家となった人であり、評論家の西本鶏介は「安房直子、あまんきみこ、立原えりか等のあとを継ぐファンタジー作家として注目したい。」と述べている（詳しくは、西本鶏介「竹下文子」〈教育出版センター新社『現代日本児童文学作家事典』一九八七年十二月〉より）。

ここでは竹下の初期作品である『星とトランペット』に絞って述べる。

『星とトランペット』、この表題の本で、わたくしが所有しているのは二冊。一冊は講談社・青い鳥文庫の『星とトランペット』であり、一九八二年（昭和五十七）二月一〇日発行。絵は牧野鈴子。もう一冊はブッキング発行の『星とトランペット』であり、二〇〇四年（平成十六）二月一〇日発行。絵は牧野鈴子。両者には二十二年の隔たりがある。

二冊の本の目次は次のとおり。

講談社・青い鳥文庫の『星とトランペット』（一九八二年）

① 月売りの話
② 星とトランペット
③ 花と手品師

④　タンポポ書店のお客さま
⑤　ポケットの中のきりん
⑥　日曜日にはゆめを
⑦　ノラさん
⑧　野のピアノ
［解説］　与田準一

ブッキング発行の『星とトランペット』（二〇〇四年）

①　月売りの話
②　星とトランペット
③　花と手品師
④　タンポポ書店のお客さま
⑤　日曜日には夢を
⑥　ノラさん
⑦　野のピアノ
⑧　ポケットの中のきりん

⑨　砂町通り
⑩　フルートふきはどこへいったの
⑪　いつもの店

ブッキング発行の『星とトランペット』には、［解説］はない。なお、ブッキング発行の『星とトランペット』の末尾に「この本は、一九八四年に講談社文庫として刊行されたものです。」とある。青い鳥文庫の後に発行された講談社文庫の『星とトランペット』はこのような内容構成なのであろう。しかし、わたくしが今見ているのは青い鳥文庫の方であるから、その選別の仕方に関心・興味がある。

青い鳥文庫所収の作品はすべて後続の本（ブッキング発行の『星とトランペット』）に収められているが、その配列が異なる。また、後続の本には、「砂町通り」「フルートふきはどこへいったの」「いつもの店」の三篇が新たに収録されている。

六

ところで、もの書きには大きく分けて三つのタイプがある。その一は、自分のことを包み隠さず、正直に作品の中に、しかも、たくさん入れる作家である。その二は、自分のことは一切入れず、自分以外の興味ある人をモデルにして描く作家である。その三は、自分以外の興味ある人物を主人公にしながら、かつ、脇役、もしくはその他の人物に、こっそりと自分の姿を投影して描く作家である。

素直で、正直な性格の作家は第一のタイプであり、知的で、多くの仕掛けを好む作家は第二のタイプである。いわゆる、私小説の作家と巷で言われているのは第一タイプの作家であり、推理小説などをよく書く作家は第二のタイプである。小説の歴史や、小説の本質は何かなどと哲学的、或は社会学的、心理学的に小説を研究した作家は第三のタイプである。

わたくしはこれら三種類の作家に、優劣を定位しない。作家それぞれに個性があり、作品も千差万別・多種多様であるから、優劣の差はない。

このようなわたくしの作家類別観からすると、さくらももこはマンガ家であるが、作家（小説家）のタイプに当てはめると第一のタイプになる。思い浮かぶのは林芙美子である。林芙美子が「なつかしの土地」尾道の人と風物を描いたように、さくらももこは「なつかしの土地」

清水の人と風物を描いた。

さて、竹下文子はどうであろうか。彼女の作品は、空想的なところ、いわゆる、ファンタジーが特色である。それは既出の西本鶏介が述べている。わたくしも西本の見解に同意する。しかし、安房直子、あまんきみこ、立原えりか等とは違うファンタジーである。ここでは紙数の限りがあり、これら三者との比較はできない。わたくしの感じた、竹下文子ファンタジーの印象を以下、記す。

七

「月売りの話」は、ひとりの旅人が寂しい町を歩いていると、「お月さんは、いかが……お月さんは、いかがです……。」と、チリンチリンと鈴を鳴らしながら、白いひげの小さなお爺さんがやって来る。

この書き出しが突飛であり、大人の読者は目を白黒させるだろう。だが、子ども読者はすんなりと、作品世界に入っていく。

続きは、次のとおり。

「とってきたばかりの、上等のお月さんですよ」

旅人は、思わずつりこまれてききました。

「ほんとうに、お月さんなのかい」

「ほんとうですともさ。こんばん、わたしの家の庭でとれました」

月売りは、かごの中から、黄色いまるいものをとりだしてみせました。あまずっぱい、よい香りがしました。

「なあんだ、夏みかんのことか」

旅人は、わらいました。（引用はブッキング発行『星とトランペット』一二ページ）

ここには、なぞなぞ遊びのような展開があり、子ども読者は大喜びする。月を売る老人という思いがけない設定が、成功している。また、答えが夏みかんだとわかると、子どもは小学校の国語教科書で習った「白いぼうし」（作・あまんきみこ）を思い出すだろう。

八

「タンポポ書店のお客さま」は少し長い作品だが、これも子ども読者を上手にお話の最後まで連れて行く。

昔から本が好きだった「ぼく」（主人公）が、タンポポ書店という名の本屋を始めた。ところが、なかなかお客がやって来ない。友人のジョウがやって来て、「宣伝が足りないよ」と言う。それで、ぼくはガリ版でビラを三百枚作って、それを紙飛行機にして、夜明けの空に向かって飛ばした。

広告の効き目はあった。やって来たお客は、一匹のハリネズミだった。そして、次の日、また、別のお客がやって来た。大きなライオンだった。さらに、次の日、やって来たのは三羽の鳥。次の日、インド象がやって来た。その後、アライグマ、フラミンゴ、ツキノワグマ、カンガルー、キリンと次々にやって来て、本を買っていく。

そして、ある日、ぼくは店を休みにして町へ出かけた。久しぶりにジョウと出合った。喫茶店でコーヒーを飲みながら話をした。ジョウが言うには、雑誌の写真をとる仕事で動物園に行ったら、あちこちにタンポポ書店の開店ビラが落ちていたという。それで、ぼくはわかった、紙飛行機にして飛ばしたビラが全部動物園に落ちたのだと。

そして、ぼくはコーヒーを飲みながら、こんなことを考えた。

それは以下のとおり。


じょうだんじゃない。まだきていない動物は、数えきれないほどいるのだ。とらやひょうや、さいやらくだは……あしかやペンギンや、わにやかばは……さるやチンパンジーやゴリラは……いったいどんな本をほしがるんだろう。それに、動物園には水族館もついている。もしも、さかなまで本を買いにくるなんてことになったら！

これはまだまだたいへんなことになりそうだぞ……と、ぼくは本気で考えはじめていた。

（引用はブッキング発行『星とトランペット』七〇～七一ページ）


この作品の初出は雑誌『童話』一九七七年（昭和五十二）三月号である。今（二〇一九年）この作品を読むと、時代遅れというよりも、ものすごい文明批判の要素を感じる。周知のように、ここ数年前から書店の廃業があいついでいる。わたくしの住む町でも、次々に書店が廃業、もしくは撤退し、五軒あった書店が現在一店舗のみである。本離れが急速である。

もちろん、わたくしは本至上主義者ではない。それにしても、書店の廃業や撤退は淋しい限りである。そのような状況の中で、この作品「タンポポ書店のお客さま」を読むと、人に代わって動物たちが本を愛好するというアイディアがなぜか辛辣に迫って来る。よって、この作品は今、子ども読者よりもむしろ、大人読者に読んでもらいたい。

九

竹下文子の初期作品に『土曜日のシモン』（偕成社　一九七九年九月）がある。この作品の登場人物は、片仮名書きで、シモン、ジュン、タカシ（ジュンの友だち）などである。主人公の少年はジュンであり、彼を不思議な世界にいざなうのはシモンという名の中年のおじさんである。ジュンはお母さんとの二人暮らしで、お母さんは婦人服の店に勤めている。ジュンは特に土曜日が「つまんないな」と思う。それは家に帰っても誰もいないし、友だちは塾に行ったりするし、仲の好い友だちはいない。そんな一人ぼっちの土曜日のジュンの前に現れるのが、シモンである。シモンは、アライグマに似た、ひげの男である。

シモンはジュンに「海へいこうや」と誘う。シモンの後について歩いていくと、いつの間にか、周りの様子が変になり、やがて、海に出る。

ジュンは砂に足を取られながらも、波打ち際まで走っていく。水にそっと手を浸す。「あっ、塩辛いよ」「そりゃそうだろ」ざくざくと砂を踏んで、シモンが後ろからやって来る。「ああ、やっぱりいいなあ。いつ来ても、海だなあ」シモンはそう言って、腕を組み、遠くを眺める。

　このようにシモンはジュンの無聊をなぐさめる「仲間」であり、ジュンの「相談役」となる。一人の少年が人として大きくなるには、「仲間」や「相談役」が要る。親もあてにならず、また、友だちもあてにならず、学校の先生もあてにならずという状況に於いて、少年は何を頼りにして大きくなったらいいのだろうか。この答を探す上でヒントになるのが、この作品『土曜日のシモン』である。

　毎日、毎時間、そばにいて寄り添ってくれているという存在ではない。一週間のうち、土曜日の午後だけ、シモンはジュンに即《っ》かず離れずの関係で現れ、寄り添う。まるで幼稚園の時間外保育、もしくは小学校の学童保育に於ける先生のようである。

　赤星亮衛の表紙絵をみると、二頭の白馬にジュンとシモンがそれぞれ跨っている。手前の馬にジュン、そして、奥の馬にシモンが乗っている。なぜ、二人が一頭の馬に乗らないのか。それはジュンの独立独歩を尊重するからである。

　大人は子どもに干渉し過ぎてはならない。遠くから見つめている。そして、危機、緊急の時には出動する。その見本をシモンが示している。

　また、『土曜日のシモン』にはこんな場面がある。

小道のとちゅうには、小さな公園のようなあき地がつくられていて、白いベンチがひとつおいてある。

そこにシモンがいた。

シモンは、ベンチの背にもたれて、両手で頭のうしろをくんで、空を見ていた。横顔は、考えごとをしているようにも見えたし、ねむっているようにも見えた。

「シ・モ・ン」

ジュンは、窓からのりだして、大きな声で呼んだ。きこえないのか、シモンは、すこしもうごかない。やっぱり、ねむっているのかもしれない。

なんだか、シモンはちょっぴりさびしそうだ、とジュンはふと思った。どこへでもいけて、なんでもできて、ふしぎなことやたのしいことをたくさん知っているのに、シモンでも、さびしいことがあるんだろうか。（『土曜日のシモン』一六一ページ）

ここを読むと、「頼りの人」であるシモンが普通の人と同じ悩みを抱えているのだとわかる。すなわち、ジュンから見たシモンはこれまで「完璧な人」であったのに、実はそうではなく、自分と同じように「弱さ」や「悩み」を持っていたのだと知る。このような人物造型に、わたくしは大いに共感する。

この作品の末尾を読むと、ジュンはシモンに自分の父の姿を見ていたのかなと思う。風邪で寝込んでしまったジュンは、看病してくれる母に向かって、「おとうさんは、ひげをはやしてた?」「口笛がじょうずだった?」「馬に乗れた?」などシモンのことを思い浮かべて質問するからである。ジュンの母は父と離婚したのか、それとも、父が死んだのか明らかでない。それは読者の想像に任せるという作者の計らいである。これもファンタジー作品の特徴である。

先に、もの書きには大きく分けて三つのタイプがある云々と述べたが、竹下文子は完璧なファンタジー作家(ハイファンタジーの作品を書く作家)ではない。だが、ファンタジー作家であることは確かだ。それも、短篇や中篇のファンタジーを得意とする。彼女の作品から、さくらももこのような密着した土地や人物を探り当てることは不可能であり、作者もそんなことを望んではいない。自身の想像力の翼をどこまで延ばせるかを楽しみたいのだろう。竹下文子がファンタジー作品を書き続けるわけはそこにあるとわたくしは判断する。

あとがき

現代の児童文学について本を書こうと思うと、大変であると実感した。何しろ対象とすべき本がたくさんあり、老眼のわたくしにはとてもつらい仕事であった。こんな繰り言を述べても仕方あるまいが、ともかくある程度の道筋はつけられたのかなと思う。

これまで児童文学に関する本を三冊書いてきた。第一冊は、『児童文学の表現構造 どう読むかどう書くか』（教育出版センター 一九八六年四月）であり、第二冊は『現代児童文学の課題 灰谷健次郎を軸として』（右文書院 一九九〇年五月）であり、第三冊は『ピノッキオ物語の研究 日本における翻訳・戯曲・紙芝居・国語教材等』（てらいんく 二〇一七年六月）である。よって、ここに出版する本は第四冊目である。

児童文学に関する本はこれでおしまいとする。他にやらなければならない仕事があり、もうこれ以上、児童文学に関する仕事はできない。

　いのち短し、されど人間として生きる道は遠い。若年のころは、まだまだ仕事ができると思っていた。しかし、ある境界を越えると、記憶力も鈍くなり、たくさんのことを頭の中に収容できなくなる。そして、石井桃子さんから聞いた話だが、「年をとると昔のことは鮮明に思い浮かぶが、昨日今日のことはさっさと忘れてしまう」。まさに、わたくしもそれを実感する。

「おさなものがたり」までは行かないが、幼少年時代のことは鮮明に思い浮かぶが、昨日今日会った人の名前はよく忘れる。これは、わたくしの理論によれば、脳のキャパシティー（容量）が限界に来ていて、新しいことはあまり深く入り込めないのだ。そして新しいことは、うっすらとその辺に漂っているから、すぐに消えてしまうのだ。よほどショックなことか、印象深いことでなければ、老人の脳は活性化しないし、記憶しない。それに比べて若い人や子どもの脳はまだまだ容量がたくさんある（つまり、記憶の入るスペースが充分広い）、だから、新しいことがどんどん脳に入り、蓄積されていく。

こんな話を大学の休憩室で若い准教授に話したら、「そういうもんですかね」とうなずいてくれた。しかし、真実はどうであるかわからない。

ともあれ、現代日本の児童文学も、ずいぶん発展してきたと思う。これからもさらに発展することを祈って、ペンをおく。

二〇一九年七月

竹長　吉正

主要文献

＊ここには本書に関係する主要文献のみを掲げた。［写真解説］と重複する文献は省いた。［写真解説］の箇所も参照していただきたい。
・清水真砂子『子どもの本の現在』（大和書房　一九八四年九月）
・石井桃子『幼《おさな》ものがたり』（福音館書店　一九八一年初版）＊『幼ものがたり』はのち、福音館文庫（二〇〇二年六月）に所収
・石井桃子『ふしぎなたいこ』（岩波書店〈岩波の子どもの本〉一九五三年十二月第一刷）
・関敬吾『日本昔話集成　第三部笑話1』（角川書店　一九七三年四月第六版＊一九五七年八月初版）
・関敬吾『日本昔話集成　第三部笑話2』（角川書店　一九七三年四月第五版＊一九五八年六月初版）
・小西正保「石井桃子論」『トナカイ村』第四十七号（トナカイ村児童文学会　一九七〇年二月）
・神宮輝夫「〈人と作品〉石井桃子」『週刊　読書人』第六四九号（一九六六年十一月七日）
・与田凖一「石井桃子」『国文学　解釈と鑑賞』（至文堂）一九六二年十一月臨時増刊＊〈現代児童文学事典〉
・影山恒男「たのしい川べ」日本文学協会編、大修館書店刊『読書案内―小学校編』（一九八二年五月）
・中勘助『しづかな流《ながれ》』（岩波書店　一九三二年六月）
・中勘助『蜜蜂』（筑摩書房　一九四三年五月）
・吉田精一・飛田多喜雄編『中学生文学全集17　中勘助・野上弥生子集』（新紀元社　一九五七年六月）
・谷崎潤一郎ほか編『日本の文学44　野上弥生子・網野菊』（中央公論社　一九六五年十月）
・槇皓志『善知鳥』（吉井書房　一九四九年九月）

・関口安義『キューポラのある街　評伝早船ちよ』（新日本出版社　二〇〇六年三月）
・花村奨「編集後記」『若草』第二十四巻第七号（寶文館　昭和二十四年七月）
・早船ちよ「自作解説〈生活と作品〉」（『若草』第二十四巻第七号（寶文館　昭和二十四年七月）
・早船ちよ「美しい五月の夜道に」『民芸通信』第四号（民芸通信の会　一九五一年五月）
・早船ちよ「鳩と少女たち」『さいたま　少年少女』創刊号（埼玉児童教育協会　一九五三年四月）
・滑川道夫「解説　太田博也」講談社刊『少年少女日本文学全集13　太田博也　那須辰造　福田清人』
（一九七七年二月）所収
・高堂要「解説　太田博也」教文館刊『日本キリスト教児童文学全集9　太田博也集　ポリコの町』（一九八三
年三月）所収
・乙骨淑子「太田博也小論――風ぐるまを中心にして――」（『日本児童文学』一九五八年六月号）
・乙骨淑子「児童文学・人と作品第39回 太田博也」（『週刊読書人』第六九二号　一九六七年九月十八日）
・高野千代『蝕める花』（寶文館　大正十四年七月十日）
・古田足日「北川千代論」講談社刊『北川千代児童文学全集　下巻』（一九六七年十月）所収
・西沢正太郎『野っぱらクラス』（盛光社　一九六九年五月）
・灰谷健次郎『天の瞳　幼年編Ⅰ』（新潮社　一九九六年一月）
・高橋秀雄『じいちゃんのいる囲炉裏ばた』（小峰書店　二〇〇四年十一月）
・高橋秀雄『やぶ坂からの出発《たびだち》』（小峰書店　二〇〇九年十一月）
・高橋秀雄『地をはう風のように』（福音館書店　二〇一一年四月）

写真解説

①　**光文社版『ノンちゃん雲に乗る』**……　光文社から一九五一年（昭和二十六）四月初版発行。これは一九五三年（昭和二十八）十二月発行の第二十五版。装幀・挿絵は桂ユキ子。「あとがき」に著者の石井が「文部大臣賞をいただいた日に」という添え書きをしている。そして、終戦直後に出た『ノンちゃん雲に乗る』が絶版になっていたのを光文社の社長神吉晴夫がそれを惜しんで去年（昭和二十七年）から出版の準備をしていたところ、たまたま文部大臣賞を頂けることになって嬉しいですと述べている。この作品には、菖蒲町とか氷川様（大宮の氷川神社）とか原山（浦和）とか、埼玉県の、大宮、浦和、菖蒲などの地名がそのまま出てくるので、埼玉県になじみのある読者には、なおさら興味が湧く。

②　**角川文庫版『ノンちゃん雲に乗る』**……　カバーの絵はいずれも中川宗弥。宗弥は童話『いやいやえん』の作者中川李枝子の夫。左の青い図柄（人物無し）の本は一九七三年（昭和四十八）四月初版発行。右の人物二人（おじいさんとノンちゃん）を描いている本は一九七三年（昭和四十八）五月初版発行。角川文庫版『ノンちゃん雲に乗る』は以後、右の絵で刊行されている。なぜ、左の絵が右の絵に変わったのか不明である。

③　**『たのしい川邊』**……　挿画はアーネスト・H・シェパード。装幀は松野一夫。一九四〇年（昭和十五）十一月、白林《ハクリン》少年館出版部（東京市四谷区南町八十八番地）の発行。ケネス・グレアム作、中野好夫訳。本文の中にある絵はシェパードが描いたものだが、表紙の絵は松野一夫による。

④　***First Whisper of 'The Wind in the Willows'***……　『たのしい川べ』（*The Wind in the Willows*）の作者ケネス・グレアムの妻エルスペス・グレアム（Elspeth Grahame）が編集し、一部を執筆している。内容は三部で

構成。第一部は、ケネスが『たのしい川べ』を発想した背景についてエルスペスが執筆している。第二部は、『たのしい川べ』の原形と目されるケネスの作品（*Bertie's Escapade*）を掲載。第三部は、ケネスが息子アラステア（Alastair）に宛てた手紙を多数、収録している。初版は一九四七年の発行。この本は、『たのしい川べ』を最初に出版したメスエン（Methuen）社の協力・許可を得て一九四七年、The Children's Book Club（ロンドンのチャリング・クロス・ロードにある）から刊行された。

⑤『ふしぎなたいこ』……　岩波書店発行の「岩波の子どもの本」の一冊。一九五三年（昭和二十八）十二月、第一刷発行。その後、版を重ねている。文は石井桃子、絵は清水崑。

⑥『文福茶釜　ふしぎなたいこ』……（株）ひかりのくに発行。日本昔話えほん全集第10巻。文は飯島敏子、画は長谷川露二・金曽大畔、装丁は斉藤照雄。発行年月未記載。

⑦『小説公園』第四巻第二号……　一九五三年（昭和二十八）二月号、六興出版社の発行。尾崎一雄の小説「ぼうふら横丁」、清水重道の詩「むさしの」、池田みち子の小説「夫婦の倫理」、ヘミングウェイの小説「キリマンジャロの雪」（訳＝大久保康雄）等が載っている。その中に、石井桃子のエッセイ「のんびりしたような世界」が載っている。

⑧『お父さんのラッパばなし』……　瀬田貞二の創作童話。画は堀内誠一。一九七七年（昭和五十二）六月初版、福音館書店の発行。内容は「1　富士山の鳥よせ」から「14　海賊たいじ」まで全十四章。

⑨『妖精圏』……　野上弥生子の作品集。装幀は中川一政、刻摺は深澤索一。一九三六年（昭和十一）十一月初版、中央公論社の発行。内容は「黒い行列」「ノッケウシ」「哀しき少年」「一隅の春」「めばえ」「小鬼の歌」の六篇を収録。

⑩『若草』第二十四巻第七号……　一九四九年（昭和二十四）七月号、寶文館の発行。表紙は津田青楓。巻頭に早船ちよの長篇小説「湖」（250枚）を掲載。他に、古賀甲羅の「作品月評　田村泰次郎の限界性」。

末尾に、読者の投稿作品（詩・短歌・俳句・歌謡・小説）を掲載。

⑪『ドン氏の行列』……　太田博也の作品集。装幀は野間仁根。一九四一年（昭和十六）七月初版、文昭社の発行。内容は「ドン氏の精」から「黒い眼のふち」までの全十六章。

⑫『風ぐるま』……　太田博也の作品集。装幀・挿絵は宮木薫。一九五五年（昭和三十）、福音館書店から発行。

⑬『野っぱらクラス』……　西沢正太郎の作品集。絵は小林与志。但し、写真は内扉。一九六九年（昭和四十四）五月初版、盛光社の発行。

⑭『その旗をまもれ』……　安藤美紀夫の作品集。絵は小野かおる。一九六九年（昭和四十四）十二月第一刷、講談社の発行。

⑮『プチコット　村へいく』……　安藤美紀夫の作品集。絵は鈴木義治。一九六九年（昭和四十四）九月第一刷、新日本出版社の発行。一九八〇年一月、第七刷。

⑯『先生のおとおりだい！』……　中野みち子の作品集。絵は長谷川知子。一九七三年（昭和四十八）初版発行、一九八三年（昭和五十八）二月、第三十八刷。

⑰『チッチゼミ鳴く木の下で』……　皿海達哉の作品集。絵は長尾みのる。一九七六年（昭和五十一）九月第一刷、講談社の発行。

⑱『海のメダカ』……　皿海達哉の作品集。絵は長新太。一九八七年（昭和六十二）九月初版第一刷、偕成社の発行。

⑲『カツオドリ飛ぶ海』……　日比茂樹の作品集。絵は西村保史郎。一九七八年（昭和五十三）八月第一刷、講談社の発行。

⑳『白いパン』……　日比茂樹の作品集。絵は宮本忠夫。一九八三年（昭和五十八）十二月初版第一刷、小

学館の発行。

㉑『ぼくのヒメマス記念日』……　高橋秀雄の作品集。絵は本橋靖昭。二〇〇六年（平成十八）十一月初版、国土社の発行。

㉒『永沢君』……　さくらももこの作品集。一九九五年（平成七）六月初版第一刷、小学館の発行。一九九五年十一月、第五刷。

㉓『まる子　子ねこをひろうの巻』……　さくらももこの作品集。二〇〇九年（平成二十一）十月初版、金の星社の発行。

㉔『ちびまる子ちゃん　キミを忘れないよ』……　さくらももこの作品集。二〇一五年（平成二十七）十二月第一刷、小学館の発行。二〇一八年（平成三十）九月第二刷。

㉕『イタリアから来た少年』……　さくらももこの作品集。二〇一六年（平成二十八）三月初版、金の星社の発行。

㉖『星とトランペット』……　竹下文子の作品集。絵は牧野鈴子。二〇〇四年（平成十六）二月初版、ブッキングの発行。

㉗『土曜日のシモン』……　竹下文子の作品集。絵は赤星亮衛。一九七九年（昭和五十四）九月初版第一刷、偕成社の発行。

〈A〉　新聞連載『迷子の天使』第2回～第4回　絵は脇田和。

〈B〉　新聞連載『迷子の天使』第131回～第132回　と一九六三年六月刊の角川文庫版『迷子の天使』（絵は中川宗弥）　描かれているのは念海夫人と猫。

竹長　吉正（たけなが　よしまさ）

1946年、福井県生まれ。埼玉大学名誉教授。白鷗大学、埼玉県立衛生短期大学（現、埼玉県立大学）、群馬県立女子大学などでも講義を行った。
日本近代文学、児童文学、国語教育の講義を行い、著書を出版。『日本近代戦争文学史』『文学教育の坩堝』『霜田史光　作品と研究』『ピノッキオ物語の研究——日本における翻訳・戯曲・紙芝居・国語教材等——』『石垣りん・吉野弘・茨木のり子詩人の世界——（附）西川満詩鈔ほか——』など。

カバー絵・高垣 真理

てらいんくの評論

石井桃子論ほか——現代日本児童文学への視点——

発 行 日	2020年1月11日　初版第一刷発行
	2020年3月26日　初版第二刷発行
著　　者	竹長吉正
カバー絵	高垣真理
発 行 者	佐相美佐枝
発 行 所	株式会社てらいんく
	〒215-0007　神奈川県川崎市麻生区向原3-14-7
	TEL　044-953-1828　　FAX　044-959-1803
	振替　00250-0-85472
印 刷 所	モリモト印刷

ISBN978-4-86261-154-3　C0095